Ania
z Zielonego Wzgórza

Lucy Maud
MONTGOMERY

Ania z Zielonego Wzgórza

przełożyła
Agnieszka Kuc

Wydawnictwo Literackie

Tytuł oryginału
Anne of Green Gables

Wydanie pierwsze w tej edycji

Redaktor prowadzący
Jolanta Korkuć

Redakcja
Marianna Cielecka, Paweł Ciemniewski

Korekta
Henryka Salawa, Anna Rudnicka, Małgorzata Wójcik, Alina Doboszewska, Urszula Srokosz

Opracowanie komputerowe okładki i stron tytułowych
Marek Pawłowski

Redaktor techniczny
Bożena Korbut

Książkę wydrukowano na papierze Ecco Book 60 g, vol. 1,6

Printed in Poland
Wydawnictwo Literackie Sp. z o.o., 2007
ul. Długa 1, 31-147 Kraków
bezpłatna linia telefoniczna: 0 800 42 10 40
księgarnia internetowa: www.wydawnictwoliterackie.pl
e-mail: ksiegarnia@wydawnictwoliterackie.pl
fax: (+48-12) 430 00 96
tel.: (+48-12) 619 27 70
Skład i łamanie: Infomarket
Druk i oprawa: Drukarnia Narodowa S.A. Kraków

ISBN 978-83-08-04131-4 — oprawa broszurowa
ISBN 978-83-08-04132-1 — oprawa twarda

Same dobre gwiazdy spotkały się na nieba szczycie,
Z ducha, ognia i rosy tchnęły w ciebie życie.

Robert Browning

CO ZADZIWIŁO PANIĄ MAŁGORZATĘ

Pani Małgorzata Linde mieszkała tuż przy głównym trakcie wiodącym przez Avonlea, tam gdzie łagodnie opadał on w dół, ku małej kotlinie. Droga biegła wśród olszynowych zarośli i polnych dzwonków. Przecinał ją strumyk, którego źródło biło gdzieś daleko w lasach otaczających stare domostwo Cuthbertów. Przez leśne ostępy strumień płynął zakolami, niezwykle wartko, po drodze rozlewał się, tworząc mroczne stawy i malownicze kaskady, z chwilą jednak gdy dopływał do kotliny, w której mieszkała pani Linde, zmieniał się w cichy i spokojny potoczek, płynący układnie w kierunku jej domu. Nic w tym zresztą nie było dziwnego, wobec pani Małgorzaty bowiem nawet strumień musiał zachowywać się należycie i zgodnie z zasadami. Widocznie doskonale zdawał sobie sprawę z tego, że pani Małgorzata bacznie wszystko obserwuje z wysokości swojego okna, nie wyłączając strumyka i biegających nieopodal dzieci, i jeśli tylko zauważy coś dziwnego lub niestosownego, nie spocznie, dopóki nie dowie się, co za tym stoi.

W Avonlea i okolicy mieszkała spora grupa ludzi, którzy tak bardzo przyglądali się temu, co robią sąsiedzi, że zaniedbywali przez to własne obowiązki; pani Małgorzata

Linde należała jednak do chlubnych wyjątków — nie dosyć, że potrafiła doskonale ze wszystkim się uporać, to jeszcze znajdowała czas, aby mieć wgląd w sprawy innych. Była znakomitą gospodynią, zawsze wszystko było u niej zrobione jak należy i na czas. Mało tego, „zawiadywała" także kółkiem krawieckim, pomagała w prowadzeniu szkółki niedzielnej, kierowała parafialnym oddziałem Koła Pomocy, a także wiodła prym w Stowarzyszeniu Misyjnym. Pomimo swych rozlicznych zajęć, pani Małgorzata znajdowała aż nadto wiele czasu, by przesiadywać całymi godzinami w kuchennym oknie i dziergać z bawełnianych resztek narzuty na tapczan. Zrobiła ich już szesnaście, co z niekłamanym podziwem powtarzały sobie z ust do ust gospodynie w Avonlea. Robienie na drutach nie przeszkadzało jej uważnie śledzić wszystkiego, co działo się na drodze, która przecinała kotlinę i pięła się dalej po stromym zboczu wzgórza rudawoczerwonej barwy. Ponieważ Avonlea leżało na małym trójkątnym półwyspie wrzynającym się w Zatokę św. Wawrzyńca i z obu stron otaczała je woda, każdy, kto chciał tu dotrzeć lub stąd wyjechać, musiał podążać drogą prowadzącą na wzgórze, a tym samym dostawał się pod czujne oko pani Małgorzaty.

Któregoś popołudnia na początku czerwca pani Małgorzata wyglądała właśnie przez okno. Ciepłe, jasne promienie słońca wpadały do wnętrza kuchni; sad położony na zboczu wzgórza poniżej domu wyglądał niczym zarumieniona panna młoda, cały w bladoróżowym kwieciu, huczący od pszczół. Tomasz Linde, niepozorny, cichy mężczyzna, którego mieszkańcy Avonlea określali zawsze mianem „męża pani Małgorzaty", zajęty był akurat pracą w polu — siał późną odmianę rzepy na górce za stodołą. Także Mateusz Cuthbert powinien był właśnie obsiewać rzepą swoje rozległe, rdzaworude pole, które leżało niedaleko, nad strumieniem, nieopodal domu o nazwie Zielone Wzgórze. Pani Małgorzata była o wszystkim dobrze poinformowana, słyszała bowiem, jak poprzedniego wieczoru rozmawiał o tym z Piotrem Morrisonem w sklepie Wilhelma Blaira, w Carmody. Mówił, że zamierza przystąpić do siewu właśnie nazajutrz. Piotr oczywiście musiał wyciągnąć z niego tę informację, gdyż Mateusz Cuthbert słynął z tego, że nie był skory do wynurzeń.

Aż tu proszę, Mateusz Cuthbert we własnej osobie, o wpół do czwartej po południu, gdy wszyscy pochłonięci byli pracą, jechał z wolna drogą wiodącą przez kotlinę i dalej ku wzniesieniu. Jakby tego było mało, założył białą koszulę i swoje najlepsze ubranie. Niewątpliwie wyjeżdżał właśnie z Avonlea. W dodatku do powozu zaprzągł kasztankę, co oznaczało, że udawał się w daleką drogę. Gdzież, na Boga, mógł się wybierać, no i po co?

Gdyby chodziło o jakiegokolwiek innego mieszkańca Avonlea, pani Małgorzata na pewno nie miałaby kłopotu ze znalezieniem odpowiedzi na oba nurtujące ją pytania. Mateusz jednak tak rzadko wyjeżdżał z domu, że musiał to być jakiś naglący i całkiem niezwykły wypadek. Był to przecież najbardziej nieśmiały mężczyzna pod słońcem, w dodatku nie cierpiał przebywać w towarzystwie obcych ludzi, a już szczególnie nie znosił miejsc, gdzie należało zabierać głos. Mateusz w białym kołnierzyku, jadący powozem, stanowił widok zaiste niespotykany. Pani Małgorzata, mimo usilnych starań, nic nie mogła z tego pojąć i ten fakt zupełnie popsuł jej humor.

— Po podwieczorku zajdę na chwilę do domu Cuthbertów i dowiem się od Maryli, dokąd się udał i po co — zdecydowała wreszcie ta wielce szacowna osoba. — Zazwyczaj nie jeździ o tej porze roku do miasta, a już na pewno n i e z w i z y t ą. Gdyby zabrakło mu nasion do obsiania pola, nie wystroiłby się tak, no i nie zaprzągłby kasztanki do powozu; nie udawał się też po doktora, jechał bowiem zbyt wolno. Od ubiegłej nocy musiało jednak wydarzyć się coś, co skłoniło go do wyjazdu. Jestem zdziwiona, ot co, i nie zaznam spokoju, dopóki się nie dowiem, dlaczego Mateusz Cuthbert wybrał się w drogę.

Jak pomyślała, tak zrobiła. Nie miała zresztą daleko, jako że obszerny, pełen zakamarków dom Cuthbertów, otulony rozległym sadem, znajdował się zaledwie o ćwierć mili od posesji pani Małgorzaty. Gwoli ścisłości należałoby dodać, że wąska dróżka, która łączyła obie posiadłości, niepomiernie tę odległość zwiększała. Ojciec Cuthbertów, tak samo cichy i nieśmiały jak Mateusz, wzniósł swoje domostwo na tyle daleko od sąsiadów, na ile się dało, bez zaszywania się w leśne ustronia. Dom Cuthbertów został zbudowany w najodleglejszym zakątku posiadłości, dlatego zawsze był ledwie widoczny od strony głównej drogi, przy której tak zgodnie i przyjaźnie sąsiadowały ze sobą pozostałe zabudowania Avonlea. Dla pani Małgorzaty Linde życie na takim odludziu było nie do pomyślenia.

— To nie życie, tylko zwykłe t r w a n i e, ot co — powiedziała, gdy weszła na zrytą koleinami trawiastą ścieżkę, przy której rosły krzewy dzikiej róży. — Nic dziwnego, że Mateusz i Maryla są nieco zdziwaczali, żyją w końcu na zupełnym pustkowiu, całkiem sami. Przecież drzewa nie mogą zastąpić człowiekowi towarzystwa, chociaż gdyby mogły, to uzbierałaby się wcale liczna kompania. Ja tam wolę przyglądać się ludziom, ale trzeba przyznać, że Mateusz i Maryla czują się tutaj dobrze. Ostatecznie, jak to zgrabnie ujął pewien Irlandczyk, można się przyzwyczaić do wszystkiego, nawet do wiszenia na szubienicy.

Z takimi myślami pani Małgorzata wkroczyła na podwórze domu Cuthbertów. Tonęło w zieleni, a przy tym wszędzie panował idealny ład i porządek. Z jednej strony rosły dostojnie wyglądające rozłożyste wierzby, a z drugiej strzeliste topole. Najmniejsza słomka ani kamień nie psuły doskonałej harmonii; gdyby było inaczej, pani Małgorzata natychmiast by to zauważyła. Skrycie żywiła przeświadczenie, że Maryla Cuthbert zamiata swoje podwórze równie często, jak sprząta dom. Z ziemi można by jeść bez obawy, że zgarnie się choćby odrobinkę brudu.

Pani Małgorzata zapukała delikatnie do kuchennych drzwi i weszła do środka dopiero, gdy usłyszała zaproszenie. Kuchnia była bardzo jasna i przytulna, a właściwie mogłaby za taką uchodzić, gdyby nie owa przesadna czystość, która nadawała jej wygląd nieuczęszczanego salonu. Okna kuchni wychodziły na wschód i na zachód; przez zachodnie, które łapało delikatne czerwcowe promienie, widać było podwórze. Ze wschodniego roztaczał się przede wszystkim widok na obsypane białym kwieciem czereśnie rosnące w sadzie oraz na szpaler wysmukłych brzóz, pochylających się nad strumieniem przecinającym kotlinę. Dopiero po chwili dostrzec można było gąszcz winorośli oplatających okno. To tutaj siadywała Maryla Cuthbert, jeżeli już zdecydowała się przysiąść na chwilę. Zawsze nieufnie traktowała światło słoneczne, którego nieodpowiedzialne pląsy i igraszki zupełnie nie licowały z powagą i surowością świata. To tutaj zastała ją teraz pani Małgorzata. Maryla robiła coś na drutach, a za jej plecami widać było stół nakryty do kolacji.

Pani Małgorzata, zanim zamknęła drzwi, uważnie przyjrzała się wszystkiemu, co stało na stole. Spostrzegła trzy nakrycia i od razu domyśliła się, że Maryla spodziewa się kogoś. Naczynia jednak były codziennego użytku, a obok nich stał tylko zwyczajny mus jabłkowy i jeden rodzaj ciasta, tak że od razu było widać, iż oczekiwany gość nie jest tak znowu niezwykły. No tak, ale czemu Mateusz przywdział biały kołnierzyk, a w zaprzęgu szła kasztanka? Pani Małgorzata była naprawdę podekscytowana całą tą sprawą, która ze spokojnego, zupełnie zwyczajnego domu Cuthbertów uczyniła miejsce nad wyraz tajemnicze.

— Dobry wieczór, Małgorzato — powiedziała żywo Maryla. — Jest naprawdę pięknie. Może zechcesz usiąść? Co u was słychać?

Pomiędzy Marylą Cuthbert i panią Małgorzatą zawsze istniało coś w rodzaju przyjaźni, na przekór — a może właśnie dzięki — wszystkim dzielącym je różnicom.

Maryla była wysoką, szczupłą kobietą, dosyć kościstą i mało kształtną. Jej ciemne włosy poprzetykane były srebrnymi nitkami i jak zawsze upięte wysoko w mały, ciasny kok, z którego sterczały groźnie dwie metalowe szpilki. Maryla wyglądała na kobietę o niewielkim doświadczeniu i nieugiętych zasadach. Taka też i była. Tylko w kącikach jej ust kryło się coś, co zwiastowało poczucie humoru, któremu nigdy jednak nie pozwoliła w pełni rozbłysnąć.

— U nas wszystko dobrze — odparła Małgorzata. — Niepokoiłam się jednak o was, gdy zobaczyłam, że Mateusz dokądś się dzisiaj wybrał. Myślałam, że pojechał po doktora.

Maryla poruszyła ustami ze zrozumieniem. Spodziewała się wizyty Małgorzaty. Wiedziała, że na widok jej brata wyruszającego w drogę pani Linde nie będzie mogła powściągnąć swej ciekawości.

— Ach, nie, czuję się całkiem dobrze, tyle że wczoraj bolała mnie głowa — powiedziała. — Mateusz pojechał do Bright River. Zdecydowaliśmy się wziąć na wychowanie małego chłopca z sierocińca w Nowej Szkocji. Przyjedzie wieczornym pociągiem.

Gdyby Maryla powiedziała, że Mateusz pojechał do Bright River, żeby odebrać ze stacji australijskiego kangura, konsternacja pani Małgorzaty byłaby zapewne mniejsza. Po prostu oniemiała na pięć sekund. Niemożliwe, żeby Maryla chciała z niej sobie zadrwić, ale w tej chwili pani Małgorzata była skłonna w to uwierzyć.

— Mówisz poważnie, Marylo? — zapytała, gdy już w pełni odzyskała głos.

— Naturalnie, że tak — odpowiedziała spokojnie Maryla, jak gdyby przygarnianie chłopców z sierocińca w Nowej Szkocji nie było żadną niesłychaną fanaberią, lecz zwykłą, rutynową czynnością, taką jak wiosenne prace polowe na farmach w Avonlea.

Pani Małgorzata poczuła, że przeżywa szok. W głowie huczało jej od wykrzykników. Chłopak! Maryla i Mateusz Cuthbert, akurat oni, adoptują chłopca! Z sierocińca! Świat chyba stanął na głowie! Teraz nic nie jest w stanie jej zaskoczyć! Absolutnie nic!

— Skąd taka myśl przyszła wam do głowy? — zapytała z przyganą w głosie.

W końcu nie poprosili jej nawet o radę, siłą rzeczy należało więc wyrazić swoje niezadowolenie.

— No cóż, zastanawialiśmy się nad tym już od dłuższego czasu, właściwie przez całą zimę — odpowiedziała Maryla. — Aleksandra Spencer odwiedziła nas któregoś dnia przed Bożym Narodzeniem i oświadczyła, że na wiosnę planuje sprowadzić z sierocińca w Hopetown pewną małą dziewczynkę. Powzięła ten zamiar w trakcie wizyty u kuzynki, która mieszka w Hopetown. Tak więc Mateusz i ja niejednokrotnie o całej sprawie rozmawialiśmy. Umyśliliśmy sobie wziąć chłopca. Mateusz coraz bardziej posuwa się w latach, wiesz, ma już sześćdziesiątkę — i nie jest tak żwawy jak dawniej. Serce odmawia mu posłuszeństwa. A sama wiesz, jak trudno jest znaleźć dobrych pomocników. Do wzięcia są tylko te głupie francuskie chłopaki, zupełne niedorostki jeszcze. Ledwo zdążysz takiego przyuczyć do tego czy tamtego, a już ci czmychnie pracować w fabryce konserw albo ucieknie do Ameryki. Z początku Mateusz proponował, żeby wziąć jakiegoś chłopca z przytułku dla angielskich sierot. Ja jednak byłam zdecydowanie przeciwna. Może oni są i w porządku, nie mówię, że nie, ale nie potrzeba mi tutaj żadnych londyńskich uliczników. Jeżeli mam kogoś przygarnąć, to niech to będzie jakiś chłopiec stąd. Ryzyka i tak nie da się wykluczyć. Na pewno będę się czuła bezpieczniej i lepiej będę w nocy spać, gdy dostaniemy Kanadyjczyka. Tak więc koniec końców zdecydowaliśmy się poprosić panią Spencer, ażeby wybrała dla nas jakiegoś, gdy pojedzie po swoją dziewczynkę. W ubiegłym tygodniu dowiedzieliśmy się, że właśnie wybiera się w drogę, i poprzez krewnych Ryszarda Spencera mieszkających w Carmody poprosiliśmy, aby przywiozła nam jakiegoś bystrego, odpowiedniego dla nas chłopca w wieku dziesięciu lub jedenastu lat. Uznaliśmy, że to najlepszy wiek — dziecko jest już na tyle duże, że może nam trochę pomóc w domowych zajęciach, a jednocześnie na tyle jeszcze małe, że można je będzie odpowiednio wychować. Planujemy stworzyć dla niego dom i zadbać o stosowne wykształcenie. Listonosz przywiózł dziś ze stacji telegram od pani Spencer, z którego wynikało, że przyjadą wieczornym pociągiem o wpół do szóstej. Dlatego Mateusz udał się do Bright River, aby odebrać chłopca. Pani Spencer wysadzi go na stacji. Sama pojedzie oczywiście dalej, do Białych Piasków.

Pani Małgorzata szczyciła się tym, że zawsze mówiła to, co myśli. Także i tym razem zdecydowała się wyrazić swoje zdanie, gdy tylko zdążyła oswoić się nieco z niezwykłą nowiną.

— No cóż, Marylo, muszę ci szczerze wyznać, że popełniasz straszne głupstwo — wiele ryzykujesz, ot co. Nie wiesz, co sobie ściągasz na głowę. Wpuszczasz obce dziecko do własnego domu, a nic o nim nie wiesz, nie znasz jego charakteru, nie wiesz, kim byli jego rodzice, nie możesz też przewidzieć, co z niego wyrośnie. Dopiero co czytałam w gazecie, bodajże w ubiegłym tygodniu, jak pewien mężczyzna i jego żona, mieszkający na północny zachód od Wyspy, przygarnęli chłopca z sierocińca, a ten podłożył nocą ogień pod ich dom. Zrobił to specjalnie, Marylo, mało brakowało, a upiekliby się we własnych łóżkach. Słyszałam też o innym chłopcu, także wziętym z sierocińca, który ciągle podkradał i wypijał jajka, w żaden sposób nie można go było tego oduczyć. Jeżeli chcesz znać moje zdanie, to szkoda, żeś się wcześniej nie spytała, na pewno bym ci wybiła ten szaleńczy pomysł z głowy, ot co.

Wszystkie te uwagi nie zrobiły większego wrażenia na Maryli, nie poczuła się też nimi dotknięta. Dalej spokojnie robiła na drutach.

— Nie przeczę, Małgorzato, że w tym, co mówisz, tkwi sporo racji. Sama też miałam wiele wątpliwości. Mateusz bardzo jednak nalegał. Nietrudno mi było zauważyć, jak strasznie mu zależy, toteż w końcu ustąpiłam. Mateusz tak rzadko się przy czymś upiera, że gdy już coś postanowi, czuję się w obowiązku mu ulec. Jeżeli chodzi o ryzyko, to nieodłącznie towarzyszy nam ono w każdej chwili życia. Ci, którzy decydują się na dzieci, także ponoszą ryzyko — w końcu nie wszystkim udaje się wychować własne potomstwo tak, jak by chcieli. A poza tym Nowa Szkocja leży bardzo blisko Wyspy. Co innego, gdyby chłopiec pochodził z Anglii lub ze Stanów — ale skoro jest stąd, nie powinien specjalnie różnić się od nas.

— No cóż, miejmy nadzieję, że martwię się na wyrost — odrzekła pani Małgorzata tonem pełnym wątpliwości. — Tylko żebyś potem nie miała żalu, że cię nie ostrzegałam, gdy on podpali wasz dom lub wrzuci strychninę do studni. Słyszałam o takim przypadku, który zdarzył się w Nowym Brunszwiku; dziecko z sierocińca zatruło studnię i cała rodzina skończyła życie w strasznych męczarniach. Tyle że wówczas chodziło o dziewczynkę.

— Ale my nie staramy się o dziewczynkę — odpowiedziała Maryla, jakby zatruwanie studni było wyłącznie damską specjalnością i nie dotyczyło małych chłopców. — Nigdy nie odważyłabym się wziąć dziewczynki na wychowanie. Podziwiam panią Spencer, że zechciała się podjąć takiego zadania. No, ale pani Spencer, gdyby tylko mogła, zaadoptowałaby cały sierociniec.

Pani Małgorzata najchętniej zaczekałaby, aż Mateusz wróci ze stacji razem z małym podopiecznym. Ponieważ jednak musiałaby czekać jeszcze dobre dwie godziny, postanowiła wstąpić do domu Roberta Bella i czym prędzej podzielić się nowiną. Niewątpliwie zanosiło się na sensację, jakiej dotąd w Avonlea jeszcze nie było, a pani Małgorzata wprost uwielbiała rozgłaszać takie historie. Toteż szybko podniosła się i wyszła, co sprawiło Maryli ulgę, jako że pod wpływem uwag Małgorzaty jej spokój zaczął ustępować miejsca dawnym wątpliwościom i obawom.

— Mój Boże, tego jeszcze u nas nie było! — wykrzyknęła pani Małgorzata, gdy szła już polną drogą. — Ja chyba śnię. Ten biedny mały nie będzie miał łatwego życia, oj nie. Mateusz i Maryla nie mają pojęcia o wychowywaniu dzieci, więc pewnie będą oczekiwać, że ten chłopiec okaże się mądrzejszy i bardziej poważny od własnego dziadka, którego zresztą pewnie wcale nie znał. Jakoś trudno się przyzwyczaić do myśli, że w domu rodzeństwa Cuthbertów pojawi się dziecko. Nigdy wcześniej nie było tam dzieci, bo Mateusz i Maryla byli już dorośli, gdy wprowadzili się do nowego domu. Patrząc na nich, można wątpić, czy w ogóle kiedykolwiek byli dziećmi. Za nic nie chciałabym się znaleźć na miejscu tego chłopca. Szkoda go, bez dwóch zdań, ot co.

Tak z głębi swego serca przemawiała pani Małgorzata do krzaków dzikiej róży. Gdyby jednak wiedziała, jakie dziecko czeka cierpliwie na stacji w Bright River, jej smutek byłby jeszcze większy i bardziej dojmujący.

CO ZADZIWIŁO MATEUSZA CUTHBERTA

Mateusz Cuthbert jechał sobie niespiesznie do Bright River — kasztanka miała do pokonania ponad osiem mil. Droga była piękna; ciągnęła się wśród schludnych, niedużych gospodarstw, miejscami przecinała jodłowy zagajnik lub kotlinkę, gdzie dzikie śliwy zwieszały gałęzie oblepione delikatnym kwieciem. Powietrze było ciężkie od zapachu jabłoni, a łąki kładły się na zboczach wzgórz aż po zamgloną, perłowofioletową linię horyzontu, podczas gdy:

> Ptaszki małe z zapałem tak wielkim śpiewały,
> Jakby w ten dzień jedynie lato chwalić miały*.

Mateusz był na swój sposób zadowolony z przejażdżki, no, może z wyjątkiem tych chwil, kiedy musiał kłaniać się mijanym po drodze kobietom — jako że na Wyspie Księcia Edwarda należało pozdrowić każdą napotkaną osobę, bez względu na to, czy się ją znało, czy też nie.

Mateusz żywił niechęć wobec wszystkich kobiet, z wyjątkiem Maryli i pani Małgorzaty. Zawsze towarzyszyło mu

---

* Cytat z poematu Jamesa Russella Lowella (1819–1891) *The Vision of Sir Launfal* (przyp. tłum.).

jakieś niejasne przekonanie, że te dziwne i tajemnicze istoty po cichu się z niego podśmiewają. Niewykluczone zresztą, że jego podejrzenia były słuszne. Bądź co bądź wyglądał dosyć osobliwie. Chodził lekko przygarbiony, miał długie, sięgające ramion, posiwiałe włosy i gęstą jasnobrązową brodę, którą zapuścił, kiedy ukończył dwudziesty rok życia. W rzeczy samej, w wieku dwudziestu lat wyglądał mniej więcej tak samo jak teraz, gdy miał lat sześćdziesiąt, z tą tylko różnicą, że wówczas nie miał siwych włosów.

Gdy dotarł do Bright River, nigdzie nie było widać pociągu. Pomyślał, że być może przybył za wcześnie. Uwiązał konia na tyłach małego hotelu sąsiadującego ze stacją i wszedł do poczekalni. Długi peron był niemal zupełnie opustoszały. Jedyną żywą istotą w promieniu kilkunastu metrów była mała dziewczynka siedząca na stercie dachówek na samym końcu peronu. Mateusz zaledwie rzucił na nią okiem, poznał, że to dziewczynka, i czym prędzej przemknął obok, starając się nie patrzyć w jej stronę. Gdyby tylko przyjrzał się trochę uważniej, nie mógłby nie zauważyć napięcia i nadziei malujących się na twarzy dziecka. Dziewczynka niewątpliwie czekała na coś lub na kogoś, a ponieważ w tej sytuacji nie mogła robić niczego innego, całą swoją energię włożyła właśnie w czekanie.

Natknąwszy się na naczelnika stacji, który zamykał akurat kasę biletową i wybierał się już do domu na kolację, Mateusz zapytał go, czy wieczorny pociąg planowany na piątą trzydzieści wkrótce nadjedzie.

— Ten pociąg już odjechał, jakieś pół godziny temu — odpowiedział energiczny urzędnik. — Na peronie został jednak pewien pasażer — czeka tu na pana mała dziewczynka. Siedzi tam, na stercie dachówek. Proponowałem, aby weszła do poczekalni, ale poważnym głosem powiedziała, że woli zostać na zewnątrz. „Na powietrzu lepiej działa wyobraźnia", oświadczyła. Ta dziewczynka ma charakter, to od razu widać.

— Nie czekam na dziewczynkę — stwierdził kategorycznie Mateusz. — Przyjechałem po chłopca. Powinien gdzieś tu być. Pani Aleksandra Spencer obiecała przywieźć go nam z Nowej Szkocji.

Naczelnik stacji gwizdnął przeciągle.

— Widocznie zaszła jakaś pomyłka — powiedział. — Pani Spencer wysiadła z pociągu z tą oto dziewczynką i poleciła ją mojej opiece. Wyjaśniła, że pan i pańska siostra zdecydowaliście się ją adoptować oraz że lada chwila któreś z was przyjedzie ją odebrać. To wszystko, co mi wiadomo na ten temat, i proszę mi wierzyć, nie ukryłem tu żadnych innych sierot.

— Nie bardzo rozumiem — odpowiedział już całkiem zagubiony Mateusz. Żałował, że nie ma przy nim Maryli, ona na pewno wiedziałaby, jak wybrnąć z tej sytuacji.

— No cóż, najlepiej zapytać samą zainteresowaną — rzucił beztrosko zawiadowca. — Ona na pewno wszystko panu wytłumaczy, jest wygadana jak mało kto, sam pan zobaczy. Może w sierocińcu nie mieli akurat odpowiedniego chłopca.

Zawiadowca odszedł żwawym krokiem, był już bowiem bardzo głodny. Tym samym nieszczęsny Mateusz stanął przed zadaniem trudniejszym niż wejście do jaskini lwa. Oto miał podejść do dziewczynki, w dodatku zupełnie obcej, wziętej z sierocińca, i zażądać wyjaśnień, dlaczego nie jest ona chłopcem. Mateusz jęknął w duchu, obrócił się i powłócząc nogami, skierował swe kroki w stronę dziecka.

Dziewczynka od samego początku poddawała go wnikliwej obserwacji i teraz również nie spuszczała z niego oczu. Mateusz starał się na nią nie patrzeć, ale nawet gdyby spojrzał, nie dostrzegłby wielu rzeczy, które nie uszłyby uwadze przeciętnego obserwatora.

Dziewczynka wyglądała na około jedenaście lat, ubrana była w przykrótką, zbyt ciasną, brzydką sukienczynę z żółtawoszarej wełny. Na głowie miała kapelusz, całkiem już wypłowiały, spod którego spływały na ramiona dwa grube, płomiennorude warkocze. Kapelusz przysłaniał jej drobną, szczupłą twarz, całą usianą piegami, które kontrastowały silnie z bardzo jasną cerą. Jej usta były duże, podobnie zresztą jak i oczy, które przybierały to zieloną, to znów szarą barwę, zależnie od nastroju i padającego na nie światła.

Tyle zauważyłby od razu każdy przeciętny obserwator. Ktoś bardziej wnikliwy dostrzegłby zapewne znacznie więcej. Podbródek dziewczynki był dosyć spiczasty i wydatny, wielkie oczy skrzyły się radością życia, usta były pięknie wykrojone i pełne wyrazu, czoło wyraziste i szerokie. Krótko mówiąc, każdy uważny obserwator natychmiast by dostrzegł, że w tej pozbawionej opieki małej istocie płci żeńskiej, której tak bezzasadnie obawiał się Mateusz Cuthbert — kryje się duch całkiem niezwykły.

Na szczęście Mateusz nie musiał odzywać się pierwszy, bo gdy tylko zwrócił się w stronę dziewczynki, ta zerwała się z miejsca, chwyciła chudą rączką starą, podniszczoną torbę, a drugą rękę wyciągnęła do niego.

— Pan Mateusz Cuthbert, jak sądzę? — zapytała czystym, miłym głosem. — Bardzo się cieszę, że mogę pana poznać. Już zaczynałam się martwić, że coś się stało, i wyobrażać sobie różne rzeczy. Pomyślałam, że jeśli nikt się po mnie nie zgłosi, to pójdę w stronę tej wielkiej dzikiej czereśni, która rośnie na zakręcie drogi, wejdę na nią i tam spędzę noc. Wcale bym się nie bała, to przecież takie romantyczne spać na czereśni, wśród powodzi kwiatów, w świetle księżyca, nie sądzi pan? Można sobie wtedy wyobrażać, że mieszka się w jakimś marmurowym pałacu. A poza tym i tak byłam pewna, że rano pan mnie odnajdzie.

Mateusz ujął chudą rączkę dziewczynki i trzymał ją niezgrabnie w swojej dłoni. Nareszcie wiedział, co ma zrobić. Przecież nie mógł powiedzieć temu dziecku o promiennych oczach, że zaszło nieporozumienie. Postanowił zabrać je do domu i pozwolić Maryli przejąć inicjatywę. Tak czy owak nie mógł zostawić dziewczynki samej na stacji w Bright River, bez względu na pomyłkę, wszelkie wyjaśnienia i wątpliwości musiały więc poczekać do czasu powrotu do domu.

— Przepraszam, że się spóźniłem — wyszeptał nieśmiało. — Chodźmy, koń czeka na podwórzu. Podaj mi swoją torbę.

— Ależ mogę ją nieść sama — odpowiedziała wesoło dziewczynka. — Nie jest ciężka. Są w niej wszystkie moje rzeczy, ale nie ma tego zbyt wiele. A poza tym trzeba ją trzymać umiejętnie, inaczej może się urwać ucho, więc lepiej będzie, jeżeli sama ją poniosę. To strasznie stara torba. Och, tak bardzo się cieszę, że pan przyszedł, chociaż miło byłoby spędzić noc na tej wielkiej czereśni. Zdaje się, że mamy do pokonania ładny kawał drogi, prawda? Pani Spencer mówiła mi, że trzeba przejechać z osiem mil. To świetnie, bo ja uwielbiam przejażdżki. Och, jak to cudownie, że będę z wami mieszkać i że będziemy razem. Nigdy nikogo nie miałam tak naprawdę. Najgorzej wspominam jednak sierociniec. Byłam tam tylko cztery miesiące, ale i tak o wiele za długo. Pan, jak sądzę, nigdy nie mieszkał w sierocińcu, więc nie może pan wiedzieć, jak tam jest. Naprawdę okropnie, aż trudno to sobie wyobrazić. Pani Spencer powiedziała, że to nieładnie okazywać taką niewdzięczność, ale ja nie chciałam być złośliwa. Czasem mówimy coś złego, nawet nie zdając sobie z tego sprawy, prawda? Oni byli nawet dobrzy, no wie pan, ci nasi opiekunowie z sierocińca. Tylko że w takim miejscu nie za wiele można fantazjować, chyba że na temat innych dzieci. Często lubiłam układać o nich różne historie, na przykład wyobrażałam sobie, że dziewczynka, która siedziała obok mnie, jest córką jakiegoś hrabiego i że została porwana w dzieciństwie z domu rodziców przez pozbawioną serca niańkę, która zmarła, zanim zdążyła wyznać swoją winę. Często nie spałam w nocy i wymyślałam sobie różne podobne rzeczy, a wszystko dlatego, że w ciągu dnia nie miałam na to czasu. To chyba z tego powodu jestem teraz taka chuda, okropnie chuda, no nie? Sama skóra i kości. Uwielbiam wyobrażać sobie, że jestem ładną, pulchniutką dziewczynką i że mam łokcie z dołeczkami.

Tu dziewczynka przerwała, trochę z tego względu, że się zasapała, a także dlatego, że dotarli już do miejsca, w którym czekał na nich powóz. Nie odezwała się ani słowem aż do momentu, kiedy opuścili miasteczko, zjeżdżając ze stromego, niewielkiego wzgórza. W niektórych miejscach droga, przy której rosły kwitnące czereśnie i smukłe białe brzozy, wryła się tak głęboko w miękki grunt, że skarpa, stanowiąca obrzeże drogi, znajdowała się kilka stóp ponad ich głowami.

Dziewczynka wyciągnęła rękę i ułamała gałązkę mirabelki, która otarła się o brzeg powozu.

— Czyż nie jest piękna? Co przypomina panu to drzewo nachylające się ku nam ze skarpy, całe w bieli i koronkach? — zapytała.

— Czy ja wiem? — odpowiedział Mateusz.

— Jak to, przecież to proste — pannę młodą, w białej sukni i z długim, lekkim jak mgiełka welonem. Nigdy jeszcze nie widziałam panny młodej, ale potrafię ją sobie wyobrazić. Nie znaczy to, że sama pragnę zostać panną młodą. Jestem tak brzydka, że nikt nie zechciałby się ze mną ożenić. No, może z wyjątkiem jakiegoś cudzoziemskiego misjonarza, który nie byłby zbyt wybredny. Tak naprawdę marzę o tym, żeby mieć kiedyś białą suknię. To dla mnie absolutny ideał szczęścia na ziemi. Ja wprost przepadam za pięknymi ubraniami. Nie przypominam sobie, abym kiedykolwiek w życiu miała na sobie ładną sukienkę. Tym bardziej chciałabym ją mieć, to chyba oczywiste? Zawsze mogę jednak sobie wyobrazić, że zdobi mnie jakiś olśniewający strój. Tego ranka, kiedy wyjeżdżałam z sierocińca, strasznie było mi wstyd, ponieważ kazano mi założyć tę okropnie starą wełnianą sukienkę. Wie pan, u nas wszystkie dzieci musiały w tym chodzić. Pewien kupiec z Hopetown darował zeszłej zimy trzysta jardów wełnianej tkaniny na rzecz sierocińca. Niektórzy mówili, że zrobił to, bo nie mógł jej sprzedać, ale ja wolę myśleć, że uczynił to z dobroci serca. Pan pewnie też by tak pomyślał? Gdy wsiedliśmy do pociągu, wydawało mi się, że wszyscy patrzą na mnie z politowaniem. Zaraz więc zaczęłam sobie wyobrażać, że ubrana jestem w najpiękniejszą suknię z błękitnego jedwabiu — bo w wyobraźni wszystko jest możliwe — na głowie mam wielki kapelusz, cały przybrany kwiatami i zwiewnymi długimi piórami, na ręku złoty zegarek, noszę też delikatne skórkowe rękawiczki i buciki. Od razu poczułam się lepiej i dzięki temu podróż na Wyspę bardzo mi się podobała. A gdy płynęłam statkiem, wcale nie było mi niedobrze. Również pani Spencer nie czuła się źle, chociaż zazwyczaj bardzo cierpi w czasie takich podróży. Twierdziła, że nie ma czasu myśleć o chorobie morskiej, bo bez przerwy musi uważać, żebym nie wypadła za burtę. Mówiła, że jeszcze nigdy nie widziała, żeby ktoś tak biegał bez ustanku. Ale może to i dobrze, że ciągle musiała mnie szukać, skoro dzięki temu nie dostała mdłości? A ja tylko chciałam dobrze się wszystkiemu przyjrzeć, bo przecież druga taka okazja może się już nie powtórzyć. O, niech pan spojrzy, tam rośnie jeszcze więcej czereśni i wszystkie obsypane są kwiatami! Ta wyspa to chyba najbardziej ukwiecone miejsce, jakie znam. Strasznie mi się podoba i jestem szczęśliwa, że będę tu mieszkać. Zawsze słyszałam, że Wyspa Księcia Edwarda to najpiękniejszy zakątek na ziemi, i lubiłam sobie wyobrażać, że właśnie tutaj jest mój dom, nigdy jednak nie oczekiwałam, że naprawdę tu zamieszkam. To cudowne, gdy nasze marzenia się spełniają, prawda? Ależ dziwne są te rudoczerwone drogi. Gdy w Charlottetown wsiadłyśmy do pociągu i za oknami bez przerwy migał czerwony kolor, zapytałam panią Spencer, dlaczego właściwie te drogi mają taką niezwykłą barwę. Pani Spencer odparła, że nie wie, i poprosiła, bym, na litość boską, przestała ją wreszcie zadręczać pytaniami, gdyż zdążyłam ich już zadać chyba z tysiąc. Może tak rzeczywiście było, ale w jaki inny sposób można się czegoś dowiedzieć, jeśli nie przez zadawanie pytań? No i dlaczego właściwie te drogi są czerwone?

— No, czy ja wiem... — odrzekł Mateusz.

— No cóż, może kiedyś dowiem się czegoś więcej na ten temat. Czy to nie wspaniałe, że jest tyle interesujących rzeczy do wyjaśnienia? Dlatego cieszę się, że żyję — świat jest przecież taki ciekawy. Nawet w połowie nie byłby tak interesujący, gdybyśmy wiedzieli o nim wszystko, prawda? Nie zostałoby wówczas miejsca dla wyobraźni, no nie? Ale może ja mówię zbyt wiele? Ludzie zawsze mi to wypominają. Wolałby pan, żebym przestała tyle mówić? Jeżeli tak, to proszę mi powiedzieć. Jeśli się zawezmę, mogę milczeć jak głaz, aczkolwiek przyjdzie mi to z trudnością.

Ku swemu zaskoczeniu Mateusz był bardzo zadowolony ze wspólnej przejażdżki. Jak większość małomównych ludzi, dobrze się czuł w towarzystwie osób gadatliwych, zwłaszcza gdy nie oczekiwały, że włączy się do rozmowy. Nigdy jednak nie przypuszczał, że będzie mu odpowiadało towarzystwo małej dziewczynki. Dorosłe kobiety zawsze uważał za istoty ze wszech miar podejrzane, ale małe dziewczynki wydawały mu się jeszcze gorsze. Nie znosił, gdy przemykały obok niego chyłkiem i zerkały z ukosa, jak gdyby bały się, że za chwilę je pożre, jeśli ośmielą się odezwać choćby słówkiem. Tak przynajmniej zachowywały się dobrze wychowane dziewczynki z Avonlea. Ale ta piegowata mała czarodziejka była zupełnie inna i chociaż z trudnością nadążał za jej tokiem myślenia, doszedł do wniosku, że „na swój sposób podoba mu się jej paplanina". Toteż nieśmiałym jak zwykle głosem powiedział:

— Możesz, dziecko, mówić, ile tylko zechcesz. Mnie to nie przeszkadza.

— Tak się cieszę. Od razu wiedziałam, że znajdę w panu bratnią duszę. To taka wielka ulga, gdy można się odezwać, ilekroć ma się na to ochotę, i gdy nie trzeba wysłuchiwać, że dzieci nie powinny się odzywać nie pytane. Mówiono mi to już chyba z milion razy. Ludzie śmieją się ze mnie, bo używam wielkich słów. Ale żeby przekazać jakieś wielkie idee, trzeba przecież wielkich słów.

— To, co mówisz, brzmi całkiem rozsądnie — stwierdził Mateusz.

— Pani Spencer powiedziała, że mój język jest chyba źle umocowany, bo nie mogę nad nim zapanować. Ale to nieprawda, jest tam, gdzie być powinien. Pani Spencer mówiła mi, że państwa posiadłość nosi nazwę Zielone Wzgórze. Pytałam ją o to. Mówiła też, że wokół jest mnóstwo drzew. Bardzo się ucieszyłam. Ja kocham drzewa. W pobliżu sierocińca nie było żadnych drzew, chyba żeby uznać za drzewa tych kilka wątłych, marnych drzewek rosnących przed budynkiem, wspartych na jakiś dziwnych, pobielonych wapnem podporach. Te biedne drzewka wyglądały tak, jakby same pochodziły z sierocińca. Ilekroć im się przyglądałam, chciało mi się płakać. Mówiłam do nich: „Moje wy biedaki! Gdybyście tylko rosły w jakimś ogromnym lesie pośród innych drzew, na kobiercu z mchów i zawilców, w towarzystwie ptaków i strumienia — wtedy dopiero wstąpiłoby w was życie. Tu, gdzie jesteście teraz, rosnąć się nie da. Dobrze wiem, co czujecie, moje biedne drzewka". Tak mi było smutno, gdy dzisiaj rano musiałam się z nimi rozstać. Drzewa też można darzyć przyjaźnią, prawda? Czy niedaleko Zielonego Wzgórza przepływa jakiś strumień? Zapomniałam zapytać o to panią Spencer.

— Owszem, jest, i to tuż obok domu.

— To fantastycznie! Zawsze marzyłam, by mieszkać w pobliżu strumienia, choć nie sądziłam, że tak się stanie. W końcu marzenia nieczęsto się spełniają. Jak byłoby cudownie, gdyby się zawsze ziszczały! Teraz jestem już prawie absolutnie szczęśliwa. Nie mogę powiedzieć, że jestem w pełni szczęśliwa, ponieważ... no, jak by pan określił ten kolor?

Przerzuciła jeden ze swoich długich, połyskujących warkoczy przez chudziutkie ramię i podetknęła go przed oczy towarzysza podróży. Mateusz nigdy wcześniej nie zajmował się określaniem koloru damskich włosów, w tym jednak wypadku nie można było mieć wątpliwości.

— Rudy — powiedział.

Dziewczynka odrzuciła warkocz na plecy i westchnęła z głębi swojego jestestwa, tak jakby chciała dać upust wszystkim przykrościom i upokorzeniom minionych lat.

— To prawda, jestem ruda — odpowiedziała zrezygnowana. — Teraz już pan rozumie, dlaczego nie mogę być w pełni szczęśliwa. Nikt nie byłby szczęśliwy, mając takie włosy. Jeżeli chodzi o pozostałe rzeczy — piegi, zielone oczy i tę okropną chudość — zdążyłam się już do nich przyzwyczaić. Mogę sobie wmówić, że ich nie ma. Potrafię sobie wyobrazić, że wyglądam inaczej, mam różaną cerę i promienne fiołkowe oczy. Ale wobec rudych włosów moja wyobraźnia pozostaje jednak bezradna. Staram się ze wszystkich sił wyobrazić, że mam wspaniałe lśniące włosy, czarne niczym skrzydło kruka. Jednak przez cały czas wiem, że nadal są po prostu rude, i to mnie ogromnie martwi. Tak już chyba będzie przez całe życie. Kiedyś czytałam książkę o pewnej dziewczynce, która również miała jakieś poważne zmartwienie, nie chodziło jednak o rude włosy. Jej włosy były bowiem złote i spływały kaskadą znad alabastrowego czoła. Co to właściwie jest ten alabaster? Nikt mi tego nigdy nie wyjaśnił. A może pan mi powie?

— Raczej nie — odpowiedział Mateusz, któremu zaczynało się już nieco kręcić w głowie. Miał wrażenie, że czuje się tak jak przed laty, w młodości, kiedy podczas pikniku jeden z kolegów namówił go na karuzelę.

— No cóż, cokolwiek to słowo oznacza, musiało chodzić o coś bardzo ładnego, ponieważ ta dziewczynka była nieziemsko piękna. Czy kiedykolwiek pan się zastanawiał, jak to jest, gdy się jest nieziemsko pięknym?

— Czy ja wiem? Chyba nie — wyznał Mateusz z właściwą sobie prostotą.

— A ja nawet dosyć często. Jaki wolałby pan być: nieziemsko piękny, oszałamiająco zdolny czy też anielsko dobry?

— Cóż — trudno powiedzieć...

— Ja też mam z tym problem. Nigdy nie mogę się zdecydować. Nie ma to jednak większego znaczenia, bo najprawdopodobniej żadna z tych trzech zalet nie będzie moją. Pewne jest, że nigdy nie będę anielsko dobra. Pani

Spencer powiada... Ojej, panie Cuthbert! panie Cuthbert!! panie Cuthbert!!!

Nie były to, naturalnie, słowa pani Spencer. Nic też strasznego się nie stało — ani dziewczynka nie wyleciała z powozu, ani Mateusz nie zrobił niczego zdumiewającego. Po prostu skręcili z drogi w „Aleję". „Aleja", jak mówili o niej mieszkańcy Nowych Mostów, była to prosta droga, długa na czterysta lub pięćset jardów, wzdłuż której rosły potężne jabłonie o majestatycznie rozrośniętych koronach, tworzących coś na kształt wysokiego sklepienia wspartego na gęstej kolumnadzie pni. Zasadził je dawno temu pewien ekscentryczny stary farmer. Ponad głowami jadących wznosił się nie kończący się baldachim śnieżnobiałych pachnących kwiatów. Wewnątrz alei, poniżej linii konarów, panował pełen fioletowych cieni półmrok i tylko w oddali prześwitywało opromienione zachodzącym słońcem niebo, niczym wspaniały witraż zamykający katedralną nawę.

Niezwykłe piękno tej alei wprawiło dziewczynkę niemal w ekstazę. Odchyliła się do tyłu, chude ręce splotła przed sobą, a zachwyconą twarz uniosła ku wspaniałościom widniejącym w górze. Przez dłuższą chwilę, nawet gdy wyjechali już z alei i zjeżdżali po długim zboczu w kierunku Nowych Mostów, dziewczynka nadal siedziała nieporuszona i milcząca. Na jej twarzy wciąż malował się zachwyt, wpatrywała się w zachodzące słońce, a wyobraźnia, rozbudzona widokiem płonącego nieba, podsuwała jej coraz to nowe, wspaniałe obrazy. Gdy mijali Nowe Mosty, niewielką, tętniącą życiem wioskę, na drogę wybiegły psy, mali chłopcy powitali ich gwizdami, a w oknach pojawiły się ciekawskie twarze. Ciągle jechali w milczeniu. Nawet po przejechaniu kolejnych trzech mil dziecko nie odezwało się ani słowem. Jak widać, potrafiło zachować milczenie równie długo, jak poprzednio mówić.

— Zdaje mi się, że musisz być bardzo zmęczona i głodna — odważył się odezwać Mateusz, nie potrafiąc inaczej wytłumaczyć sobie panującej ciszy. — To już całkiem niedaleko — pozostała nam tylko jedna mila.

Dziewczynka zbudziła się z zadumy, głęboko westchnęła i spojrzała na niego. Wzrok miała rozmarzony, jak gdyby jej dusza powracała właśnie z dalekiej, gwiezdnej podróży.

— Panie Cuthbert — powiedziała szeptem — to miejsce, przez które przejeżdżaliśmy — ten biały tunel — co to było?

— Eee, chyba masz na myśli „Aleję" — odrzekł Mateusz po chwili głębszego zastanowienia. — To takie sobie ładne miejsce.

— Ładne? Ależ słowo *ładne* wcale tu nie wystarczy. Podobnie zresztą jak i słowo *piękne*. Oba są zbyt słabe. To miejsce było po prostu cudowne, bezgranicznie cudowne. To pierwsza rzecz, jaką widziałam, której nie trzeba było ulepszać za pomocą wyobraźni. Ten widok sprawił mi taką ogromną radość, o tu — położyła rękę na sercu — poczułam coś, jakby dziwne ukłucie, ale mimo wszystko było to przyjemne odczucie. Czy kiedykolwiek bolało pana w ten sposób?

— No, jakoś nie bardzo sobie przypominam, bym kiedykolwiek coś takiego czuł.

— Mnie się to przytrafia dosyć często, ilekroć widzę coś królewsko pięknego. Tyle że nie powinno się nazywać tego cudu „Aleją". Taka nazwa nic nie znaczy. Należało ją nazwać — no, na przykład — Białą Aleją Radości. Czy to nie lepsze, dużo piękniejsze określenie? Ilekroć nie podoba mi się nazwa jakiegoś miejsca lub czyjeś imię, wymyślam inne i tylko to zachowuję w pamięci. W sierocińcu była dziewczynka, która nazywała się nieładnie, Hepzibah Jenkins, ale ja zawsze o niej myślałam jako o Rosalii DeVere.

Inni ludzie mogą sobie nazywać tę drogę po prostu „Aleją", ale ja zawsze będę ją pamiętać jako Białą Aleję Radości. Czy naprawdę została nam już tylko jedna mila do przejechania? Trochę mi smutno, bo ta przejażdżka jest taka przyjemna. Zawsze robi mi się smutno, gdy coś miłego się kończy. Co prawda zawsze można mieć nadzieję na coś jeszcze milszego, ale co do tego nigdy nie ma pewności. W dodatku częściej wydarzają się rzeczy, które na pewno milsze nie są. Takie jest przynajmniej moje doświadczenie. Ale cieszę się na myśl, że zbliżamy się do domu. Widzi pan, ja nigdy nie miałam prawdziwego domu, odkąd sięgam pamięcią. Znowu czuję to przyjemne ukłucie w sercu na samą myśl o tym, że jadę do prawdziwego, najprawdziwszego domu. Czyż to nie jest wspaniałe!?

Jechali grzbietem wzgórza. Poniżej leżało jezioro, które wyglądało nieomal jak rzeka, takie było długie i pełne zakoli. Oba jego brzegi spinał pośrodku most, który prowadził ku bursztynowym, piaszczystym wzgórzom, odgradzającym jezioro od granatowych wód zatoki. Powierzchnia jeziora mieniła się najpiękniejszymi i najsubtelniejszymi odcieniami fioletu, różu, eterycznych zieleni tudzież milionem innych barw, dla których nikt dotąd nie wynalazł odpowiedniej nazwy. Powyżej linii mostu, wzdłuż brzegów, usadowiły się jodły i klony, które rzucały na ciemną przezroczystą głębię swe rozedrgane cienie. Gdzieniegdzie dzika śliwa nachylała się nad taflą wody, podobna do biało odzianej dziewczyny wspinającej się na palce, aby przyjrzeć się swemu odbiciu. Z bagien, które sąsiadowały z odleglejszą częścią zbiornika, dobiegał donośny, żałobny i tęskny rechot żab. Nieopodal, na zboczu wzgórza, spomiędzy jabłoni wyłaniał się szary, nieduży dom. Pomimo że nie zapadł jeszcze zmierzch, w jednym z okien paliło się światło.

— A to jezioro Barry'ego — odezwał się Mateusz.

— Ojej, ta nazwa też niezbyt mi się podoba. Nazwę je — niech pomyślę — już wiem, nazwę je Jeziorem Lśniących Wód. Tak, to dopiero odpowiednia nazwa. Wiem, bo czuję taki przyjemny dreszczyk. Gdy udaje mi się wymyślić odpowiednią nazwę, zawsze przechodzi mnie taki dreszcz. Czy pan też czasami czuje coś podobnego?

Mateusz zastanowił się.

— No, chyba tak. Zawsze przechodzi mnie dreszcz na widok tłustych białych larw, które wyłażą na wierzch, gdy wbijam szpadel w grządkę z ogórkami. Są obrzydliwe.

— Ależ to chyba coś zupełnie innego. A pan myśli, że to podobne odczucie? Jakoś nie widzę związku pomiędzy tłustymi pędrakami i połyskującymi wodami jeziora. Ale właściwie dlaczego okoliczni mieszkańcy mówią o nim jezioro Barry'ego?

— Chyba dlatego, że pan Barry mieszka w tym szarym domu na górce. Jego farma nosi nazwę Jabłoniowe Wzgórze. Gdyby nie te krzaki, które przesłaniają widok, zobaczyłabyś stąd nasz dom. Ale musimy jeszcze przejechać przez most, a droga biegnie trochę dookoła, toteż trzeba będzie nadłożyć jakieś pół mili.

— Czy pan Barry ma jakieś córeczki? Tylko nie takie zupełnie małe, chodzi mi o dziewczynki w moim wieku.

— Ma jedną, w wieku jedenastu lat. Na imię ma Diana.

— Ojej! — wykrzyknęła, nieomal zachłystując się powietrzem. — Jakie to piękne imię!

— Czy ja wiem? Mnie się zdaje, że nie bardzo przystoi małej dziewczynce nosić takie pogańskie imię. Lepiej by mi się podobało, gdyby ją nazwali Jane albo Mary, no, w każdym razie jakoś zwyczajnie. Gdy Diana się urodziła, u państwa Barrych mieszkał akurat pewien nauczyciel. Poprosili, aby wybrał dla niej imię, i nazwał ją Dianą.

— Szkoda, że żaden nauczyciel nie pojawił się w pobliżu, gdy ja się urodziłam. O, jesteśmy już na moście. Muszę szybko zamknąć oczy. Zawsze się boję, gdy przejeżdżamy przez most. Za każdym razem wydaje mi się, że gdy dojedziemy do połowy, most nagle się złoży jak scyzoryk i wpadniemy w potrzask. To dlatego zamykam oczy. Ale gdy jestem już w połowie drogi, nie mogę się opanować i je otwieram. No bo gdyby most się rzeczywiście zarwał, to chciałabym to widzieć. Ależ śmiesznie dudni! Bardzo lubię się wsłuchiwać w stukot kół. To wspaniałe, że na świecie jest tyle zachwycających rzeczy! No, nareszcie przejechaliśmy. Teraz już mogę się obejrzeć. Żegnaj, cudne Jezioro Lśniących Wód. Zawsze staram się pożegnać z miejscami, które są mi bliskie, tak samo jak żegnałabym bliskich mi ludzi. Myślę, że one na to czekają. Te wody wyglądają tak, jakby chciały mi przesłać uśmiech.

Kiedy znaleźli się już na górze i minęli zakręt, Mateusz powiedział:

— Jesteśmy już bardzo blisko domu, w oddali widać naszą farmę — Zielone Wzgórze jest...

— Ojej, proszę nie mówić — przerwała mu szybko dziewczynka, chwytając go przy tym za rękę i zamykając oczy, tak aby nie widzieć, jaki kierunek wskazywała uniesiona dłoń. — Proszę mi pozwolić zgadnąć, jestem pewna, że sama odgadnę, który z domów to Zielone Wzgórze.

Otworzyła oczy i rozejrzała się wokół. Znajdowali się na szczycie jednego z okolicznych wzniesień. Słońce zaszło już jakiś czas temu, ale krajobraz wciąż był dobrze widoczny w łagodnie ustępującej poświacie. Na zachodzie wystrzelała w górę ciemna iglica kościoła, wyraźnie odcinając się na tle złotawopomarańczowego nieba. Poniżej widać było niewielką kotlinę, a poza nią wznosił się długi, łagodny stok, na którym rozrzucone były niewielkie, dobrze utrzymane gospodarstwa. Dziewczynka niecierpliwie przesuwała wzrok od farmy do farmy, pełna nadziei i oczekiwania. W końcu jej spojrzenie padło na jedną z nich, położoną po lewej stronie, w znacznym oddaleniu od drogi. Farma ta, otoczona kwitnącymi drzewami, odcinała się bielą od mrocznego już o tej porze lasu. Ponad nią, na południowo-zachodnim krańcu czystego nieba, widoczna była wspaniała gwiazda, której kryształowy blask, niczym światło lampy, rozpraszał ciemności, niosąc w darze obietnicę i wskazując drogę.

— Czy to ta? — zapytała dziewczynka, wskazując na farmę Cuthbertów.

Mateusz, uradowany, popędził łagodnie kasztankę.

— No proszę, zgadłaś! Chyba pani Spencer musiała ci ją dokładnie opisać.

— Nie, wcale nie. Wszystko, co mi powiedziała, równie dobrze mogło się odnosić do każdej z tych farm. Naprawdę nie miałam pojęcia, jak ten mój dom wygląda, jednak gdy tylko go zobaczyłam, od razu wiedziałam, że to on. Och, wydaje mi się, że śnię. Moje ramię jest już chyba całkiem sine, bo bez przerwy musiałam się w nie szczypać. Ciągle nachodzi mnie jakieś koszmarne przeczucie, że wszystko okaże się tylko snem. Dlatego wciąż szczypałam się w ramię, żeby sprawdzić, czy to się dzieje naprawdę. Dopiero przed chwilą doszłam do wniosku, że bez względu na to, co się stanie, lepiej jest śnić, tak długo jak się da. Dlatego przestałam się szczypać. Ale na szczęście to nie sen i za chwilę będziemy już w domu.

Wydając z siebie pełne zachwytu westchnienie, dziewczynka znowu zatonęła w milczeniu. Mateusz zaczął się niespokojnie wiercić. Cieszył się, że to nie on, lecz Maryla będzie musiała uświadomić temu biednemu dziecku, że wymarzony dom, na który tak bardzo czekało, ostatecznie nie stanie się jego domem. Po drodze minęli posiadłość pani Małgorzaty. Wszystkie światła zostały już pogaszone, ale nie było jeszcze na tyle ciemno, żeby pani Linde musiała opuścić swoje stanowisko w oknie i zaprzestać obserwacji drogi prowadzącej na Zielone Wzgórze. Zanim dojechali do domu, na myśl o tym, co się za chwilę zdarzy, Mateusz poczuł jakieś nerwowe drżenie, którego natury do końca nie rozumiał. Nie chodziło mu jednak ani o Marylę, ani o siebie, ani o kłopoty powstałe w wyniku czyjejś pomyłki. Myślał wyłącznie o rozczarowaniu, jakie czeka dziewczynkę. Gdy wyobraził sobie, jak zgaśnie zachwyt w oczach małej, poczuł się tak strasznie nieswojo, jakby za chwilę miał dokonać mordu na jakiejś niewinnej istocie. Takie uczucie nawiedzało go za każdym razem, gdy miał zabić jagnię, cielaczka lub inne bezradne młode zwierzę.

Na podwórzu było już całkiem ciemno, zewsząd słychać było jedynie jedwabisty szelest topoli.

— Niech pan posłucha, jak drzewa mówią coś przez sen — powiedziała szeptem dziewczynka, gdy ściągał ją z powozu na ziemię. — Jakież to piękne rzeczy muszą im się śnić!

Po chwili, ściskając w rączce swą podniszczoną torbę, w której mieścił się „cały jej dobytek", weszła za swoim opiekunem do domu.

CO ZADZIWIŁO MARYLĘ CUTHBERT

Gdy tylko Mateusz otworzył drzwi, Maryla żwawo ruszyła w jego stronę. Kiedy jednak spostrzegła niedużą, dziwacznie wyglądającą postać w brzydkiej, krępującej ruchy sukience, obdarzoną płomiennorudymi warkoczami oraz parą oczu promieniejących nadzieją i oczekiwaniem — stanęła jak wryta.

— Ależ Mateuszu, kogoś ty ze sobą przywiózł? — wykrzyknęła. — A gdzie chłopiec?

— Nie było żadnego chłopca — odparł z rezygnacją Mateusz. — Przyjechała tylko o n a.

Ruchem głowy wskazał na dziewczynkę, uświadamiając sobie nagle, że nawet nie zapytał, jak jej na imię.

— Jak to nie było chłopca! To niemożliwe — upierała się Maryla. — Przecież daliśmy znać pani Spencer, że chcemy chłopaka.

— Niestety, nikt inny nie przyjechał oprócz n i e j. Pytałem naczelnika stacji. Nie było wyjścia, musiałem ją zabrać do domu. Nie mogłem przecież pozwolić, aby tam została, bez względu na to, kto tu zawinił.

— A to ci dopiero ładna historia! — wykrzyknęła Maryla.

Dziecko bez słowa przysłuchiwało się całej rozmowie, jego oczy wędrowały od jednej do drugiej osoby, aż wreszcie całe ożywienie i radość znikły z twarzy dziewczynki. Nagle w pełni pojęła sens wypowiadanych słów. Upuściła na podłogę swoją drogocenną torbę i skoczyła do przodu, kurczowo zaciskając dłonie.

— Nie chcecie mnie! — krzyknęła. — Nie chcecie mnie, bo nie jestem chłopcem! Mogłam się tego spodziewać. Jeszcze się nie zdarzyło, żeby ktoś mnie chciał. To było do przewidzenia, mój sen był zbyt piękny, aby mógł dłużej trwać. No i co ja mam zrobić? Chyba się zaraz rozpłaczę!

Tak też uczyniła: siadła na krześle przy stole, załamała dramatycznie ręce i chowając w dłoniach twarz, zaczęła okropnie szlochać. Maryla i Mateusz wymienili ponad piecem kuchennym zdezorientowane spojrzenia. Żadne z nich nie wiedziało, jak się zachować i co powiedzieć. Na koniec Maryla, trochę nieporadnie, podjęła próbę opanowania sytuacji.

— No już dobrze, nie ma co tak lamentować.

— Jak to nie ma co! — Dziecko uniosło głowę, ukazując zapłakaną twarz i drżące usta. — Pani też by płakała, gdyby była pani sierotą i przyjechała do miejsca, które miało być rodzinnym domem, i dowiedziałaby się, że jej nie chcą, no bo nie jest pani chłopcem. O Boże, to największa t r a g e d i a, jaka mnie spotkała.

Coś na kształt uśmiechu rozkwitło na twarzy Maryli i choć z trudem, rozjaśniło surowe oblicze.

— No, już nie płacz. Przecież nie wyrzucamy cię za drzwi. Zostaniesz z nami, dopóki się wszystko nie wyjaśni. Jak ci na imię?

Dziewczynka przez chwilę się wahała.

— Czy mogłaby pani nazywać mnie Kordelią? — poprosiła błagalnie.

— Mam nazywać cię Kordelią? A czy tak właśnie masz na imię?

— Nnnoo nie, niezupełnie, ale byłabym zachwycona, gdyby zwracano się do mnie w ten sposób. To takie eleganckie imię.

— Zupełnie nie rozumiem, o co ci chodzi. Jeżeli nie masz na imię Kordelia, to jak właściwie się nazywasz?

— Ania Shirley — wykrztusiła właścicielka imienia — ale błagam, proszę nazywać mnie Kordelią. Przecież to nie ma większego znaczenia, jak będzie się pani do mnie zwracać, skoro i tak nie zabawię tu długo. Ania to takie mało romantyczne, zwyczajne imię.

— Zwyczajne są banialuki, które opowiadasz — odpowiedziała niezbyt uprzejmie Maryla. — Anna to zupełnie normalne, porządne imię. Nie masz się czego wstydzić.

— Ależ ja się nie wstydzę — wyjaśniła dziewczynka — po prostu Kordelia brzmi o wiele bardziej dystyngowanie. Zawsze, a zwłaszcza ostatnio, wyobrażałam sobie, że noszę imię Kordelia. Gdy byłam jeszcze mała, lubiłam sobie wyobrażać, że mam na imię Geraldine, lecz teraz bardziej podoba mi się Kordelia. Jeżeli jednak koniecznie chcecie używać mojego prawdziwego imienia, to bardzo proszę, nie nazywajcie mnie, broń Boże, Anną. Już wolę być Anią.

— A cóż to ma za znaczenie — zapytała Maryla, biorąc dzbanek do herbaty i po raz kolejny skrywając uśmiech.

— Różnica jest ogromna. Ania brzmi jednak o wiele przyjemniej. Anna to takie nudne, strasznie staroświeckie imię. Jeżeli będziecie nazywać mnie Anią, to jakoś pogodzę się z tym, że nie noszę imienia Kordelia.

— No dobrze, Aniu, skoro tak mam się do ciebie zwracać, czy możesz nam wyjaśnić, jak doszło do tej pomyłki? Posłaliśmy pani Spencer wiadomość, że chcemy, aby przywiozła nam chłopca. Czy w sierocińcu nie było chłopaków?

— Skądże, byli, i to jeszcze ilu. Ale pani Spencer powiedziała wyraźnie, że chcecie dziewczynkę w wieku około jedenastu lat. Przełożona uznała, że ja będę najodpowiedniejsza. Nawet sobie nie wyobrażacie, jak bardzo się ucieszyłam. Ze szczęścia przez całą noc nie mogłam zmrużyć oka. Och — dodała z wyrzutem w głosie, zwracając się do Mateusza — dlaczego mi pan nie powiedział od razu na stacji, że mnie nie chcecie, i dlaczego mnie pan tam nie zostawił? Gdybym nie ujrzała Białej Alei Radości i Jeziora Lśniących Wód, nie byłoby mi aż tak bardzo żal.

— O czym ona mówi? — zapytała Maryla, wpatrując się w brata.

— Ona... ona po prostu wspomina to, o czym rozmawialiśmy po drodze — odparł szybko Mateusz. — Wychodzę teraz zaprowadzić klacz do stajni. Za chwilę wrócę, przygotuj coś do zjedzenia.

— Czy pani Spencer przywiozła ze sobą jeszcze kogoś oprócz ciebie? — dopytywała się dalej Maryla, gdy Mateusz już sobie poszedł.

— Przywiozła jeszcze Lili Jones dla siebie. Lili ma dopiero pięć lat i jest bardzo ładna. Ma kasztanowe włosy. Gdybym była piękna i miała kasztanowe włosy, to czy wówczas zechciałaby pani mnie zatrzymać?

— Nie. Potrzebny jest nam chłopiec, który mógłby pomagać mojemu bratu na farmie. Dziewczynka na nic się nam nie zda. Zdejmij kapelusz. Położę go obok twojej torby, na stoliku w przedpokoju.

Ania posłusznie zdjęła nakrycie głowy. Mateusz wrócił po chwili i razem zasiedli do kolacji. Ale dziewczynka nie mogła niczego przełknąć. Skubała po troszeczce swój chleb z masłem i nabrała odrobinę musu jabłkowego z małej miseczki ustawionej przy talerzu. Jedzenia jednak nie ubywało.

— Ty nic nie jesz — powiedziała ostro Maryla, mierząc dziewczynkę wzrokiem, tak jakby dziecko popełniło jakieś przestępstwo.

Ania westchnęła.

— Nie mogę. Jestem na samym dnie rozpaczy. Czy pani może spokojnie jeść, gdy jest pani na samym dnie rozpaczy?

— Nigdy jeszcze nie byłam na samym dnie rozpaczy, więc nie wiem, jak to jest — odpowiedziała Maryla.

— Nigdy jeszcze nie była pani okropnie zmartwiona? No dobrze, to może chociaż w y o b r a ż a ł a pani sobie, że nagle znalazła się na samym dnie rozpaczy?

— Nie, nigdy.

— A więc nie może pani wiedzieć, jak to jest. To naprawdę bardzo nieprzyjemne uczucie. Każdy kęs jedzenia staje w gardle i niczego nie można przełknąć, nawet gdyby miało się w ustach karmelkową czekoladkę. Dwa lata temu dostałam taką czekoladkę, była po prostu pyszna. Często potem śniło mi się, że obdarowano mnie mnóstwem karmelkowych czekoladek, ilekroć jednak chciałam je zjeść, budziłam się. Mam nadzieję, że nie sprawiam pani przykrości tym, że tak mało jem. Wszystko jest naprawdę smaczne, tylko ja po prostu nie jestem w stanie niczego przełknąć.

— Musi być bardzo zmęczona — powiedział Mateusz, który nie odezwał się ani razu, odkąd wrócił ze stajni. — Najlepiej będzie, jak położysz ją spać.

Maryla zastanawiała się, gdzie położyć Anię. Co prawda w służbówce sąsiadującej z kuchnią przygotowała posłanie dla oczekiwanego chłopca, jednakże dla dziewczynki pomieszczenie to, mimo że schludne i czyste, wydawało się nieodpowiednie. Również pokój gościnny nie nadawał się dla małego przybysza z sierocińca. W tej sytuacji pozostawał tylko pokoik na poddaszu, położony po wschodniej stronie domu. Maryla zapaliła świecę i poprosiła dziewczynkę, aby poszła za nią na górę. Ania spełniła prośbę, aczkolwiek bez entuzjazmu. Po drodze, gdy przechodziła przez korytarz, zabrała ze stolika swoją wysłużoną torbę i kapelusz. Korytarz lśnił czystością, a malutki pokój, do którego zaprowadziła ją Maryla, zdawał się jeszcze czystszy.

Maryla ustawiła świecę na trójkątnym stoliczku i odchyliła brzeg pościeli.

— Masz chyba jakąś koszulę nocną? — zapytała.

Ania skinęła głową.

— Owszem, nawet dwie. Uszyła mi je przełożona. Obie są strasznie ciasne i dość kuse. W sierocińcu zawsze wszystkiego brakuje, toteż ubrania są przeważnie za małe — przynajmniej w tak biednym przytułku jak nasz. Nie cierpię tych przykrótkich koszul. Ale i w nich można śnić równie piękne sny, jak gdyby się spało w długich, powłóczystych szatach, z falbankami wokół szyi — tak się przynajmniej pocieszam.

— No dobrze, rozbierz się szybko i wskakuj do łóżka. Za chwilę wrócę po świecę. Nie mam odwagi zostawić jej tutaj. O pożar nietrudno.

Gdy Maryla odeszła, Ania rozejrzała się ze smutkiem po pokoju. Pobielone, puste ściany wyglądały tak, jakby same bolały nad swoją nagością. Podłoga również była odsłonięta, jedynie na środku leżała okrągła wyplatana mata — podobnej Ania jeszcze nigdy nie widziała. W jednym kącie pokoju stało łóżko z wysokim wezgłowiem, dosyć staromodne, osadzone na czterech toczonych nogach ciemnego koloru. W drugim znajdował się trójkątny stoliczek przyozdobiony okazałą, uszytą z czerwonego aksamitu poduszką na szpilki, wystarczająco twardą, by skrzywić każdą zbyt głęboko wkłuwaną szpilkę. Nad stolikiem wisiało niewielkie lustro, mierzące mniej więcej sześć na osiem cali. Pomiędzy łóżkiem a stołem było okno. Górną jego część zakrywała nieskazitelnie biała muślinowa firaneczka. Na wprost okna stała toaletka z przyborami do mycia. W pokoju panowała trudna do określenia atmosfera nieprzytulności i Ania poczuła, że po plecach przebiegł jej zimny dreszcz. Tłumiąc płacz, szybko zrzuciła z siebie ubranie, założyła przyciasną koszulę nocną i wskoczyła do łóżka, po czym schowała twarz w poduszce i nakryła głowę pierzyną. Gdy Maryla weszła na górę zabrać świecę, jedynie porozrzucane po podłodze części garderoby oraz łóżko, które wyglądało trochę tak, jakby przed chwilą przeszło przez nie tornado, zdradzały czyjąś obecność.

Maryla niespiesznie i pieczołowicie pozbierała rozrzucone w nieładzie ubranie dziewczynki i ułożyła je starannie na doskonale utrzymanym żółtym krześle, następnie wzięła do ręki świecę i podeszła z nią do łóżka.

— Dobrej nocy — powiedziała. Jej głos nie był szorstki, brzmiała w nim raczej nuta zakłopotania.

Spod pierzyny wynurzyła się pobladła twarzyczka Ani, o przerażająco smutnych, wielkich oczach.

— Jak może mi pani życzyć d o b r e j nocy, przecież doskonale pani wie, że będzie to najgorsza noc w moim życiu — oświadczyła z wyrzutem w głosie. Zaraz potem ponownie zniknęła w odmętach pościeli.

Maryla zeszła do kuchni i zaczęła zmywać naczynia po kolacji. Mateusz palił fajkę — był to wyraźny znak, że coś go trapi. Mateusz rzadko palił, jako że Maryla uważała palenie za paskudny nałóg, jednakże czasami odczuwał nieodpartą chęć zaciągnięcia się tytoniowym dymem. Wówczas Maryla przymykała na to oko, była bowiem przekonana, że każdy mężczyzna musi od czasu do czasu dać upust swoim emocjom.

— To ci dopiero ładny pasztet! — powiedziała gniewnie. — Tak to jest, jak się nie załatwia spraw osobiście, tylko korzysta z pomocy pośredników. Któryś z krewnych Ryszarda Spencera musiał coś pokręcić, gdy przekazywał wiadomość. Jedno z nas pojedzie jutro do pani Spencer wyjaśnić sprawę, nie ma innej rady. Dziewczynka będzie musiała wrócić do sierocińca.

— Tak, zdaje się, że to jedyne wyjście — przyznał niechętnie Mateusz.

— Jak to: z d a j e s i ę! To chyba oczywiste?

— No, niby tak, tyle że to takie miłe dziecko. Żal ją odsyłać, skoro tak bardzo chciałaby tu pozostać.

— Ależ, Mateuszu, chyba nie chcesz przez to powiedzieć, że powinniśmy ją zatrzymać! — Maryla nie byłaby bardziej zdumiona, nawet gdyby Mateusz nagle stanął na głowie.

— No cóż, wydaje się, że nic się w tej sprawie nie da zrobić, to znaczy, niekoniecznie — jąkał się Mateusz, przyciśnięty do muru i zmuszony do użycia bardziej precyzyjnych określeń. — Chyba nikt nie może tego od nas żądać?

— Naturalnie, że nie. Jaki byłby z niej dla nas pożytek?

— A może to ona miałaby z nas jakiś pożytek? — nieoczekiwanie odparł Mateusz.

— Mateuszu, ta mała chyba cię zaczarowała! Widzę wyraźnie, że chcesz ją zatrzymać.

— No cóż, to naprawdę bardzo ciekawa osóbka — uparcie twierdził swoje Mateusz. — Szkoda, że nie słyszałaś, jak ona potrafi rozprawiać, czegóż to nie opowiadała w drodze ze stacji.

— A, taak. Mówić bez ustanku to ona potrafi. Od razu to zauważyłam. Ale to raczej niezbyt dobra cecha. Nie lubię, gdy dzieciom buzia się nie zamyka. Nie chcę wychowywać obcej dziewczynki, a gdybym już się miała zdecydować, to na pewno wybrałabym inną. Nie do końca rozumiem, co w niej siedzi. Nie, musimy natychmiast odesłać ją, skąd przybyła.

— Mógłbym wynająć jakiegoś francuskiego chłopaka do pomocy — powiedział Mateusz — a ona dotrzymywałaby ci towarzystwa.

— Wcale nie tęsknię za towarzystwem — ucięła krótko Maryla. — I nie mam zamiaru jej zatrzymywać.

— No cóż, Marylo, będzie, jak zechcesz — powiedział Mateusz, wstając i odkładając fajkę. — Idę się położyć.

Mateusz poszedł spać. Wkrótce poszła też i Maryla, gdy tylko pochowała wszystkie naczynia, lecz twarz miała pochmurną. A na górze, w pokoiku na poddaszu, płakało w poduszkę samotne, zupełnie opuszczone, spragnione miłości dziecko.

PORANEK NA FARMIE ZIELONE WZGÓRZE

Było już zupełnie widno, gdy Ania przebudziła się, usiadła na łóżku i lekko oszołomiona spoglądała w okno, przez które wpadały do środka strumienie radosnych promieni słońca; na zewnątrz spostrzegła coś białego i lekkiego niczym ptasi puch, co falowało na tle prześwitujących skrawków błękitnego nieba.

Przez chwilę nie mogła sobie przypomnieć, gdzie się znajduje. Najpierw przeniknął ją przyjemny dreszcz, lecz zaraz potem uświadomiła sobie straszną rzecz. Oto przebywa właśnie na farmie Zielone Wzgórze i nie jest tu mile widziana, bo nie jest chłopcem!

Poranek trwał jednak nadal, a za oknem — ależ tak! — kwitła wspaniała czereśnia. Jednym susem Ania wyskoczyła z łóżka i pchnęła okno w górę. Zacinało się i skrzypiało, jakby nie otwierano go od wielu lat, co zresztą było bliskie prawdy. Przesuwało się tak ciężko, że nie trzeba było żadnej podpórki, aby je podtrzymać — i tak nie chciało opaść.

Ania osunęła się na kolana i podziwiała czerwcowy poranek, jej oczy powilgotniały z zachwytu i oczarowania. Och, jak tu pięknie! To naprawdę cudowne miejsce. No dobrze, przypuśćmy, że nie pozwolą jej tutaj pozostać. I cóż z tego, przecież zawsze może sobie wyobrazić, że jest inaczej. Od czegóż ma się wyobraźnię?

Olbrzymia czereśnia rosła tak blisko domu, że jej gałęzie dotykały ścian budynku, a na dodatek była tak gęsto obsypana kwieciem, że ledwo można było dojrzeć liście. Po obu stronach domu rozciągał się sad, z jednej strony jabłonie, z drugiej czereśnie — wszystko tonęło w kwiatach, nawet wśród zielonej trawy żółciły się mlecze. Poniżej domu znajdował się ogród, w którym królowały fioletowe bzy w pełni kwitnienia; poranny wiaterek przynosił do pokoju ich oszołamiający zapach.

Jeszcze niżej rozpościerało się pole, na którym rosła niezwykle bujna koniczyna. Ciągnęło się od zbocza wzgórza aż do niewielkiej kotliny, którą przecinał strumień. W pobliżu strumienia nonszalancko wystrzelały w górę białe brzozy, każąc jedynie domyślać się rozmaitych zachwycających niespodzianek, czekających wśród leśnych zarośli, mchów i paproci. Dalej wznosiło się wzgórze, które szczelnie okrywały nastroszone zielone jodły oraz świerki; w jednym miejscu była przesieka i można było dojrzeć dwuspadowy dach szarego domku, który Ania widziała już wcześniej, z drugiej strony Jeziora Lśniących Wód.

Po lewej stronie znajdowały się zabudowania gospodarcze, a poza nimi, poniżej zielonej linii pól zstępujących w dół wzgórza, błyszczał w oddali skrawek idealnie niebieskiego morza.

Oczy Ani, tak bardzo złaknione piękna, prześlizgiwały się po okolicy, łapczywie chłonąc wszystkie niesamowite widoki. W całym swoim życiu biedne dziecko zdążyło się już napatrzyć na wiele brzydkich miejsc, jednak tym razem rzeczywistość dorównała marzeniom.

Ania nadal klęczała przy oknie, zachwycając się urodą otoczenia; z ekstazy wyrwał ją dotyk czyjejś ręki położonej na ramieniu. Maryla weszła do pokoju tak bezszelestnie, że mała marzycielka w ogóle tego nie zauważyła.

— Czas byłoby się ubrać — odezwała się oschle. Maryla nie bardzo wiedziała, w jaki sposób powinna rozmawiać z dziewczynką; brak doświadczenia sprawiał, że była lakoniczna i zbyt rzeczowa, chociaż wcale tego nie pragnęła.

Ania podniosła się i westchnęła głęboko.

— Czyż to nie jest cudowne? — zapytała, obejmując szerokim gestem wspaniałości widoczne za oknem.

— To rzeczywiście wielkie drzewo — powiedziała Maryla. — Kwitnie bardzo obficie, szkoda tylko, że owoce ma zazwyczaj takie marne — małe i w dodatku robaczywe.

— Och, nie mam na myśli samego drzewa, chociaż oczywiście nie można mu odmówić urody, jest wręcz olśniewająco piękne, kwitnie, jak gdyby samo chciało się sobie przypodobać. Chodziło mi jednak o coś więcej, o ogród, sad, strumień, las, cały ten wspaniały świat. Czy panią też ogarnia uczucie miłości do świata, gdy poranek jest taki cudowny? Słyszę, jak strumyk zanosi się perlistym śmiechem, słychać go aż tutaj. Czy kiedykolwiek zwróciła pani uwagę na to, jak wesołe potrafią być strumienie? Bez przerwy się śmieją. Nawet zimą udało mi się usłyszeć, jak tłumią śmiech pod lodem. Tak się cieszę, że blisko państwa domu płynie strumień. Może pani myśli, że nie powinno mi na tym zależeć, skoro i tak nie będę tutaj mieszkać, a jednak... Zawsze mile będę wspominać, że przez Zielone Wzgórze przepływa strumień, nawet gdybym miała już nigdy go nie ujrzeć. Gdyby nie było tutaj strumienia, ciągle prześladowałaby mnie myśl, że czegoś tu brakuje. Taki ranek, jak dziś, sprawia, że opuszczają mnie wszystkie smutki. Rano nigdy nie zdarza mi się być na dnie rozpaczy. Jak dobrze, że istnieją poranki. Jest mi jednak trochę smutno. Dopiero co wyobrażałam sobie, że nie zaszła pomyłka, że to mnie chcieliście przygarnąć i że zostanę tu z wami już na zawsze. Cudownie było zatopić się w tych rozmyślaniach. Niestety, sny na jawie mają to do siebie, że nie trwają zbyt długo, przychodzi taki moment, gdy trzeba przestać marzyć, a to bardzo boli.

— Lepiej się zaraz ubierz i zejdź na dół, mniejsza o sny na jawie — powiedziała Maryla, gdy w końcu udało jej się dojść do głosu. — Na stole czeka już śniadanie. Umyj twarz i uczesz włosy. Okno może zostać otwarte, poskładaj jeszcze pościel i ułóż ją na łóżku. Postaraj się wszystko zrobić jak najlepiej.

Ania rzeczywiście się postarała, w ciągu dziesięciu minut starannie się ubrała, włosy zaplotła w warkocze, umyła się i z poczuciem zadowolenia malującym się na twarzy, po skrupulatnym wypełnieniu wszystkich zaleceń Maryli, zbiegła na śniadanie. Gwoli prawdy należy dodać, iż zapomniała o jednej rzeczy — nie pościeliła łóżka.

— Dzisiaj od samego rana mam wielki apetyt — oświadczyła, zajmując wskazane jej przez Marylę miejsce przy stole. — Świat nie wydaje mi się już taki okropny jak wczoraj. Cieszę się, że ranek jest piękny i świeci słońce. Aczkolwiek lubię także i deszczowe poranki. Każdy początek dnia jest inny, rano nie wiemy jeszcze, co przyniesie ze sobą rozpoczynający się dzień, tyle różnych rzeczy może się wydarzyć. Właściwie to dobrze, że dzisiaj deszcz nie pada, w słoneczny dzień łatwiej jest zachować pogodę ducha i mężnie znosić przeciwności losu. Zdaje się, że czeka mnie prawdziwie ciężka próba. Gdy czyta się różne smutne historie, łatwo jest sobie wyobrazić, że bohatersko stawiamy czoło trudnościom, znacznie trudniej jest poradzić sobie z nieszczęściem, które naprawdę nas dotyka.

— Na miłość boską, przestań wreszcie mleć językiem — rzuciła opryskliwie Maryla. — Jak na taką małą dziewczynkę, mówisz stanowczo za dużo.

Ania natychmiast umilkła i nie odzywała się tak długo, że Maryla poczuła się nieswojo. Mateusz, jak to on, także nic nie mówił, toteż posiłek przebiegał w całkowitej ciszy.

W miarę jak śniadanie zbliżało się do końca, Ania stawała się coraz bardziej nieobecna, jadła zupełnie bezwiednie, niewidzącym wzrokiem wpatrując się uporczywie w niebo widoczne za oknem. Jej dziwne zachowanie jeszcze bardziej zdenerwowało Marylę: nie mogła się oprzeć wrażeniu, że dziewczynka, siedząc z nimi przy stole, tak naprawdę znajduje się w zupełnie innym miejscu, jej duch błądzi gdzieś w przestworzach, unoszony na skrzydłach wyobraźni. Któż chciałby mieszkać z tak dziwnym dzieckiem pod jednym dachem?

A jednak Mateusz, z niewiadomych powodów, pragnął dziewczynkę zatrzymać! Maryla wyraźnie czuła, że sympatia, którą darzył to dziecko, nie minęła i nic nie zapowiadało zmiany. Cały Mateusz, jak już raz wbije sobie coś do głowy, nie ma takiej siły, która mogłaby go od tego odwieść. Jego uporczywe milczenie odnosiło dziesięciokrotnie lepszy skutek niż najbardziej płomienne przemowy.

Kiedy posiłek dobiegł końca, Ania otrząsnęła się z zadumy i zaproponowała, że zmyje naczynia.

— A czy aby potrafisz to robić? — zapytała Maryla tonem pełnym wątpliwości.

— Owszem, jednakże najlepiej umiem zajmować się dziećmi. Robiłam to przecież tyle lat. Szkoda, że nie ma tu dzieci, których mogłabym doglądać.

— Jeżeli o mnie chodzi, to w zupełności wystarczy mi jedno dziecko na głowie, i tak dosyć mamy przez ciebie kłopotu. Zupełnie nie wiem, co z tobą począć. Mateusz jest zupełnie niepoważny.

— Uważam, że pan Cuthbert jest bardzo miły — odparła Ania z lekkim wyrzutem. — Okazał mi tyle zrozumienia. Nie przeszkadzało mu, że dużo mówię, był chyba nawet z tego zadowolony. Poczułam w nim bratnią duszę, od razu, jak tylko go ujrzałam.

— Oboje jesteście dziwakami i chyba na tym polega to wasze duchowe pokrewieństwo — rzuciła kąśliwą uwagę Maryla. — Dobrze, możesz pozmywać naczynia. Nalej dużo gorącej wody i nie zapomnij starannie powycierać. Ja mam wystarczająco dużo spraw do załatwienia, muszę zdążyć ze wszystkim do południa, bo potem czeka mnie wizyta u pani Spencer, w Białych Piaskach. Ty pojedziesz razem ze mną i na miejscu ustalimy, co z tobą zrobić. Jak już pozmywasz naczynia, idź na górę i nie zapomnij pościelić łóżka.

Ania pozmywała naczynia całkiem sprawnie, co nie umknęło uwadze Maryli, bacznie śledzącej jej poczynania. Trochę gorzej poszło dziewczynce ze ścieleniem łóżka, nigdy bowiem nie udało jej się opanować sztuki strzepywania pierzyny. Jakoś jednak sobie poradziła, wygładziła posłanie i wówczas Maryla, której plątała się trochę pod nogami, pozwoliła jej wyjść na dwór i pobawić się aż do obiadu.

Ania pomknęła ku drzwiom rozradowana; twarz jej jaśniała, oczy błyszczały wesoło. Gdy była już na progu, nagle zatrzymała się, obróciła na pięcie i zawróciła. Usiadła przy stole i przygasła tak nagle, jakby ktoś oblał ją wodą.

— O co znowu chodzi? — dopytywała się Maryla.

— Nie mam odwagi wyjść na zewnątrz — oznajmiła Ania tonem męczennicy odmawiającej sobie ziemskich przyjemności. — Po cóż miałabym to robić, skoro i tak nie będę mogła tu pozostać. Jeżeli wyjdę na dwór i ujrzę te wszystkie drzewa, kwiaty, sad i strumień, już nic mnie nie uratuje, zakocham się w tym miejscu bez pamięci. Przez to będę jeszcze bardziej cierpieć, gdy przyjdzie mi stąd wyjechać. Tak bardzo chciałabym pójść do ogrodu. Wszystko wydaje się mnie przyzywać: „Aniu, Aniu, chodź do nas. Potrzebny nam ktoś do zabawy". Lepiej jednak będzie, gdy pozostanę w domu. Nie ma sensu przywiązywać się do miejsc, od których i tak zostaniemy oderwani. Tak trudno jest się potem odzwyczaić. A ja dlatego się cieszyłam z tego, że tu zamieszkam, bo myślałam, że nareszcie będę mogła pokochać tu wszystko jak swoje i nic mi w tym nie przeszkodzi. Ale to już minęło. Pogodziłam się z losem i dlatego nie chcę wychodzić na dwór, aby niepotrzebnie się nie przywiązywać. Jak się nazywa ta pelargonia, która stoi na parapecie?

— Ach, to taka pelargonia o pachnących liściach.

— Nie o to mi chodzi. Chciałam się tylko dowiedzieć, jakie imię nadała pani temu kwiatkowi. Czy ta pelargonia nie ma własnego imienia? To może ja wymyślę dla niej jakąś nazwę? Mogłaby nazywać się Ślicznotka — czy mogę tak o niej mówić, dopóki tu jestem? Och, błagam, niech się pani zgodzi!

— Mój ty Boże, wszystko mi jedno. Po cóż jednak wymyślać imię dla pelargonii?

— Po prostu lubię, jak rośliny mają własne imiona, nawet jeżeli to jest tylko zwykła pelargonia. To upodabnia je jakoś do ludzi. Skąd właściwie możemy wiedzieć, czy pelargonii nie jest przykro z tego powodu, że ciągle nazywana jest tylko pelargonią? Pani również nie chciałaby, żeby mówiono o pani wyłącznie w jeden sposób: kobieta. Tak, nazwę ją Ślicznotką. Dzisiejszego ranka nadałam też imię tej wielkiej czereśni, która rośnie tuż przy oknie. Nazwałam ją Królową Śniegu, bo cała jest w bieli. Oczywiście wiem, że nie zawsze będzie tak wyglądać, ale zawsze można to będzie sobie wyobrazić, prawda?

— Jeszcze nigdy nie słyszałam ani nie widziałam niczego podobnego — mruczała do siebie Maryla, salwując się ucieczką do piwnicy po kartofle. — To rzeczywiście ciekawa osóbka, jak mówi Mateusz. Łapię się już na tym, że czekam, co jeszcze powie. Chyba mnie zaczarowała. Na mojego brata też rzuciła jakiś urok. Już samo spojrzenie, które mi posłał, gdy wychodził wczoraj wieczorem, wystarczyło za wszystkie słowa lub raczej namiastki słów, które wypowiedział później. Szkoda, że nie potrafi, jak inni mężczyźni, usiąść i spokojnie porozmawiać. Wówczas można by mu wszystko wytłumaczyć i może trafić jakoś do przekonania. Ale co tu począć z mężczyzną, który umie tylko p o s y ł a ć s p o j r z e n i a?

Ania znowu popadła w zadumę. Podparła dłońmi brodę i wpatrywała się w niebo, gdy Maryla wróciła ze swojej wyprawy do piwnicy. W tym stanie dziewczynka pozostała aż do obiadu.

— Mam nadzieję, że będę mogła wziąć powóz i kasztankę dzisiaj po południu? — zapytała Maryla.

Mateusz skinął głową i popatrzył ze smutkiem na Anię. Maryla przechwyciła to spojrzenie i zdecydowanym głosem oświadczyła:

— Mam zamiar udać się do Białych Piasków i załatwić całą tę sprawę. Zabiorę Anię ze sobą. Pani Spencer najprawdopodobniej od razu się tym zajmie i odeśle małą do Nowej Szkocji. Przygotuję ci teraz coś do zjedzenia i wrócę do domu na czas, aby zdążyć wydoić krowy.

Mateusz nadal nie odezwał się ani słowem, toteż Maryla odniosła wrażenie, że niepotrzebnie strzępi sobie język. Nic bardziej nie działa na nerwy niż mężczyzna, który nie chce podjąć rozmowy... chyba że milcząca kobieta.

Mateusz zaprzągł klacz do powozu i Maryla wraz z Anią mogły wyruszyć w podróż. Następnie otworzył im bramę i w momencie, gdy powóz wyjeżdżał na drogę, rzucił jakby od niechcenia:

— Mały Jerry Buote z Creek był u nas dzisiaj z rana i zapowiedziałem mu, że być może wynajmę go do pracy na lato.

Maryla nic nie odrzekła, zacięła jednak kasztankę tak mocno batem, że biedna klaczka, nienawykła do podobnego traktowania, pognała drogą jak szalona. Gdy powóz podskakiwał na kamieniach, Maryla obejrzała się jeszcze za siebie i zobaczyła, jak nieznośny Mateusz, oparty o bramę, spogląda za nimi smutnym, przygaszonym wzrokiem.

— Czy pani wie — zwierzała się Ania — że postanowiłam cieszyć się tą przejażdżką mimo wszystko? Nauczyłam się już, że prawie każda sytuacja ma swoje dobre strony, wystarczy tylko postarać się je zobaczyć. Oczywiście trzeba w tym celu okazać zdecydowanie i silną wolę. Nie mam najmniejszego zamiaru przejmować się teraz tym, że wrócę do sierocińca. Będę myśleć tylko o przejażdżce. O, proszę, niech pani spojrzy, widzi pani ten pierwszy kwitnący pęd dzikiej róży? Czyż nie jest piękny? Jak pani myśli, czy ona jest zadowolona z tego, że jest różą? To by dopiero było miło, gdyby róże potrafiły mówić. Opowiedziałyby tyle fantastycznych historii. Kolor różowy jest chyba najpiękniejszy na świecie. Uwielbiam go, choć mi w nim nie do twarzy. Rudowłosi nie mogą chodzić w różowym, nawet w wyobraźni. Czy znała pani kogoś, kto w młodości miał rude włosy, a z biegiem czasu ich kolor zmienił się na kasztanowy?

— Nie, nie przypominam sobie nikogo takiego — odparła bezlitośnie Maryla. — I nie liczyłabym na to, że w twoim przypadku będzie inaczej.

Ania westchnęła.

— No cóż, w takim razie i ta nadzieja została pogrzebana. Moje życie to istne cmentarzysko nadziei. To zdanie przeczytałam kiedyś w książce i powtarzam je sobie ciągle, ilekroć spotyka mnie jakieś rozczarowanie. Wtedy odczuwam pewną ulgę.

— Ja nie widzę w tym zdaniu niczego, co mogłoby dodawać komuś otuchy.

— Jak to, przecież te słowa są takie romantyczne i jak brzmią — czuję się od razu jak bohaterka jakiegoś dramatu, rozumie pani. Ja po prostu uwielbiam wszystko, co romantyczne, a chyba nie można sobie wyobrazić niczego bardziej romantycznego niż cmentarzysko nadziei. Nawet jestem zadowolona z tego, że takie właśnie jest moje życie. Czy będziemy dzisiaj przejeżdżać przez Jezioro Lśniących Wód?

— Nie będziemy jechać przez most na jeziorze Barry'ego, bo chyba to miałaś na myśli, mówiąc o Jeziorze Lśniących Wód. Pojedziemy drogą nadmorską.

— Nadmorska droga, jak to ładnie brzmi — rozmarzyła się Ania. — Czy jest równie piękna jak jej nazwa? Gdy tylko wypowiedziała pani słowa: „nadmorska droga", natychmiast ją sobie wyobraziłam. Białe Piaski też brzmią nie najgorzej, ja jednak wolę Avonlea. Ta nazwa jest przepiękna, to czysta muzyka. Jak daleko jest do Białych Piasków?

— Jakieś pięć mil. Jeżeli już koniecznie musisz tyle mówić, to powiedz przynajmniej coś pożytecznego, na przykład kilka słów o sobie.

— Tak się składa, że to, co w i e m na własny temat, nie jest warte opowiadania — rzekła Ania z wyjątkową determinacją. — Jeżeli tylko pozwoli mi pani powiedzieć, co sobie w y o b r a ż a m na swój temat, przekona się pani, że to o wiele bardziej interesujące.

— Nie, nie mam ochoty wysłuchiwać żadnych zmyślonych historii, postaraj się trzymać faktów. Zacznij od początku. Gdzie się urodziłaś i ile masz lat?

— W marcu skończyłam jedenaście lat — odpowiedziała Ania zgodnie z prawdą, wzdychając przy tym odrobinę. — Urodziłam się w Bolingbroke, w Nowej Szkocji. Mój ojciec nazywał się Walter Shirley i był nauczycielem w szkole średniej w Bolingbroke. Moja mama nazywała się Berta Shirley. Prawda, że ładnie? Tak się cieszę, że moi rodzice nosili takie piękne imiona. Co by to było, gdyby mój ojciec nazywał się, dajmy na to, Jedediah?

— Myślę, że nie tak ważne jest, jak się kto nazywa, lecz raczej to, co sobą reprezentuje — upomniała Anię Maryla, czując się w obowiązku nauczyć ją pewnych prawd.

— No nie wiem — zastanawiała się Ania. — Czytałam kiedyś, że róża pachniałaby tak samo słodko bez względu na to, jaką dalibyśmy jej nazwę, ja jednak nigdy nie mogłam nabrać do tego przekonania. Jakoś nie bardzo wierzę, że róża byłaby nadal różą, gdyby nazwać ją ostem lub „sałatą skunksa". Przypuszczam, że mój ojciec pozostałby dobrym człowiekiem, nawet gdyby nazywał się Jedediah; jestem jednak pewna, że ciężko by mu było dźwigać takie brzemię. Moja mama również pracowała jako nauczycielka w tej samej szkole średniej, jednakże gdy wyszła za tatę, przestała pracować, to chyba oczywiste. Gdy ma się męża, obowiązków nigdy nie brakuje. Pani Thomas mówiła, że rodzice byli parą dzieciaków, biednych jak mysz kościelna. Zamieszkali w malutkim żółtym domu w Bolingbroke. Nigdy tego domu nie widziałam, ale wyobrażałam go sobie tysiące razy. Okno w salonie na pewno oplatał wiciokrzew, od frontu kwitły bzy, a tuż za furtką wyrastały konwalie. Aha, we wszystkich oknach wisiały zapewne muślinowe firanki. To one nadają domowi tyle uroku. W tym właśnie domu się urodziłam. Pani Thomas orzekła, że byłam najbrzydszym dzieckiem, jakie kiedykolwiek widziała, taka byłam mizerna i drobna, nic, tylko oczy, ale dla mojej mamy byłam najpiękniejsza. Myślę, że zdanie własnej matki bardziej się liczy niż to, co opowiada jakaś prosta kobieta do posług. Cieszę się, że mamie się mimo wszystko podobałam, byłoby mi tak strasznie przykro, gdyby była mną rozczarowana — no bo umarła przecież wkrótce potem na febrę. Miałam wtedy tylko trzy miesiące. Bardzo żałuję, że nie pożyła chociaż trochę dłużej, tak abym mogła do niej zacząć mówić „mamo". Myślę sobie, że to dopiero byłaby przyjemność, tak się do niej zwracać, no nie? Tata zmarł cztery dni po mamie, na tę samą chorobę. I tak oto zostałam sierotą. Wszyscy „łamali sobie głowę", jak się wyraziła pani Thomas, co ze mną zrobić. Widzi pani, już wtedy nikt mnie nie chciał. Taki już chyba mój los. Ojciec i matka pochodzili z daleka i powszechnie było wiadomo, że nie mają żadnych krewnych. W końcu to pani Thomas zgodziła się mnie przygarnąć, chociaż była bardzo biedna i miała męża pijaka. Wychowywała mnie przez grzeczność, jak zwykła mawiać. Czy pani może wie, dlaczego ludzie wychowywani przez grzeczność mieliby być lepsi od innych? Ilekroć bowiem coś nabroiłam, pani Thomas pytała mnie z wyrzutem w głosie, jak mogę się tak okropnie zachowywać, skoro wzięła mnie na wychowanie tylko przez grzeczność.

Państwo Thomas wyprowadzili się z Bolingbroke do Marysville i mieszkałam razem z nimi do ósmego roku życia. Pomagałam zajmować się dziećmi, była ich czwórka, wszystkie młodsze ode mnie. Muszę pani wyznać, że nieźle trzeba się było przy nich uwijać. Jakiś czas potem pan Thomas wpadł pod pociąg i jego matka ofiarowała się, że przyjmie do siebie panią Thomas i jej dzieci, nie chciała jednak przygarnąć mnie. Pani Thomas znowu „łamała sobie głowę", co ze mną począć. Wówczas pani Hammond, której dom stał nieco dalej nad rzeką, przyszła i oświadczyła, że może mnie zabrać do siebie, bo nieźle sobie radzę z dziećmi. Tak więc przeprowadziłam się trochę dalej, w górę rzeki, do domu położonego w pobliżu świeżo wykarczowanej polany. Było to bardzo odosobnione miejsce. Sądzę, że nigdy bym tam nie wytrzymała, gdyby nie wyobraźnia. Pan Hammond pracował niedaleko, w małym tartaku, a pani Hammond opiekowała się ośmiorgiem dzieci. Urodziła bliźniaki trzy razy z rzędu. Lubię dzieci, pod warunkiem, że nie ma ich w nadmiarze, ale trzy pary bliźniąt, jedna za drugą, to już naprawdę przesada. Nie omieszkałam powiedzieć o tym pani Hammond, gdy urodziła ostatnią parę. Bezustanne dźwiganie dzieci było naprawdę ponad moje siły.

W domu pani Hammond mieszkałam dwa lata, do czasu gdy zmarł jej mąż. Wtedy pani Hammond straciła serce do zajmowania się domem. Rozdzieliła wszystkie swoje dzieciaki pomiędzy krewnych i wyjechała do Stanów. Ja musiałam zamieszkać w sierocińcu w Hopetown, ponieważ nikt nie chciał mnie wziąć do siebie. W sierocińcu także zresztą mnie nie chcieli: mówili, zgodnie z prawdą, że przytułek i tak jest przepełniony. W końcu musieli mnie jednak przyjąć i spędziłam tam cztery miesiące, do czasu przyjazdu pani Spencer.

Ania zakończyła swoje opowiadanie westchnieniem ulgi. Było oczywiste, że wspominanie kolejnych etapów życia, które zawsze kończyły się odtrąceniem, sprawiało jej ból.

— Czy kiedykolwiek chodziłaś do szkoły? — dopytywała się dalej Maryla, kierując kasztankę na drogę biegnącą wzdłuż wybrzeża.

— Niewiele, chodziłam trochę, gdy mieszkałam ostatni rok u pani Thomas. Kiedy przeniosłam się dalej, w górę rzeki, szkoła była na tyle daleko, że w zimie nie dało się tam dojść, a latem z kolei nie było lekcji. Toteż chodziłam do szkoły tylko jesienią i wiosną. Gdy znalazłam się już w sierocińcu, to oczywiście znowu zaczęłam się uczyć. Potrafię dość płynnie czytać i znam na pamięć całkiem sporo wierszy i poematów: *Bitwę pod Hohenlinden, Edynburg po bitwie pod Flodden, Bingen nad Renem*, liczne urywki z *Pani Jeziora* i prawie całe *Pory roku* Jamesa Thompsona*. Czy pani też tak uwielbia poezję? — bo mnie przy każdym wierszu przechodzi taki przyjemny dreszcz. W podręczniku dla piątej klasy jest utwór zatytułowany *Upadek Polski***, przy nim to dopiero chodzą ciarki po plecach. Ja oczywiście nie przerabiałam programu piątej klasy, chodziłam przecież do czwartej, ale starsze koleżanki pożyczały mi swoje książki do czytania.

— A czy te kobiety, pani Thomas i pani Hammond, były dla ciebie dobre? — zapytała Maryla, przyglądając się Ani kątem oka.

— Nooo... — zawahała się Ania. Na jej drobnej i delikatnej twarzy pojawił się rumieniec zażenowania. — No cóż, na pewno chciały być dla mnie dobre, starały się pewnie jak mogły. W końcu jeżeli się wie, że ktoś chce naszego dobra, nie można mu brać za złe, gdy czasami nie wszystko wychodzi tak, jak powinno. One miały całą masę własnych zmartwień na głowie, wie pani. Ciężko jest mieć męża pijaka, nie mówiąc już o bliźniakach, i to trzy razy z rzędu. Jestem jednak przekonana, że chciały dla mnie jak najlepiej.

---

* Poprawnie — James Thomson (1700–1748). Autorzy pozostałych utworów: *Bitwa pod Hohenlinden* — Thomas Campbell (1777–1844), *Edynburg po bitwie pod Flodden* — William Edmondstoune Aytoun (1813–1865), *Bingen nad Renem* — Caroline Norton (1808–1877), *Pani Jeziora* — Sir Walter Scott (1771–1832) (przyp. red.).

** Poemat Thomasa Campbella (przyp. red.).

Maryla nie zadawała już więcej pytań. Ania w niemym zachwycie podziwiała nadmorski krajobraz, a Maryla kierowała kasztanką trochę bezwiednie, głęboko się bowiem zamyśliła. Nagle w jej sercu zaczęło narastać szczere współczucie. Jakież podłe życie musiała wieść ta mała — ciągłe niedożywienie, brak miłości, praca ponad siły, bieda i brak opieki. Maryla była na tyle bystra, że doskonale potrafiła wyczytać między wierszami, jak naprawdę wyglądało życie Ani. Nic dziwnego, że dziewczynka tak bardzo się cieszyła, iż nareszcie znajdzie prawdziwy dom. Wielka szkoda, że trzeba odesłać ją z powrotem. A co by się stało, gdyby uległa dziwnej zachciance swojego brata i pozwoliła Ani u nich zostać? On wyraźnie się za tym opowiadał, a dziecko sprawiało miłe wrażenie i na pewno można by je wielu rzeczy nauczyć.

„Trochę za dużo mówi — pomyślała Maryla — ale pewnie dałoby się ją odzwyczaić. A poza tym w jej sposobie mówienia nie ma niczego wulgarnego czy prostackiego. Zachowuje się jak mała dama. Jej rodzice musieli być ludźmi na poziomie".

Nadmorska droga biegła „wśród lasów, przez pustkowie z dala od ludzkich siedzib"*. Po prawej stronie rosły w dużym zagęszczeniu karłowate jodły, dumne i zwycięskie w długiej walce z wichrami wiejącymi od strony zatoki. Po drugiej stronie drogi piętrzyły się klify z czerwonego piaskowca, które tu i ówdzie tak bardzo zbliżały się do drogi, że klacz nieco mniej ułożona niż kasztanka łatwo mogłaby się spłoszyć i napędzić strachu ludziom siedzącym w powozie. U podnóża klifów leżały całe stosy zwietrzałych odłamków skalnych, w niektórych miejscach tworzyły się małe piaszczyste zatoczki, na których dnie migotały drob-

* Cytat z ballady Johna Greenleafa Whittiera (1807–1892) *Cobbler Keezar's Vision* (przyp. tłum.).

ne, kolorowe kamyki — oceaniczne klejnoty. Za skałami lśniło błękitne morze, a ponad falami szybowały w górę, ku słońcu, srebrnoskrzydłe mewy.

— Czyż morze nie jest cudowne? — odezwała się Ania po dłuższej chwili milczenia, w czasie której całkowicie oddała się kontemplowaniu widoków. — Kiedyś, gdy mieszkałam w Marysville, pan Thomas wynajął specjalny wóz i zabrał nas wszystkich nad morze, oddalone o jakieś dziesięć mil. Pamiętam każdą chwilę z tego dnia, pomimo że przez cały czas musiałam zajmować się dziećmi. Latami wracałam potem w myślach do tej wyprawy i przeżywałam wszystko od początku do końca. Tutejsze wybrzeże jest jednak o wiele piękniejsze niż to w Marysville. No i mewy wyglądają tak wspaniale. Czy chciałaby pani być mewą? Bo ja bardzo... oczywiście tylko wtedy, gdybym nie mogła być dziewczynką. Jak by to było pięknie budzić się o wschodzie słońca, spadać nagle pionowo w dół, tuż nad powierzchnię wody, a potem znowu unosić się ku błękitowi, i tak przez cały dzień, po to, żeby przed wieczorem powrócić do gniazda. Już to wszystko widzę oczyma wyobraźni. A co to za duży dom przed nami?

— To hotel w Białych Piaskach. Prowadzi go pan Kirke, tyle że sezon jeszcze się nie rozpoczął. W lecie przyjeżdżają tu całe tłumy Amerykanów. Widocznie to wybrzeże bardzo przypadło im do gustu.

— Już się bałam, że to dom pani Spencer — powiedziała Ania pełnym smutku głosem. — Nie chcę tam dotrzeć. Dla mnie to będzie oznaczało koniec wszystkiego.

MARYLA PODEJMUJE DECYZJĘ

W końcu jednak dotarły na miejsce, i to w zaplanowanym czasie. Pani Spencer mieszkała w dużym żółtym domu, położonym nad Zatoką Białych Piasków. Gdy otworzyła drzwi, na jej pełnej życzliwości twarzy malowały się na przemian zaskoczenie i radość z nieoczekiwanej wizyty.

— O mój Boże — wykrzyknęła — nigdy bym się was dzisiaj nie spodziewała, ale naprawdę bardzo się cieszę, że przyjechałyście. Kazać odprowadzić klacz do stajni? Jak się miewasz, Aniu?

— Mam się dobrze, dziękuję — odparła Ania bez uśmiechu. Smutek położył się cieniem na jej twarzy.

— Myślę, że zabawimy tu na tyle długo, żeby koń mógł trochę odpocząć, obiecałam jednak Mateuszowi, że wrócimy dosyć wcześnie. Chodzi o to, pani Spencer, że zaszła jakaś pomyłka i przyjechałyśmy to wyjaśnić. Posłaliśmy pani wiadomość z prośbą o przywiezienie dla nas chłopca z sierocińca. Powiedzieliśmy pani bratu, że chodzi nam o chłopaka w wieku dziesięciu lub jedenastu lat.

— Chyba nie mówi pani tego poważnie, panno Cuthbert! — zawołała mocno zmartwiona pani Spencer. — Ale zaraz, Robert przekazał nam wiadomość przez swoją córkę

Nancy i to ona powiedziała mi, że chcecie dziewczynkę. Tak właśnie było, pamiętasz to, Floro Jane? — zwróciła się do córki, która właśnie podeszła do frontowych schodów.

— Rzeczywiście tak było, panno Cuthbert — potwierdziła skwapliwie Flora Jane.

— Tak bardzo mi przykro — rzekła pani Spencer. — Że też coś takiego musiało się przydarzyć. Robiłam wszystko w dobrej wierze i sądziłam, że zgodnie z państwa życzeniem. Ta pomyłka naprawdę nie wynikła z mojej winy. Nancy to jednak bardzo roztrzepana osoba. Nieraz musiałam nieźle na nią nakrzyczeć za to, że jest taka lekkomyślna.

— Było w tym również sporo naszej winy — odrzekła z rezygnacją Maryla. — Trzeba było przyjechać tu do pani osobiście, a nie zdawać się na pośredników. Tak czy inaczej, zaszła pomyłka i nie pozostaje nic innego, jak ją naprawić. Czy możemy odesłać dziewczynkę z powrotem do sierocińca? Chyba ją przyjmą, jak pani myśli?

— Sądzę, że nie będzie z tym problemu — odpowiedziała głęboko zamyślona pani Spencer. — Ale niech no się zastanowię — może wcale nie trzeba będzie jej odsyłać. Pani Blewett była tu wczoraj i mówiła, że bardzo żałuje, iż nie poprosiła mnie o przywiezienie z sierocińca dziewczynki. Pani Blewett ma dużą rodzinę i nie może sobie dobrać żadnej osoby do pomocy w domu. Ania akurat by się nadawała. To chyba zrządzenie boskiej Opatrzności.

Maryla miała poważne wątpliwości, czy Opatrzność rzeczywiście miała z tym wszystkim coś wspólnego. Nieoczekiwanie nadarzyła się okazja, aby pozbyć się wreszcie niechcianego dziecka, tyle że wcale nie była losowi za to wdzięczna.

Znała żonę Piotra Blewetta jedynie z widzenia. Była to mała, niezwykle zrzędliwa kobieta, sucha i koścista do granic możliwości. Słyszała o niej jednak całkiem sporo: „nie ma pojęcia ani o prowadzeniu domu, ani o obchodzeniu się z końmi", w dodatku dziewczęta, które bez przerwy wyrzucała ze służby, opowiadały niesamowite historie o jej zmiennych humorach, niebywałym skąpstwie i kłótliwych, wiecznie szukających zaczepki dzieciakach. Maryla poczuła wyrzuty sumienia na myśl, że Ania byłaby skazana na łaskę tej kobiety.

— Wejdę do środka i spokojnie omówimy całą sprawę — powiedziała.

— Zaraz, zaraz, a czy to czasem nie pani Blewett podąża ku nam drogą! — wykrzyknęła uradowana pani Spencer. Zaaferowana, poprowadziła gości z holu do salonu, gdzie panował przejmujący chłód, jak gdyby powietrze, przedzierając się z trudem przez szczelnie zaciągnięte ciemnozielone żaluzje, utraciło resztki ciepła.

— To naprawdę wielkie szczęście, że możemy całą sprawę załatwić od ręki. Proszę usiąść sobie wygodnie w fotelu, panno Cuthbert. Aniu, usiądź na otomanie i bardzo proszę, nie wierć się. Zabiorę wasze kapelusze. Floro Jane, pójdź nastawić wodę na herbatę. Witam, pani Blewett. Właśnie mówiłyśmy, jaki to szczęśliwy zbieg okoliczności, że akurat zechciała mnie pani odwiedzić. Przedstawię panie sobie: to pani Blewett, to panna Cuthbert. Proszę mi wybaczyć, muszę wyjść na chwilkę. Zapomniałam powiedzieć Florze, żeby wyjęła z pieca bułeczki.

Pani Spencer podciągnęła żaluzje i wymknęła się z pokoju. Ania siedziała w milczeniu na otomanie, z rękami splecionymi na kolanach, i jak zahipnotyzowana wpatrywała się w panią Blewett.

Czy rzeczywiście miała zostać oddana na wychowanie tej kobiecie o surowej twarzy i ostrym spojrzeniu? Ania poczuła, że coś ściska ją za gardło, a oczy pieką niemiłosiernie. Już zaczęła się bać, że nie będzie w stanie opanować cisnących się do oczu łez, gdy do pokoju powróciła pani Spencer, jak zwykle zarumieniona i promienna, gotowa pokonać każdą trudność, obojętnie jakiej natury: materialnej, psychicznej czy też duchowej, i w dodatku wszystko załatwić od ręki.

— Wydaje się, że zaszła pewna pomyłka, pani Blewett — powiedziała. — Sądziłam, że panna Cuthbert pragnie adoptować dziewczynkę. Taką przynajmniej otrzymałam informację. Okazało się jednak, że państwo życzyli sobie chłopca. Toteż jeśli nie zmieniła pani od wczoraj zdania, sądzę, że ta dziewczynka idealnie się pani nada.

Pani Blewett zlustrowała Anię niezwykle uważnie.

— Ile masz lat i jak masz na imię? — rozpoczęła dochodzenie.

— Nazywam się Ania Shirley — odpowiedziało dziecko drżącym głosem, nie mając odwagi wysuwać jakichkolwiek propozycji co do formy i brzmienia swojego imienia — i mam jedenaście lat.

— Hm, wyglądasz dość niepozornie, ale to dobrze, że jesteś szczupła. Nie wiem, dlaczego, ale szczupli ludzie są bardziej wytrzymali i lepiej pracują. No cóż, jeżeli zabiorę cię do siebie, będziesz musiała się dobrze sprawować — chyba rozumiesz, co mam na myśli. — Potrzebny mi jest ktoś bystry, pracowity i posłuszny. Mam nadzieję, że ciężką pracą odwdzięczysz się należycie za swoje utrzymanie, i nie licz na to, że będę ci pobłażać. Tak, panno Cuthbert, myślę, że będę mogła panią od niej uwolnić. To moje maleństwo jest takie marudne, jestem nim zupełnie wykończona. Jeżeli pani chce, mogę od razu zabrać dziewczynkę do siebie.

Maryla spojrzała na Anię i serce jej drgnęło na widok jej pobladłej twarzy, na której malował się wyraz cierpienia. Ta niema skarga bezradnej małej dziewczynki, która znowu wpadła w potrzask, z którego dopiero co się przecież wyrwała, przemówiła do Maryli niezwykle mocno. Maryla nabrała przekonania, że jeżeli nie odpowie na ten niemy krzyk rozpaczy, to do końca życia będzie ją prześladował widok przeraźliwie smutnych oczu Ani. A poza tym nie lubiła przecież pani Blewett. Oddać delikatne i wrażliwe dziecko takiej kobiecie! Nie, z pewnością nie mogła wziąć na siebie tej odpowiedzialności!

— No cóż, sama jeszcze nie wiem — odparła Maryla, przeciągając słowa. — Nie powiedziałam, że ja i Mateusz jesteśmy ostatecznie zdecydowani ją oddać. Wręcz przeciwnie, Mateusz jest nawet skłonny ją zatrzymać. Przyjechałam tu, bo byłam ciekawa, jak doszło do tej pomyłki. Uważam, że najlepiej będzie, gdy zabiorę Anię ze sobą do domu i omówimy wszystko spokojnie z bratem. Nie mogę przecież podejmować decyzji bez jego udziału. Jeżeli nie zdecydujemy się zatrzymać Ani, przywieziemy ją do pani jutro wieczorem. Jeżeli nie przyjedzie, będzie to oznaczało, że została z nami. Czy możemy w ten sposób z panią się umówić?

— Chyba nie mam innego wyjścia, niż się zgodzić — odparła niezadowolona pani Blewett.

W czasie gdy Maryla wykładała swoje racje, na twarzy Ani pojawił się nieśmiały uśmiech. Najpierw zniknął z buzi wyraz rozpaczy, potem zaczął rozkwitać delikatny rumieniec nadziei, a oczy nabrały głębi oraz blasku niczym gwiazdy. Dziecko nagle odzyskało wigor. Chwilę później, gdy pani Spencer udała się z panią Blewett na poszukiwanie jakiegoś cennego przepisu, po który pani Blewett specjalnie się przecież fatygowała, Ania błyskawicznie zerwała się na równe nogi i pędem podbiegła do Maryli.

— Och, panno Cuthbert, czy to naprawdę możliwe, czy powiedziała pani, że mogłabym zostać u was na farmie? — Zadała to pytanie jednym tchem, starając się mówić szeptem, jak gdyby obawiała się, że każde głośniejsze słowo zaprzepaści jej szanse na zawsze. — Czy pani naprawdę tak powiedziała, czy może to sobie wymyśliłam?

— Sądzę, Aniu, że lepiej będzie, gdy poddasz swoją wyobraźnię trochę większej kontroli, musisz umieć rozróżnić, co jest fantazją, a co dzieje się naprawdę — pouczyła Anię Maryla, trochę rozgniewana. — Owszem, nie przesłyszałaś się, powiedziałam, że być może u nas zostaniesz, tylko tyle i nic ponadto. Nie podjęliśmy jeszcze ostatecznej decyzji i być może dojdziemy jednak do wniosku, że trzeba cię oddać pani Blewett. Jej z pewnością przydasz się o wiele bardziej niż mnie.

— Jeżeli mam mieszkać razem z nią, to już wolę wrócić do sierocińca — powiedziała Ania, ogromnie wzburzona. — Przecież ona świdruje tymi swoimi oczami jak... jak... bazyliszek.

Maryla stłumiła uśmiech, żywiła bowiem przekonanie, że Ani należy się reprymenda za takie zachowanie.

— Wstyd, Aniu, żeby mała dziewczynka wygadywała takie rzeczy o osobie obcej i w dodatku damie — zganiła Anię surowo. — Wracaj na miejsce, siedź spokojnie, nie odzywaj się bez potrzeby i zachowuj się, jak na dziewczynkę przystało.

— Będę się starać robić wszystko tak, jak pani sobie życzy, tylko proszę pozwolić mi zostać — powiedziała Ania, wracając posłusznie na swoje miejsce na otomanie.

Gdy wieczorem zmierzały w stronę domu, Mateusz wyszedł im naprzeciw. Maryla już z daleka widziała, jak niespokojnie przemierzał drogę tam i z powrotem i w lot odgadła, dlaczego to robił. Wiedziała, że gdy Mateusz zobaczy obok niej Anię, z jego twarzy zniknie wyraz zatroskania. Na razie postanowiła jednak niczego nie wyjaśniać, zrobiła to dopiero później, gdy poszli za stodołę doić krowy. Wtedy pokrótce opowiedziała całą historię Ani i przedstawiła wynik rozmowy z panią Spencer.

— Tej kobiecie, pani Blewett, nie oddałbym nawet psa — powiedział Mateusz z niezwykłą u niego zaciętością.

— Ja sama też za nią nie przepadam — przyznała Maryla — ale możemy zrobić tylko dwie rzeczy: albo oddać ją pani Blewett, albo zatrzymać u siebie. A ponieważ widzę, że ty jesteś bardzo za tym, żeby ją zatrzymać, ja również jestem skłonna to uczynić, tym bardziej że chyba nie mam innego wyjścia. Długo zastanawiałam się, co zrobić, aż wreszcie przywykłam do tej myśli. Sądzę, że nawet mamy obowiązek zaopiekować się tym dzieckiem. Nigdy wcześniej nie zajmowałam się dziećmi, a tym bardziej dziewczynką, dlatego martwię się, czy sobie z tym poradzę. Będę się jednak bardzo starać. Jeżeli o mnie chodzi, to nie mam nic przeciwko temu, żeby z nami została.

Twarz brata promieniała radością.

— No, Marylo, wiedziałem, że tak właśnie postanowisz, gdy przemyślisz wszystko dokładnie. To taka ciekawa osóbka.

— Lepiej byłoby dla nas, aby była nie tylko ciekawa, ale i użyteczna — odparła Maryla. — No, ale w tym już moja głowa, żeby nauczyć ją różnych rzeczy. I pamiętaj, Mateuszu, żebyś się nie wtrącał do jej wychowania. Być może stara panna nie zna się na wychowywaniu dzieci, ale chyba i tak nadaje się do tego lepiej niż stary kawaler. Tak więc zdaj się na mnie w tej kwestii. Jeżeli mnie się nie powiedzie, wówczas ty będziesz mógł wtrącić swoje trzy grosze.

— Dobrze, już dobrze, Marylo, zrobisz tak, jak uznasz za stosowne — powiedział pojednawczo Mateusz. — Staraj się tylko być dla niej dobra, oczywiście bez nadmiernego rozpieszczania. Mam przeczucie, że z nią da się zrobić wszystko, jeśli tylko będzie się postępować po dobroci.

Maryla skrzywiła się znacząco, aby dać do zrozumienia, jak pogardliwie odnosi się do wywodów brata na temat wszystkiego, co dotyczy kobiet, po czym z wiadrami pełnymi mleka weszła do spiżarni. „Nie powiem jej dzisiaj, że może z nami zostać — przemyśliwała Maryla, odcedzając śmietanę od mleka. — Tak się tym zacznie ekscytować, że nie zmruży potem oka. No, Marylo Cuthbert, teraz się dopiero zacznie. Czy kiedykolwiek myślałaś, że nadejdzie taki dzień, gdy adoptujesz dziewczynkę z sierocińca? Już samo to jest wystarczająco zaskakujące, nie wspominając o reakcji brata, który całe życie żywił przecież taką niechęć do małych dziewczynek. Tak czy owak, klamka zapadła i Bóg jeden wie, co z tego wyniknie".

ANIA SIĘ MODLI

Kiedy Maryla poszła tego wieczoru z Anią na górę, odezwała się chłodnym tonem:

— Aniu, ostatnim razem zauważyłam, że przed położeniem się do łóżka nie poskładałaś swoich rzeczy, leżały porozrzucane po całej podłodze. To bardzo zły obyczaj i na pewno ci na takie zachowanie nie pozwolę. Wszystko, co z siebie zdejmujesz, powinnaś zaraz starannie poskładać i położyć na krześle. Nie ma żadnego pożytku z dziewczynki, która nie potrafi utrzymać porządku.

— Ubiegłej nocy byłam tak przygnębiona, że nie myślałam wcale o składaniu ubrań — odparła Ania. — Dzisiaj zrobię wszystko jak należy. W sierocińcu dbano o to, by nauczyć nas porządku. Tyle że przeważnie nie pamiętałam o składaniu rzeczy, tak bardzo pilno mi było położyć się do ciepłego, wygodnego łóżka i zatopić się w marzeniach.

— Jeżeli u nas pozostaniesz, będziesz musiała bardziej się starać — upomniała ją Maryla. — No, już zostaw, tak może być. Zmów teraz modlitwę i połóż się do łóżka.

— Ja nigdy się nie modlę — obwieściła Ania.

Maryla wyglądała na wstrząśniętą.

— Co ty mówisz, Aniu? Nikt cię nie nauczył modlić się? Bogu miła jest modlitwa małych dziewczynek. A co ty w ogóle wiesz na temat Boga, Aniu?

— „Całą mocą wierzymy i bez zastrzeżenia wyznajemy, że jeden tylko jest prawdziwy Bóg, wieczny, nieskończony, niezmienny, niepojęty, wszechmocny i niewymowny. Jedynie u Pana jest sprawiedliwość i moc" — płynnie i bez zająknięcia wyrecytowała Ania.

Maryla wyglądała tak, jakby kamień spadł jej z serca.

— A więc masz jednak jakieś pojęcie na ten temat, chwała Bogu! Nie jesteś zupełną poganką. Gdzie się tego nauczyłaś?

— Och, w szkółce niedzielnej w sierocińcu. Kazali nam uczyć się całego katechizmu. Nawet mi się to podobało. Niektóre słowa brzmią bardzo podniośle. „Wieczny, nieskończony, niezmienny, niepojęty" — czyż to nie jest wspaniały tekst? Ma w sobie taką moc jak muzyka organowa. No, może nie jest to poezja, ale coś w tym rodzaju.

— Nie rozmawiamy teraz o poezji, Aniu, rozmawiamy o modlitwie. Czy nie wiesz, że bardzo brzydko jest nie odmawiać modlitwy przed zaśnięciem? Z przykrością muszę stwierdzić, że twoje postępowanie jest bardzo naganne.

— O wiele łatwiej być złym niż dobrym, gdy ma się rude włosy — powiedziała Ania z nutą wyrzutu w głosie. — Ludzie, którzy nie mają rudych włosów, nigdy tego nie zrozumieją. Pani Thomas powiedziała kiedyś, że Bóg celowo dał mi rude włosy. Od tej pory przestało mi na Nim zależeć. A poza tym wieczorem bywałam zawsze zbyt zmęczona, żeby jeszcze się zdobyć na modlitwę. Od ludzi, którzy mają pod opieką bliźnięta, nie powinno się wymagać modlitwy. No, niech pani uczciwie przyzna, jak mają znaleźć na to czas i siły?

Maryla postanowiła, że Anię należy niezwłocznie zacząć wdrażać do odbywania praktyk religijnych. Nie było czasu do stracenia.

— Póki jesteś pod moim dachem, będziesz musiała odmawiać modlitwę, Aniu.

— Oczywiście, jeżeli pani sobie tego życzy — zgodziła się Ania pogodnie. — Zastosuję się do wszystkich pani wymogów. Musi mi pani jednak powiedzieć, co mam mówić tym razem. Jak już położę się do łóżka, wymyślę jakąś naprawdę piękną modlitwę, taką, którą będę mogła zawsze odmawiać. Teraz, gdy się nad tym zastanawiam, dochodzę do wniosku, że to świetny pomysł.

— Najpierw musisz uklęknąć — powiedziała z pewnym zażenowaniem Maryla.

Ania uklękła przy Maryli i posłała jej pełne powagi spojrzenie.

— Dlaczego ludzie muszą klęczeć, gdy odmawiają modlitwę? Gdybym ja naprawdę chciała się pomodlić, powiem pani, co bym zrobiła. Wyszłabym samotnie na jakieś wielkie otwarte pole albo powędrowałabym daleko w las i patrzyłabym w niebo — wysoko, wysoko — prosto w ten cudowny błękit, który zdaje się nie mieć kresu. Wtedy na pewno poczułabym, że się modlę. No dobrze, jestem już gotowa. To co mam mówić?

Maryla poczuła się bardziej nieswojo niż kiedykolwiek. Miała zamiar nauczyć Anię jakiejś dziecięcej modlitwy w rodzaju: „Aniele Boży, stróżu mój". Maryla była jednak osobą, która potrafiła oceniać rzeczy pod właściwym kątem, w czym niewątpliwie pomagało jej poczucie humoru. Nagle więc uświadomiła sobie, że ta prosta, króciutka modlitwa, odpowiednia dla biało ubranych niebożąt trzymających się spódnicy mamy, zupełnie nie nadaje się dla tej zbuntowanej piegowatej pannicy, która nie wie nic o miłości Boga ani też o nią nie zabiega, jako że nigdy wcześniej nie zaznała miłości ze strony ludzi.

— Jesteś już na tyle duża, że możesz modlić się sama — powiedziała wreszcie. — Po prostu podziękuj Bogu za wszystkie wyświadczone ci łaski i proś Go pokornie, ażeby raczył spełnić twoje prośby.

— Postaram się pomodlić najlepiej, jak umiem — obiecała Ania, kładąc twarz na kolanach Maryli. — „Nieskończenie łaskawy i miłosierny Boże" — takimi słowami modlą się pastorzy w czasie nabożeństw, myślę więc, że można je wykorzystać również w modlitwie osobistej — wtrąciła, podnosząc na moment głowę. — Łaskawy i miłosierny Boże, dziękuję Ci za Białą Aleję Radości i Jezioro Lśniących Wód, i Ślicznotkę, i Królową Śniegu. Naprawdę jestem Ci ogromnie wdzięczna, że mogłam te cuda zobaczyć. To już chyba wszystkie łaski, którymi mnie obdarzyłeś i za które chciałabym Ci podziękować. Jeżeli chodzi o prośby, które chciałabym Ci przedłożyć, to jest ich takie mnóstwo, że zajęłoby ogromnie dużo czasu, żeby je szczegółowo przedstawić. Dlatego wspomnę tylko dwie najważniejsze. Proszę, pozwól mi zamieszkać na Zielonym Wzgórzu, i proszę jeszcze, spraw, abym ładnie wyglądała, gdy będę już duża. Z wyrazami szacunku, Twoja Ania Shirley. — No i jak, czy dobrze wypadłam? — zapytała bardzo przejęta, podrywając się na równe nogi. — Mogłabym wszystko lepiej ubrać w słowa, gdybym miała trochę więcej czasu na przygotowanie się do modlitwy.

Biedna Maryla przeżyłaby zapewne załamanie nerwowe, gdyby nagle nie uświadomiła sobie, że osobliwa prośba małej nie wynikała z braku szacunku dla Boga, lecz raczej z duchowego ubóstwa Ani. Maryla otuliła dziewczynkę pierzyną i ślubowała sobie, że zaraz następnego dnia nauczy ją stosownej modlitwy. Już wychodziła z pokoju, oświetlając sobie drogę świecą, gdy Ania nagle ją do siebie przywołała.

— Właśnie sobie przypomniałam, co powinnam była powiedzieć. Na zakończenie mówi się „Amen", a nie „Z wyrazami szacunku, Ania". Tak właśnie kończą modlitwy pastorzy. Zapomniałam o tym, ale wiem, że modlitwy muszą mieć jakieś stosowne zakończenie, więc zakończyłam tak, jak umiałam. Myśli pani, że to ma jakieś znaczenie?

— Nie, nie sądzę — odpowiedziała trochę niepewnie Maryla. — Bądź grzeczna i postaraj się zasnąć. Dobrej nocy.

— Dzisiaj z czystym sumieniem mogę odpowiedzieć pani d o b r a n o c — oświadczyła Ania, wślizgując się pod pierzynę i wtulając z lubością pomiędzy poduszki.

Maryla udała się do kuchni, zdecydowanym ruchem postawiła świecę na stole i popatrzyła groźnym wzrokiem na brata.

— Mateuszu, najwyższa była pora, aby ktoś wreszcie adoptował to dziecko i nauczył je modlitwy. Ania to na wpół poganka. Czy uwierzyłbyś, że nigdy dotąd nie odmawiała pacierza przed położeniem się do łóżka? Poślę ją jutro na plebanię, żeby wypożyczyła sobie odpowiednie rzeczy do czytania. Musi też zacząć uczęszczać do szkółki niedzielnej, gdy tylko uszykuję dla niej jakieś porządniejsze ubrania. Widzę, że będę miała pełne ręce roboty. No cóż, każdy ma swój krzyż do dźwigania. Do tej pory omijały mnie kłopoty, ale wreszcie przyszedł na mnie czas próby. Będę się starała sprostać temu wyzwaniu jak najlepiej.

ROZPOCZYNA SIĘ WYCHOWYWANIE ANI

Tajemnicą Maryli pozostało, dlaczego nie powiedziała Ani, że chce ją zatrzymać na farmie. Dziewczynka dowiedziała się o tym dopiero następnego dnia po południu. Rano Maryla wyznaczyła swej podopiecznej różne zadania i bacznie obserwowała, jak sobie z nimi radzi.

Około południa już wiedziała, że Ania jest bystrym i posłusznym dzieckiem, chętnym do pracy i szybko przyswajającym sobie nowe rzeczy. Jej największą przywarą było to, że często w trakcie pracy popadała w zamyślenie i zapominała o Bożym świecie, przytomniejąc dopiero, gdy otrzymała reprymendę albo gdy wskutek jej niefrasobliwości przydarzyło się jakieś nieszczęście.

Gdy Ania pozmywała naczynia po obiedzie, stanęła naprzeciw Maryli z wyrazem absolutnej determinacji na twarzy. Była przygotowana na najgorsze. Jej chude, drobne ciałko całe drżało. Twarz była zarumieniona, a źrenice rozszerzyły się tak bardzo, że oczy wydawały się całkiem czarne. Zacisnęła kurczowo dłonie i powiedziała błagalnym głosem:

— Bardzo proszę, panno Cuthbert, niech mi pani powie, odeślecie mnie czy nie? Cały ranek starałam się cierpliwie czekać, aż coś pani zadecyduje, teraz jednak nie mogę już wytrzymać. Taka niepewność to okropne uczucie. Proszę, niech mi pani powie.

— Nie wyparzyłaś ściereczki do mycia naczyń w gorącej wodzie, tak jak cię prosiłam — powiedziała Maryla niewzruszenie. — Proszę, idź i zrób to, co ci kazałam, zanim zadasz kolejne pytanie, Aniu.

Dziewczynka posłusznie podreptała wyparzyć ścierkę i gdy wróciła, spojrzała błagalnie na Marylę.

— No dobrze, myślę, że mogę ci to już wyjawić — powiedziała Maryla, nie umiejąc znaleźć kolejnej wymówki, ażeby odwlec jeszcze trochę całą sprawę. — Mateusz i ja postanowiliśmy cię zatrzymać, pod warunkiem jednak, że będziesz grzeczna i postarasz się odwdzięczyć. O co chodzi, Aniu, co się stało?

— Płaczę — stwierdziła prosto Ania, sama dosyć zadziwiona swoją reakcją. — Zupełnie nie wiem, dlaczego. Tak bardzo się przecież cieszę. „Cieszę się" to nawet nie jest właściwe słowo. Cieszyłam się, gdy jechałam Aleją Radości i gdy podziwiałam kwitnącą czereśnię — ale tym razem to coś znacznie więcej! Jestem tak bezgranicznie szczęśliwa. Będę się starała być dobra. Na pewno nie będzie to łatwe, bo wiem od pani Thomas, że mam bardzo zły charakter. Będę się jednak starać ze wszystkich sił. Może mi pani powiedzieć, dlaczego ja właściwie płaczę?

— Myślę, że to z powodu zdenerwowania, za bardzo się wszystkim przejęłaś — wyjaśniła z lekką dezaprobatą w głosie panna Cuthbert. — Usiądź na krześle i spróbuj się trochę uspokoić. Martwię się, że zbyt łatwo przechodzisz od śmiechu do łez. Zostaniesz u nas i spróbujemy się tobą odpowiednio zająć. Musisz wrócić do szkoły. Zostały jednak tylko dwa tygodnie do wakacji, toteż nie warto posyłać cię teraz, lepiej zaczekać do września.

— Jak mam się do pani zwracać? — zapytała Ania. — Czy za każdym razem mam mówić „panno Cuthbert"? Czy mogę panią nazywać „ciocią Marylą"?

— Nie, mów do mnie po prostu — Maryla. Nie przywykłam, aby ktoś nazywał mnie „panną Cuthbert", czułabym się z tym bardzo nieswojo.

— Ależ to zupełnie nie wypada, abym mówiła do pani po imieniu — zaprotestowała Ania.

— Sądzę, że nie będzie w tym niczego niestosownego, pod warunkiem, że będziesz się do mnie odnosić z należytym szacunkiem. Wszyscy w Avonlea, młodzi i starzy, zwracają się do mnie w ten sposób. Jedynie pastorowi zdarza się zapomnieć i nazwać „panną Cuthbert".

— Bardzo chciałabym do pani mówić „cioociu Marylo" — rzekła smutnym głosem Ania. — Nigdy nie miałam cioci ani w ogóle żadnych krewnych — nawet babci. Gdybym mogła nazywać panią swoją ciocią, czułabym, że mam kogoś bliskiego. Naprawdę nie mogę do pani mówić „cioociu Marylo"?

— Nie, nie jestem przecież twoją ciocią i uważam, że nie powinno się nadawać ludziom określeń, które do nich nie przynależą.

— Przecież moglibyśmy sobie wyobrazić, że jest pani moją ciocią.

— To wykluczone — powtórzyła z uporem Maryla.

— Czy pani nigdy nie wyobraża sobie rzeczy innymi, niż one są naprawdę? — Ania szeroko otworzyła oczy.

— Nie, nigdy mi się to nie zdarza.

— Ojej! — Ania wzięła głęboki oddech. — Ojej, panno... to znaczy... Marylo, nawet nie wiesz, ile tracisz!

— Nie wydaje mi się, by wyobrażanie sobie rzeczy innymi, niż faktycznie są, miało jakikolwiek sens — upierała się przy swoim Maryla. — Jeżeli Bóg stawia nas w jakiejś określonej sytuacji, to na pewno ma w tym jakiś cel i nie chciałby, abyśmy sobie wyobrażali, że jest inaczej. No właśnie, coś mi się przypomniało. Idź do dużego pokoju — tylko nie zapomnij wytrzeć butów i nie napuść much do środka — i przynieś mi ten kolorowy obrazek, który stoi na kominku. Na odwrocie jest tekst *Modlitwy Pańskiej*. Życzyłabym sobie, abyś w wolnym czasie nauczyła się jej na pamięć. Nie chcę już słyszeć takich modłów, jakie odprawiałaś zeszłej nocy.

— Moja modlitwa rzeczywiście wypadła dość niezręcznie — odezwała się przepraszającym głosem Ania — tyle że jak wiesz, Marylo, nigdy wcześniej się nie modliłam. Chyba nie można od nikogo wymagać, aby od razu robił coś perfekcyjnie, skoro poprzednio nigdy tego nie próbował. Gdy już byłam w łóżku, ułożyłam wspaniałą modlitwę, tak jak obiecałam. Była prawie tak samo długa jak ta, którą odmawia pastor, i równie poetycka. Tylko że wiesz co? Rano, gdy się przebudziłam, nie mogłam przypomnieć sobie ani słowa. Wierzysz mi? Obawiam się, że nigdy już nie uda mi się ułożyć równie pięknej modlitwy. Jakoś tak już jest, że za drugim razem nic nie wydaje się tak wspaniałe jak za pierwszym. Czy ty też zwróciłaś na to uwagę?

— To ja chciałabym ci zwrócić na coś uwagę. Gdy proszę cię, Aniu, abyś coś wykonała, oczekuję, że zrobisz to od razu. Ty natomiast stoisz tu dalej i rozprawiasz sobie w najlepsze. Proszę cię, idź i przynieś to, o co cię prosiłam.

Ania posłusznie udała się do dużego pokoju, niestety, zapomniała wrócić. Maryla odczekała dziesięć minut, odłożyła swoją robótkę i z posępną miną pomaszerowała szukać Ani. Gdy weszła do pokoju, dziewczynka stała jak urzeczona przed obrazem wiszącym na ścianie pomiędzy dwoma oknami. Ręce miała założone do tyłu, twarz uniesioną w górę, a oczy pełne rozmarzenia. Biało-zielone promienie, przedzierające się przez gąszcz jabłoni i dzikiego wina, padały na stojącą w niemym zachwycie drobną postać dziewczynki, oświetlając ją na wpół nieziemskim blaskiem.

— Ależ Aniu, co ci tam znowu chodzi po głowie? — zapytała dosyć szorstko Maryla.

Ania od razu powróciła na ziemię.

— To przez ten obraz — powiedziała, wskazując na utrzymaną w żywej kolorystyce litografię zatytułowaną: *Chrystus błogosławiący dzieci*. — Wyobrażałam sobie, że jestem jedną z nich, tą małą dziewczynką w niebieskiej sukience, umieszczoną w rogu obrazu, zupełnie osamotnioną, podobnie jak ja. Wydaje się, że ona nie ma nikogo i jest bardzo smutna. Chyba nie ma ani mamy, ani taty. Jednak ona również chciała być pobłogosławiona przez Jezusa i dlatego podeszła nieśmiało do tłumu dzieci, mając nadzieję, że nikt inny jej nie zauważy, tylko On. Jestem przekonana, że wiem, co czuła. Jej serce musiało mocno bić, a ręce pewnie zrobiły się lodowate, tak jak moje wtedy, gdy pytałam cię, czy mogę tutaj zostać. Zapewne bardzo się bała, że On może jej w ogóle nie zauważyć. Ale Jezus na pewno by zwrócił na nią uwagę, prawda? Próbowałam sobie tę scenę wyobrazić — ona stara się coraz bardziej do niego przybliżyć, aż wreszcie jej się to udaje. Wówczas On dostrzega ją, kładzie dłoń na jej włosach i... och, jakaż radość musiała na nią spłynąć! Żałuję tylko, że artysta, który malował ten obraz, nadał Chrystusowi taki smutny wyraz twarzy. Na wszystkich obrazach przedstawiają Go w taki właśnie sposób, zauważyłaś to, Marylo? Ja jednak nie wierzę, żeby On mógł być ciągle tak bardzo smutny, bo przecież dzieci bałyby się do Niego zbliżyć.

— Aniu — powiedziała Maryla, zastanawiając się, dlaczego wcześniej nie zdobyła się na to, by jej przerwać — nie wolno ci mówić w ten sposób. To wielka zuchwałość z twojej strony, okazujesz brak szacunku.

Oczy Ani wyrażały zdumienie.

— Ale dlaczego, starałam się mówić tak pobożnie, jak to tylko możliwe. Z całą pewnością nie chciałam okazać Jezusowi lekceważenia.

— No, nie mówię, że chciałaś go zlekceważyć, nie wolno jednak w tak swobodny sposób rozmawiać o Bożych sprawach. A poza tym, Aniu, zdaje się, że wysłałam cię po coś do pokoju, miałaś to zabrać i od razu wrócić, a nie stać przed obrazem i fantazjować. Postaraj się wziąć sobie do serca to, co ci powiedziałam. A teraz zabierz ten obrazek i chodź zaraz do kuchni. Usiądź sobie tu w kąciku i naucz się tej modlitwy na pamięć.

Ania oparła obrazek o dzban, w którym stały kwitnące gałązki jabłoni. Dziewczynka przyniosła je wcześniej z ogrodu i udekorowała nimi stół, czemu Maryla przyglądała się odrobinę niechętnie, ale nic nie powiedziała. Ania podparła brodę rękami i przez kilka minut panowała cisza, jako że skupiła się na nauce modlitwy.

— Nawet mi się podoba — oświadczyła wreszcie. — Jest piękna. Słyszałam ją już wcześniej, odmawiał ją kiedyś przełożony naszej szkółki niedzielnej w sierocińcu. Wtedy jednak nie bardzo ją lubiłam, bo ten pan mówił ją takim załamującym się i pełnym smutku głosem. Byłam wówczas przeświadczona, że uważał modlitwę za bardzo przykry obowiązek. Chociaż nie jest to wiersz, moje odczucia są zupełnie takie same jak wtedy, gdy czytam poezję. „Ojcze nasz, któryś jest w niebie, święć się Imię Twoje". To płynie jak muzyka. Och, tak bardzo się cieszę, że kazałaś mi się tego nauczyć, panno... to znaczy... Marylo.

— Już dobrze, po prostu naucz się tego i nie gadaj tyle — odezwała się szorstko Maryla.

Ania przysunęła wazon z gałązkami odrobinę bliżej i delikatnie ucałowała różowy pączek, po czym zagłębiła się w modlitwie. Nie trwało to jednak zbyt długo.

— Marylo — odezwała się znów po chwili — jak sądzisz, czy kiedykolwiek uda mi się znaleźć w Avonlea przyjaciółkę od serca?

— Przyjaciółkę od czego?

— Od serca, no wiesz, kogoś naprawdę bliskiego, przed kim można by otworzyć duszę. Całe życie marzyłam, żeby mieć taką przyjaciółkę. Nigdy nie sądziłam, że mi się uda, ale tyle już moich marzeń się spełniło w jednej chwili, że może i to się spełni. Jak myślisz, Marylo, czy tak się stanie?

— Diana Barry mieszka nieopodal na farmie Jabłoniowe Wzgórze, jest prawie w twoim wieku. To bardzo miła dziewczynka i chyba będziecie się mogły razem bawić, gdy wróci do domu. Teraz jest akurat u swojej cioci w Carmody. Musisz jednak zwracać większą uwagę na swoje zachowanie. Pani Barry jest bardzo wymagającą osobą. Nie pozwoli swojej córce bawić się z żadną dziewczynką, która nie będzie odpowiednio grzeczna i miła.

Ania spojrzała na Marylę spoza gałązek jabłoni, w jej oczach widać było błysk nagłego zainteresowania.

— A jak właściwie ta Diana wygląda? Chyba nie ma rudych włosów, co? Mam taką nadzieję. W zupełności wystarczy, że sama jestem ruda. Za żadne skarby nie chciałabym mieć rudowłosej przyjaciółki.

— Diana jest bardzo ładną dziewczynką. Ma czarne oczy i włosy oraz zaróżowione policzki. A przede wszystkim jest dobra i mądra, co na pewno się bardziej liczy niż uroda.

Maryla lubiła moralizować nieomal tak bardzo, jak Księżna z *Alicji w krainie czarów*. Była też święcie przekonana, że dziecko trzeba bezustannie pouczać, bo jedynie wtedy wychowanie odniesie pożądany skutek.

Ania puściła tę uwagę mimo uszu i skupiła się jedynie na przyjemniejszej części wypowiedzi.

— Och, tak się cieszę, że Diana jest ładna. Skoro sama nie mogę być piękna, to niech przynajmniej moja serdeczna przyjaciółka odznacza się urodą. Kiedy mieszkałam u pani Thomas, w jej pokoju stała biblioteczka ze szklanymi drzwiami. W środku nie było żadnych książek, bo pani Thomas trzymała tam jedynie swoją najlepszą porcelanę, dżemy i konfitury, jeśli tylko miała z czego te przetwory zrobić. Jedna z szyb biblioteczki była stłuczona. Pan Thomas rozbił ją którejś nocy, gdy był trochę pijany. Druga szyba pozostała jednak cała i często bawiłam się w ten sposób, że dziewczynka odbita w szybie jest moją przyjaciółką i mieszka w biblioteczce. Nazwałam ją Katie Maurice; byłyśmy sobie bardzo bliskie. Rozmawiałam z nią całymi godzinami, zwłaszcza w niedziele, mówiłam jej o wszystkim. Katie była moją ostoją i pocieszycielką. Udawałyśmy, że biblioteczka jest zaczarowana i gdybym tylko znała zaklęcie, mogłabym otworzyć drzwi i wejść do środka, to znaczy do pokoju, w którym mieszkała Katie Maurice, bo przecież nie na półki z konfiturami i porcelaną. Wtedy Katie Maurice mogłaby wziąć mnie za rękę i obie poszłybyśmy do jakiejś cudownej krainy zamieszkanej przez elfy, pełnej słońca i kwiatów. Tam żyłybyśmy sobie w szczęściu już na zawsze. Kiedy przeprowadziłam się do pani Hammond, byłam zupełnie załamana, bo musiałam zostawić moją Katie Maurice zupełnie samą. Ona również strasznie to przeżywała. Wiem, że tak było, bo w trakcie rozstania bardzo płakała, kiedy całowała mnie na pożegnanie poprzez szklaną szybę. U pani Hammond nie było biblioteczki. Ale za to nad rzeką, w pewnej odległości od domu, ciągnęła się mała, zielona dolina, w której mieszkało echo, najwspanialsze, jakie można sobie wyobrazić. Odpowiadało na każde słowo, które się wypowiedziało, nawet wcale nie trzeba było mówić głośno. Wyobraziłam więc sobie, że mieszka tam dziewczynka imieniem Violetta i że jesteśmy wspaniałymi przyjaciółkami, polubiłam ją prawie tak samo jak Katie Maurice — no, może niezupełnie tak samo, ale prawie, rozumiesz... Wieczorem, w przeddzień wyjazdu do sierocińca, poszłam się z nią pożegnać i słowa, którymi mi odpowiedziała, były tak bardzo, bardzo smutne. Byłyśmy niezwykle mocno ze sobą zżyte, dlatego w sierocińcu nie miałam już zupełnie serca do tego, żeby wymyślić sobie nową przyjaciółkę, nawet gdyby tam były odpowiednie warunki do wyobrażania sobie różnych rzeczy.

— I całe szczęście, że nie było — stwierdziła oschle Maryla. — Zupełnie nie pochwalam takiego zachowania. Zdaje się, że ty na wpół wierzysz, że to, co sobie wyobrażasz, istnieje naprawdę. Dobrze będzie, gdy poznasz jakąś dziewczynkę z krwi i kości i rzeczywiście się z nią zaprzyjaźnisz. Wtedy może przejdzie ci ochota na wyobrażanie sobie tych wszystkich bzdur. I pamiętaj, abyś nie opowiadała pani Barry o swojej Katie i Violetcie, bo jeszcze gotowa pomyśleć, że bajdurzysz.

— Nie, na pewno nie będę jej niczego mówić. Nie opowiadam o swoich przyjaciółkach przypadkowym osobom — przechowuję pamięć o nich jak cenny skarb. Pomyślałam sobie jednak, że tobie o nich opowiem. Ojej, spójrz, jaka wielka pszczoła wyleciała właśnie z kwiatu jabłoni! Tylko pomyśl, jakie cudowne miejsce obrała sobie za mieszkanie — wnętrze kwiatu. Jak słodko by się w nim spało, gdyby kołysał do snu wiatr. Gdybym nie była dziewczynką, to chciałabym zostać pszczołą i mieszkać sobie wśród kwiatów.

— Jeszcze wczoraj chciałaś być mewą — rzuciła opryskliwie Maryla. — Myślę, że masz bardzo zmienne upodobania. A w ogóle to mówiłam ci przecież, żebyś nauczyła się modlitwy i przestała tyle mówić. Tobie jednak buzia się nie zamyka, jeśli tylko znajdziesz słuchacza. Idź więc na górę do swojego pokoju i tam się ucz.

— Och, umiem ją już prawie całą, z wyjątkiem ostatniej linijki.

— No cóż, nic nie szkodzi, zrób tak, jak ci powiedziałam. Idź na górę i dobrze się jej naucz. Za chwilę cię zawołam, żebyś pomogła mi przygotować herbatę.

— Czy mogę sobie zabrać do towarzystwa te kwitnące gałązki? — poprosiła Ania.

— Nie, nie ma potrzeby zaśmiecać pokoju kwiatami. Szczerze mówiąc, powinnaś była pozostawić je na drzewie.

— Ja też byłam podobnego zdania — powiedziała Ania. — Czułam, że nie powinnam ich zrywać, bo w ten sposób skracam im życie. Sama też nie chciałabym zostać zerwana, gdybym była gałązką jabłoni. Ale to było silniejsze ode mnie. A ty co robisz, gdy nachodzi cię jakaś pokusa, której w żaden sposób nie można się oprzeć?

— Aniu, czy słyszałaś, że poprosiłam cię, abyś poszła do swego pokoju?

Ania westchnęła i udała się do pokoiku na poddaszu, gdzie usiadła na krześle przy oknie.

— Przecież umiem już tę modlitwę, ostatniej linijki nauczyłam się, gdy wchodziłam po schodach na górę. Teraz mogę sobie zacząć wyobrażać rzeczy, które na zawsze pozostaną ze mną w tym pokoju. Tak więc podłogę przykrywa biały, miękki jak aksamit dywan, cały w bladoróżowe pąki róż. W oknach wiszą jedwabne zasłonki, również różowe, a ściany wyłożone są złocisto-srebrną brokatową tkaniną. Wszystkie meble wykonano z mahoniu. Nie mam pojęcia, jak wygląda mahoń, ale ta nazwa kojarzy się niewątpliwie z luksusem. Na sofie piętrzą się stosy przepięknych jedwabnych poduszek w rozmaitych odcieniach różu, błękitu, szkarłatu i złota. Ja spoczywam sobie na tych poduszkach w bardzo wyszukanej i wdzięcznej pozie. Widzę swoje odbicie w olbrzymim lustrze wiszącym na ścianie. Jestem wysoka i wyglądam prawdziwie po królewsku. Mam suknię z białej koronki, której tren ciągnie się po ziemi, na piersi połyskuje mi wysadzany perłami krzyżyk. Perły lśnią również we włosach. Moje włosy są czarne niczym bezgwiezdna noc, a skóra podobna jest do kości słoniowej. Nazywam się lady Kordelia Fitzgerald. Nie, to imię się nie nadaje, nie mogę uwierzyć, że naprawdę jestem Kordelią, muszę wymyślić jakieś inne.

Ania tanecznym krokiem przeszła przez pokój i badawczo przyjrzała się swemu odbiciu w małym lusterku wiszącym na ścianie. Dostrzegła spiczasty podbródek, piegowatą twarz i patrzące z uwagą szare oczy.

— Jesteś Anią z Zielonego Wzgórza, Anią i nikim innym — powiedziała z przejęciem. — Widzę tylko ciebie, mimo że tak bardzo staram się wyobrazić sobie, że jestem lady Kordelią. A jednak milion razy przyjemniej jest być Anią z Zielonego Wzgórza niż Anią znikąd.

Nachyliła się, ucałowała tkliwie swoje odbicie w lustrze i podeszła do otwartego okna.

— Dzień dobry ci, Królowo Śniegu. Dzień dobry wam, kochane brzozy rosnące w kotlinie. Dzień dobry ci, szary domku na wzgórzu. Ciekawa jestem, czy Diana zostanie moją przyjaciółką od serca. Mam nadzieję, że tak, ja na pewno ją pokocham. Nigdy jednak nie zapomnę ani Katie Maurice, ani Violetty. Na pewno poczułyby się zranione, gdybym o nich zapomniała. Nie znoszę ranić uczuć innych ludzi, nawet gdy chodzi tylko o dziewczynkę z biblioteczki albo dziewczynkę-echo. Muszę się starać zawsze o nich pamiętać i codziennie przesyłać im całusa.

Ania posłała w stronę jabłoni kilka pocałunków i z lubością oddała się marzeniom.

PANI MAŁGORZATA LINDE PRZEŻYWA SZOK

Ania mieszkała na farmie Zielone Wzgórze już od przeszło dwóch tygodni, gdy pani Małgorzata złożyła w końcu wizytę Cuthbertom, pragnąc przyjrzeć się przygarniętej przez nich wychowance. Trzeba jednak oddać pani Małgorzacie sprawiedliwość — nie mogła przyjść wcześniej, albowiem zmogła ją bardzo ciężka, niespodziewana o tej porze roku grypa. Pani Linde rzadko chorowała i miała na ogół w głębokiej pogardzie ludzi, którzy zapadali na zdrowiu. Z grypą, jak twierdziła, sprawy miały się zupełnie inaczej niż z pozostałymi ziemskimi przypadłościami — grypa to było zrządzenie Opatrzności. Gdy tylko lekarz pozwolił jej wychodzić z domu, wybrała się czym prędzej na Zielone Wzgórze, zżerała ją bowiem ciekawość, jak też wygląda dziecko przygarnięte z sierocińca przez rodzeństwo Cuthbertów. Po Avonlea krążyły najrozmaitsze opowieści i przypuszczenia na ten temat.

Ania nie marnowała czasu w ciągu minionych dwóch tygodni. Poznała już każde drzewo i każdy krzaczek w okolicy. Odkryła, że dróżka prowadząca z jabłoniowego sadu biegnie dalej pod górę przez las. Zbadała ją nader dokładnie, aż do samego końca. Odwiedziła każdy malowniczy zakątek, zajrzała nad strumyk, przeszła się po mostku, przebiegła jodłowy zagajnik, podziwiała ciasno ze sobą splecione korony czereśni, myszkowała po różnych porośniętych paprociami kątkach, przemykała pod baldachimem klonów i jesionów.

Zaprzyjaźniła się także ze źródełkiem, które biło w kotlinie. Wypływała z niego krystalicznie czysta, lodowato zimna woda. Źródełko wyłożone było gładkimi czerwonymi kamieniami, a wokół jego brzegów wystrzelały w górę ogromne pióropusze wodnych paproci, o liściach podobnych do palm; tuż za nim oba brzegi strumienia spinał nieduży mostek, zbudowany z drewnianych bali.

Przez ten mostek Ania biegła, tańcząc i podskakując, w stronę lesistego wzgórza, gdzie panował wieczny półmrok w cieniu smukłych, gęsto rosnących jodeł i świerków. Nie kwitło tam nic poza tysiącami delikatnych leśnych dzwoneczków, nieśmiało rozwijających swoje drobne kwiatuszki, oraz paroma kępami bladej, eterycznej gwiazdnicy, której zaschnięte kwiaty były tylko wspomnieniem poprzedniego lata. Srebrne siateczki pajęczyn zwisały z gałęzi, a jodły prowadziły ze sobą przyjacielskie rozmowy.

Wszystkie swoje zachwycające odkrycia Ania poczyniła w tych krótkich chwilach, które przeznaczone były na zabawę. Gdy wracała do domu, zanudzała Marylę i jej brata opowieściami o tym, co widziała. Mateusz jednak wcale nie narzekał. Przyjmował wszystko z uśmiechem i w milczeniu. Maryla również tolerowała tę „paplaninę" — tak długo, dopóki sama nie przyłapała się na tym, że słucha szczebiotu Ani z coraz większą przyjemnością. Wówczas od razu zaczynała gasić zapał dziewczynki, nakazując jej zamknąć wreszcie buzię.

Kiedy pani Małgorzata przyszła z wizytą, Ania była akurat w sadzie, gdzie chodziła sobie beztrosko wśród bujnych, drżących w powiewach wiatru traw, skąpanych w czerwonawym świetle zachodzącego słońca. Dzięki temu poczciwa pani Małgorzata mogła do woli rozwodzić się nad przebiegiem swojej choroby. Opisywała sąsiadce każdą dolegliwość z tak wyraźną lubością, że Maryla pomyślała sobie, iż nawet grypa ma swoje dobre strony. Gdy pani Małgorzata opowiedziała już wszystko z detalami, zdobyła się na to, by przedstawić prawdziwy powód swej wizyty.

— Słyszałam mnóstwo zaskakujących rzeczy o tobie i o Mateuszu.

— Nie sądzę, abyś mogła być bardziej zaskoczona niż ja sama — odpowiedziała Maryla. — Wciąż jeszcze nie mogę przyjść do siebie.

— Co za okropna pomyłka — oznajmiła współczującym głosem pani Małgorzata. — Czy nie można było odesłać jej z powrotem?

— Pewnie tak, ale zdecydowaliśmy się ją zatrzymać. Mateusz bardzo ją polubił. Muszę przyznać, że ja też się do niej przekonałam — chociaż oczywiście zdaję sobie sprawę z tego, że ma swoje wady. Jednak w domu jest teraz zupełnie inaczej. Dzięki niej zrobiło się jakoś weselej.

Maryla powiedziała więcej, niż zamierzała, i dostrzegła w oczach Małgorzaty wyraz dezaprobaty.

— Wzięłaś na swoje barki wielką odpowiedzialność — powiedziała szacowna dama, co zabrzmiało dość złowieszczo. — Szczególnie że nigdy wcześniej nie zajmowałaś się dziećmi. Nie znasz jej dobrze, nie wiesz, jakie ma usposobienie. Nigdy nie wiadomo, co z takiego dziecka wyrośnie. Na pewno jednak nie mam zamiaru cię zniechęcać.

— Ja się tak łatwo nie zniechęcam — odparła krótko Maryla. — Jak już się na coś zdecyduję, to staram się z tego należycie wywiązać. Zapewne chciałabyś zobaczyć, jak wygląda Ania. Zawołam ją tutaj.

Ania od razu przybiegła do pokoju, jej twarz tryskała radością po spacerze w sadzie. Gdy jednak zobaczyła obcą osobę, stanęła w drzwiach zmieszana. Z pewnością wyglądała dosyć niecodziennie w swojej krótkiej, za ciasnej wełnianej sukience, przywiezionej z sierocińca. Z tej racji jej nogi wydawały się niezmiernie długie i czyniły sylwetkę niezgrabną. W dodatku piegi wysypały się bardziej licznie niż zazwyczaj, a wiatr potargał jej włosy tak, że były w całkowitym nieładzie. Nigdy też przedtem nie wydawały się tak płomiennie rude.

— No cóż, na pewno nie wzięli cię dla twej urody, bez dwóch zdań — wygłosiła pani Małgorzata bez skrępowania. Była jedną z tych niewątpliwie czarujących osób, które szczycą się tym, że mają odwagę mówić wszystko bez owijania w bawełnę. — Ależ ona jest potwornie chuda i brzydka, Marylo. Podejdź tutaj, moje dziecko, niech no ci się przyjrzę. O, mój Boże, czy kto kiedy widział takie piegi? A te włosy, czerwone jak marchewka! Podejdź no tu, dziecko, czy mnie nie słyszysz?

Ania, owszem, podeszła, tyle że niezupełnie tak, jak można by oczekiwać. Jednym susem przeskoczyła przez kuchnię i stanęła przed panią Małgorzatą, twarz miała czerwoną z gniewu, usta jej drżały, podobnie zresztą jak i całe drobne ciało.

— Nienawidzę pani! — krzyczała zdławionym głosem, tupiąc przy tym nogami. — Nienawidzę pani, nienawidzę, nienawidzę! — każdemu kolejnemu okrzykowi towarzyszyło coraz głośniejsze tupnięcie nóg. — Jak pani śmie nazywać mnie chudą i brzydką! Jak pani śmie wypominać mi to, że jestem piegowata i mam rude włosy! Jest pani złą kobietą, w dodatku źle wychowaną i zupełnie pozbawioną ludzkich uczuć!

— Ależ, Aniu! — krzyknęła skonsternowana Maryla.

Jednak Ania nadal stała niezrażona przed panią Małgorzatą, miała głowę dumnie uniesioną, płonące oczy, dłonie zaciśnięte w pięści i buchała gniewem niczym wulkan.

— Jak pani śmie wygadywać o mnie takie rzeczy — mówiła gwałtownie. — Jak by się pani czuła, gdyby ktoś mówił tak o pani? Jak by pani zniosła, gdyby ktoś powiedział, że jest pani gruba, niezgrabna i prawdopodobnie bez krzty wyobraźni? Nic mnie nie obchodzi, że być może w tej chwili ranię pani uczucia! Mam nadzieję, że tak właśnie jest. Dotknęła mnie pani bardziej niż ktokolwiek inny, nawet pijany mąż pani Thomas tak do mnie nie mówił. Nigdy pani tego nie wybaczę, nigdy, przenigdy!

Ania tupnęła jeszcze raz nogami.

— Czy ktoś kiedy widział podobne zachowanie! — krzyknęła zgorszona pani Małgorzata.

— Aniu, idź do swojego pokoju i zostań tam, aż przyjdę do ciebie — powiedziała Maryla, z trudnością odzyskując mowę.

Ania, wybuchając płaczem, podbiegła do drzwi prowadzących na korytarz i trzasnęła nimi tak mocno, że metalowe puszki stojące na ganku podskoczyły i zabrzęczały smutno, jakby na znak współczucia. Przemknęła przez korytarz i wbiegła na schody niczym burza. Kolejne trzaśnięcie drzwi, dobiegające z góry i równie donośne jak poprzednie, oznajmiło, że Ania jest już w swoim pokoju.

— No cóż, Marylo, wychować c o ś t a k i e g o na pewno nie będzie ci łatwo — z wielką powagą oświadczyła pani Małgorzata.

Maryla otworzyła usta, szukając słów potępienia lub przeprosin, które mogłyby załagodzić trochę sprawę, w końcu jednak rzekła coś zupełnie innego, a powód, dla którego to zrobiła, pozostał niejasny dla niej samej.

— Nie powinnaś była tak otwarcie krytykować jej wyglądu, Małgorzato — powiedziała.

— Moja droga, chyba nie chcesz mi dać do zrozumienia, że pochwalasz takie wybuchy furii jak ten, który widziałyśmy przed chwilą — stwierdziła z oburzeniem pani Małgorzata.

— Oczywiście, że nie — z namysłem odparła Maryla. — Nie próbuję jej usprawiedliwiać. Postąpiła okropnie i będę z nią musiała odpowiednio porozmawiać. Trzeba ją jednak zrozumieć. Nikt jej nigdy nie uczył, jak należy się zachowywać. A ty byłaś dla niej zbyt surowa.

Maryla nie mogła się powstrzymać od wypowiedzenia tego ostatniego zdania, chociaż znowu zdumiały ją własne słowa. Pani Małgorzata podniosła się z krzesła z urażoną miną.

— No cóż, widzę, że następnym razem będę musiała bardzo uważać na to, co mówię, ażeby przypadkiem nie zranić delikatnych uczuć jakiejś biednej sierotki przywiezionej nie wiadomo skąd; widocznie wszystko inne przestało się teraz liczyć. Nie, ja wcale się nie denerwuję, skąd, nie musisz się martwić. Po prostu żal mi ciebie, nie chowam jednak urazy. Będziesz miała niemało kłopotów z tym dzieckiem. Jeżeli chcesz mojej rady — chociaż i tak pewnie z niej nie skorzystasz, mimo iż wiesz, że wychowałam dziesięcioro dzieci i pochowałam dwoje — ta twoja „rozmowa" powinna być przeprowadzona za pomocą tęgiej brzozowej rózgi. Sądzę, że *to* odniosłoby najlepszy skutek. Jak widać, temperament tej małej jest równie ognisty jak jej włosy. Cóż, to już chyba wszystko, co mam ci do powiedzenia, życzę miłego wieczoru. Mam nadzieję, że nadal będziesz mnie odwiedzać, tak jak dawniej. Moja noga jednak nieprędko tu postanie, jako że nie chciałabym zaznać ponownie podobnego traktowania. To zupełnie nowe doświadczenie w moim życiu.

Gdy tylko to powiedziała, od razu wyszła i pośpieszyła do domu — jeżeli można się tak wyrazić o kobiecie dość otyłej, która zwykła kroczyć dostojnie, kolebiąc się na boki.

Maryla z wyrazem powagi na twarzy udała się do pokoju na poddaszu. Po drodze zastanawiała się nerwowo, w jaki sposób powinna postąpić. Odczuwała wielki niepokój po scenie, która przed chwilą się rozegrała. Jaka szkoda, że Ania musiała ujawnić swój wybuchowy charakter właśnie przed Małgorzatą Linde, akurat przed nią! Nagle, z lekkim zażenowaniem, Maryla uświadomiła sobie, że właściwie bardziej poczuła się dotknięta i upokorzona niż zasmucona tym, że Ania ma tak trudne usposobienie. No i w jaki sposób należało ją ukarać? Rada, aby użyć brzozowej rózgi — o której skuteczności mogły spokojnie zaświadczyć wszystkie dzieci pani Małgorzaty — jakoś do Maryli nie przemawiała. Nie mogłaby uderzyć dziecka. Musi przecież istnieć jakiś inny sposób uświadomienia Ani, jak bardzo źle się zachowała.

Maryla zastała Anię leżącą na łóżku, z twarzą wtuloną w poduszki, płaczącą gorzkimi łzami, zupełnie niepomną faktu, że leży na czystej narzucie w zabłoconych butach.

— Aniu — powiedziała nie bez pewnej delikatności w głosie.

Cisza.

— Aniu — odezwała się już nieco mniej łagodnie. — Natychmiast wstań z łóżka i posłuchaj, co mam ci do powiedzenia.

Ania zwlokła się z łóżka i usiadła sztywno na krześle stojącym obok. Twarz miała opuchniętą od płaczu, na policzkach rozmazane łzy, a wzrok uparcie wbijała w podłogę.

— Ładnie się zachowałaś, Aniu, nie ma co! Nie wstyd ci teraz?

— Nie miała żadnego prawa wygadywać, że jestem brzydka i okropnie ruda — odparła Ania dosyć wymijająco, a przy tym zuchwale.

— To ty nie miałaś prawa wpadać w taką furię i wykrzykiwać tych wszystkich strasznych rzeczy. Bardzo się za ciebie wstydziłam, nawet nie wiesz, jak bardzo. Tak mi zależało, żebyś dobrze wypadła przed panią Linde, a ty przyniosłaś mi tylko wstyd. Nie rozumiem, dlaczego tak się rozzłościłaś, gdy pani Linde powiedziała, że masz rude włosy i jesteś nieładna. Przecież sama powtarzasz to bez przerwy.

— Och, ale to zupełnie co innego, gdy mówi się takie rzeczy samemu, niż gdy się je słyszy od innych — poskarżyła się płaczliwie Ania. — Można doskonale wiedzieć, jak się mają sprawy, a mimo to mieć nadzieję, że inni ludzie są innego zdania. Pewnie myślisz sobie, Marylo, że mam okropny charakter, ale nie mogłam się powstrzymać. Kiedy zaczęła mówić o mnie te wszystkie rzeczy, powstała we mnie taka złość, że po prostu dławiła mnie w gardle. Musiałam jej to wygarnąć.

— No i zrobiłaś z siebie niezłe widowisko. Pani Małgorzata będzie miała teraz o czym opowiadać po całym Avonlea i na pewno nie omieszka tego uczynić. To okropne, że tak dałaś się ponieść emocjom, Aniu.

— Pomyśl tylko, Marylo, jak ty byś się czuła, gdyby ktoś ci rzucił w twarz, że jesteś potwornie brzydka i chuda — ciągnęła Ania ze łzami w oczach.

Nagle do Maryli powróciło pewne wspomnienie. Gdy była bardzo małą dziewczynką, przypadkiem usłyszała, jak któraś z ciotek rzekła do drugiej: „Jaka szkoda, że ta mała ma tak ciemną cerę i jest taka brzydka". Dopiero gdy Maryla zbliżyła się już do pięćdziesiątki, wspomnienie to wreszcie przestało być dla niej bolesne.

— Nie twierdzę, że pani Linde miała prawo mówić ci te wszystkie rzeczy, Aniu — powiedziała Maryla łagodniejszym tonem. — Małgorzata zbyt często mówi bez ogródek to, co myśli. To jednak wcale nie usprawiedliwia twojego zachowania. Nie można się w ten sposób odnosić do osoby starszej, nieznajomej i w dodatku gościa w moim domu — te trzy powody w zupełności wystarczą za uzasadnienie, że powinnaś się do niej zwracać z należytym szacunkiem. Byłaś w stosunku do niej arogancka i nader zuchwała — w tym momencie Maryli przyszedł do głowy zbawienny pomysł — będziesz więc musiała pójść przeprosić ją za swoje naganne zachowanie i prosić o wybaczenie.

— Nigdy tego nie zrobię — odpowiedziała zdecydowanie Ania. W jej głosie słychać było przygnębienie. — Możesz ukarać mnie, jak tylko chcesz. Możesz mnie zamknąć w ciemnym, wilgotnym lochu zamieszkanym przez węże i ropuchy, mogę żyć tylko o chlebie i wodzie bez słowa skargi. Nigdy jednak nie poproszę pani Linde o wybaczenie.

— No cóż, po pierwsze, nie mamy w zwyczaju zamykać nikogo w lochu — oschle odpowiedziała Maryla — szczególnie że w Avonlea trudno by było taki loch znaleźć. Po drugie, przeprosić panią Małgorzatę będziesz jednak musiała i zostaniesz w swoim pokoju tak długo, aż powiesz mi, że jesteś gotowa to zrobić.

— W takim razie spędzę tu chyba całą wieczność — powiedziała Ania posępnym głosem — bo w żaden sposób nie mogę powiedzieć pani Linde, że jest mi przykro z powodu tego, co powiedziałam. Jak mogłabym? Przecież wcale nie jest mi przykro. Martwię się tylko tym, że cię zdenerwowałam. Natomiast cieszę się, że powiedziałam szczerze, co o niej myślę. Sprawiło mi to nawet sporą przyjemność. Przecież nie mogę mówić, że jest mi przykro, skoro wcale mi przykro nie jest. Nawet nie potrafię sobie w y o b r a z i ć, że jest mi przykro.

— Może rano twoja wyobraźnia będzie lepiej pracować — powiedziała Maryla, zbierając się do wyjścia. — Masz całą noc na to, żeby przemyśleć swoje zachowanie i obudzić się w lepszym nastroju. Obiecałaś, że będziesz się starała być dobrym i posłusznym dzieckiem, jeżeli zostaniesz z nami. Jednak dzisiaj wieczorem nie bardzo wywiązałaś się ze swojej obietnicy.

Maryla wyszła z pokoju, pozostawiając Ani temat do przemyśleń, po czym zeszła do kuchni. Ponure myśli cisnęły jej się do głowy, a duszą targał niepokój. Była zła na siebie równie mocno jak na Anię, albowiem ilekroć przypomniała sobie oniemiałą Małgorzatę, usta same składały jej się do uśmiechu i w żaden sposób nie mogła pohamować rozbawienia, które przecież było zupełnie nie na miejscu.

ANIA UDAJE SIĘ Z PRZEPROSINAMI

Tego wieczoru Maryla nie opowiedziała bratu o tym, co się wydarzyło. Jednakże gdy Ania nadal upierała się przy swoim i następnego ranka nie zeszła na śniadanie, nie było wyjścia i Mateusz musiał dowiedzieć się o całej sprawie. Maryla dokładała wszelkich starań, aby uświadomić bratu, jak wielka była wina Ani.

— Dobrze się stało, że ktoś wreszcie utemperował trochę tę starą, wścibską plotkarkę — rzucił Mateusz i miały to być słowa pocieszenia.

— Ależ Mateuszu, co ty wygadujesz? Chyba rozumiesz, że zachowanie Ani było całkowicie naganne, a mimo to trzymasz jej stronę! Jeszcze trochę i powiesz, że w ogóle nie należy jej się za to żadna kara!

— No, czy ja wiem, może niezupełnie — odezwał się nieco zakłopotany Mateusz. — Myślę, że powinna ją spotkać jakaś drobna kara. Proszę cię jednak, Marylo, nie bądź dla niej zbyt surowa. Pamiętaj, że nikt tego dziecka nie uczył odpowiedniego zachowania. Chyba... to znaczy... chyba dasz jej coś do jedzenia?

— A czy kiedykolwiek zdarzyło mi się morzyć ludzi głodem za złe zachowanie? — zapytała pełnym oburzenia głosem Maryla. — Dostanie posiłki o zwykłej porze, sama zaniosę jej na górę. Musi tam jednak pozostać tak długo, aż zdecyduje się przeprosić Małgorzatę, i nie ma od tego odwołania, mój drogi.

Śniadanie, obiad i kolacja przebiegały w zupełnej ciszy, jako że Ania wciąż pozostawała w swoim pokoju. Przy każdym posiłku Maryla wnosiła na górę tacę pełną jedzenia, gdy jednak zabierała talerze do kuchni, nie było widać, by czegokolwiek ubyło. Mateusz przyglądał się temu z coraz większym niepokojem. Czy Ania w ogóle coś jadła?

Wieczorem, kiedy Maryla poszła przyprowadzić krowy z odległego pastwiska, Mateusz, który kręcił się wokół zabudowań gospodarczych i bacznie wszystko obserwował, prędko wśliznął się do domu, niczym jakiś włamywacz, i chyłkiem wszedł na górę. Zazwyczaj krążył jedynie pomiędzy kuchnią i własnym pokojem położonym na parterze. W salonie zasiadał tylko wtedy, gdy przychodził do nich na herbatę pastor, czuł się tam bowiem dość nieswojo. Na górę jednak nigdy nie zaglądał. Nie był tam od czterech lat, kiedy to pomagał Maryli tapetować pokój.

Na palcach przeszedł przez korytarz i przez kilka minut stał pod drzwiami pokoju Ani, zanim zebrał się na odwagę, żeby zapukać delikatnie do drzwi i zajrzeć do środka.

Ania siedziała na żółtym krześle przy oknie i posępnym wzrokiem wpatrywała się w ogród. Wydawała się jeszcze mniejsza niż zazwyczaj i była bardzo smutna — Mateusz poczuł, że coś ścisnęło go za serce. Cichutko zamknął drzwi i na palcach podszedł do dziewczynki.

— Aniu — powiedział szeptem, jakby obawiał się, że ktoś może go podsłuchać. — Jak się czujesz, Aniu?

Na twarzy Ani pojawił się blady uśmiech.

— Nie najgorzej. Dużo sobie wyobrażam i to pomaga mi spędzić jakoś czas. Oczywiście czuję się nieco samotna. Ale i do tego można się przyzwyczaić.

Ania uśmiechnęła się znowu, dzielnie przygotowując się na długie lata dobrowolnego uwięzienia.

Mateusz przypomniał sobie, że powinien jak najszybciej powiedzieć to, co miał do powiedzenia, jako że Maryla lada chwila mogła wrócić.

— Powiedz no, Aniu, czy nie lepiej byłoby, gdybyś ustąpiła? — wyszeptał wreszcie. — I tak prędzej czy później będziesz musiała to zrobić, bo Maryla jest strasznie upartą osobą, naprawdę niezwykle upartą. Lepiej zrób to zaraz i będzie po wszystkim.

— Chodzi panu o to, bym przeprosiła panią Linde?

— Tak, właśnie, przeprosiła, to odpowiednie słowo — powiedział Mateusz z wielkim przejęciem w głosie. — Trzeba po prostu całą sprawę załagodzić. O to chciałem cię prosić.

— Myślę, że mogłabym to zrobić, aby pana ucieszyć — powiedziała z namysłem Ania. — Teraz potrafię już powiedzieć, że jest mi przykro, bo rzeczywiście jest mi przykro. Ubiegłej nocy jeszcze tego nie czułam. Okropnie się zdenerwowałam w czasie tego zajścia i nie mogłam ię uspokoić przez resztę nocy. Wiem, że tak było, bo budziłam się ze trzy razy i wciąż wzbierał we mnie potworny gniew. Dzisiaj rano jednak wszystko minęło. Przeszła mi cała złość, tyle że czuję się ogromnie wyczerpana. Tak bardzo jest mi teraz wstyd. Jednakże zwyczajnie nie mogłam sobie wyobrazić siebie idącej do pani Linde z przeprosinami. To byłoby takie upokarzające. Postanowiłam, że już raczej wolę pozostać tutaj na zawsze. Niemniej jednak dla pana zrobiłabym wszystko, jeżeli tylko panu na tym zależy...

— Ależ oczywiście, że mi zależy. Bez ciebie tam na dole jest przeraźliwie smutno. Proszę cię, bądź dobrym dzieckiem i postaraj się to wszystko naprawić.

— No dobrze — odpowiedziała zrezygnowana Ania. — Jak tylko Maryla wróci, powiem jej, że żałuję tego, co zrobiłam.

— To dobrze, Aniu, to bardzo dobrze. Tylko proszę cię, nie mów Maryli, że u ciebie byłem. Powiedziałaby, że wsadzam nos w nie swoje sprawy, a obiecałem jej, że nie będę się mieszał do twojego wychowania.

— Nie wyciągnie tego ze mnie nawet dzikimi końmi — obiecała uroczyście Ania. — A tak w ogóle, to jak można coś z kogoś wyciągnąć dzikimi końmi?

Ale Mateusz już sobie poszedł, przestraszony własnym sukcesem. Czym prędzej schował się w najdalszym końcu wybiegu, na którym pasły się konie, tak aby Maryla nie mogła w najmniejszym stopniu podejrzewać, że maczał w czymkolwiek palce. Maryla była natomiast przyjemnie zaskoczona, gdy usłyszała smutny głos dochodzący sponad balustrady.

— Tak, o co chodzi, Aniu? — zapytała, wchodząc na korytarz.

— Żałuję, że byłam niegrzeczna i mówiłam takie okropne rzeczy. Chciałabym pójść i przeprosić panią Linde.

— To doskonale — odpowiedziała Maryla rzeczowym tonem, nie dając po sobie poznać, jak wielką poczuła ulgę. Przez cały czas się zastanawiała, co też, na Boga, pocznie, jeżeli Ania będzie trwała w swoim uporze. — Pójdziemy razem do pani Linde, gdy tylko wydoję krowy.

Tak też zrobiły. Po wydojeniu krów Maryla udała się wraz z Anią w kierunku domu pani Linde, tyle że podczas gdy pierwsza z nich szła wyprostowana, z poczuciem triumfu wypisanym na twarzy, druga miała opuszczoną głowę, była przygnębiona i smutna. Nagle jednak w połowie drogi przygnębienie Ani gdzieś się rozwiało, jak za dotknięciem czarodziejskiej różdżki. Podniosła wysoko głowę i szła sobie lekkim krokiem, wpatrując się w wieczorne niebo i najwyraźniej tłumiąc wewnętrzną radość. Maryla z niepokojem przyglądała się tej nagłej zmianie. Ania nie sprawiała bowiem wrażenia skruszonej owieczki, przychodzącej błagać panią Linde o przebaczenie.

— O czym tam znowu rozmyślasz, Aniu? — zapytała surowym tonem.

— Och, właśnie sobie układam, co powiem pani Linde — odpowiedziała rozmarzonym głosem Ania.

Odpowiedź wyglądała na rozsądną i Maryla powinna być z niej zadowolona. Jakiś wewnętrzny głos mówił jej jednak, że obrana przez nią metoda wychowawcza nie do końca odnosi taki skutek, jak powinna. Bo i czemuż Ania wyglądała na taką rozradowaną i promiennie się uśmiechała?

Radosna i uśmiechnięta pozostała aż do chwili, gdy stanęły przed obliczem pani Linde, która jak zwykle siedziała w kuchennym oknie, zajęta robótką. Wówczas promienny uśmiech zniknął z twarzy Ani. Cała jej postać wyrażała smutek i skruchę. Ni stąd, ni zowąd Ania padła przed zdumioną panią Małgorzatą na kolana i błagalnym gestem wyciągnęła przed siebie ręce.

— Pani Linde, tak mi niezmiernie przykro — powiedziała z drżeniem w głosie. — Nigdy nie będę w stanie wyrazić, jak bardzo żałuję tego, co zrobiłam — nawet gdybym przejrzała cały słownik w poszukiwaniu odpowiednich słów. Może pani sobie jedynie wyobrazić, jak wielki czuję żal. Zachowałam się w stosunku do pani okropnie, w dodatku przyniosłam wstyd pani drogim przyjaciołom, państwu Cuthbertom, którzy pozwolili mi pozostać u siebie na farmie, chociaż nie jestem chłopakiem. Jestem bardzo podłą i niewdzięczną dziewczyną, która zasługuje na karę i wieczne wygnanie z domu swoich czcigodnych opiekunów. Zaiste, haniebnie i niegodnie postąpiłam, wpadając w taką złość, gdy pani powiedziała mi prawdę prosto w oczy. Bo to, co pani powiedziała, jest prawdą. Każdziutkie słowo. Mam rude włosy, piegi, jestem brzydka i chuda. To, co ja pani powiedziałam, również jest prawdą, ale nie miałam prawa tego mówić. Och, pani Linde, proszę, błagam panią o wybaczenie. Jeżeli mi pani nie wybaczy, pozostanę pogrążona w smutku do końca moich dni. Chyba nie chciałaby pani, aby biedna sierota cierpiała do końca swoich dni, nawet jeżeli ma taki okropnie wybuchowy charakter. Proszę, niech pani powie, że mi wybacza.

Ania złożyła ręce, pochyliła głowę i czekała na wyrok.

Ton jej głosu kazał wierzyć w szczerość intencji. Zarówno Maryla, jak i pani Linde nie miały co do tego żadnych wątpliwości. Jednakże Maryla, ku swojemu zdziwieniu, zorientowała się, że Ania tak naprawdę cieszy się z odegrania tej poniżającej sceny. Dziewczynka wręcz upajała się myślą, że tak bardzo musiała się ukorzyć. Czy takie miały być zbawienne skutki kary, nad którą Maryla tyle się zastanawiała i z której była taka dumna? Ania obróciła wszystko w pewien rodzaj zabawy. Pani Linde nie była jednak na tyle spostrzegawcza, żeby to zauważyć. Ta poczciwa w gruncie rzeczy kobieta, choć może nazbyt natrętna, z miejsca wybaczyła Ani jej postępek, gdy tylko uwierzyła, że dziewczynka bardzo żałuje tego, co zrobiła.

— No już dobrze, wstań, dziecko — powiedziała serdecznym głosem. — Oczywiście, że ci wybaczam. Rzeczywiście byłam dla ciebie zbyt surowa. Ale taki już mam charakter, mówię to, co myślę. Nie wolno ci brać sobie wszystkiego tak do serca, ot co. Nie można temu zaprzeczyć, że twoje włosy są rude, znałam jednak pewną dziewczynkę — nawet chodziłyśmy razem do szkoły — której włosy były rude tak samo jak twoje. Gdy dorosła, włosy ściemniały i nabrały pięknego kasztanowego odcienia. Nie byłabym ani trochę zdziwiona, gdyby i twoje włosy z czasem zmieniły kolor, to nawet wielce prawdopodobne.

— Och, pani Linde! — Ania aż się zachłysnęła, kiedy podniosła się z klęczek. — Natchnęła mnie pani nadzieją. Odtąd zawsze będę panią uważać za swoją dobrodziejkę. Naprawdę, zniosłabym wszystko, gdyby tylko moje włosy stały się kasztanowe, gdy dorosnę. O wiele łatwiej jest być grzeczną, gdy się ma piękne kasztanowe włosy, no nie? Czy mogę teraz pójść do ogrodu i posiedzieć na tej ławeczce pod jabłonką, podczas gdy pani i Maryla będziecie sobie rozmawiać? Na dworze można znacznie lepiej wyobrażać sobie różne rzeczy.

— Naturalnie, dziecko. Biegnij sobie, biegnij. Możesz nazrywać tych białych narcyzów, które rosną w kącie ogrodu.

Gdy tylko drzwi zamknęły się za Anią, pani Linde wstała żwawo z krzesła, ażeby zapalić lampę.

— To naprawdę dziwne dziecko. Usiądź na tym krześle, Marylo, będzie ci dużo wygodniej. To, na którym siedzisz, trzymamy dla chłopaka, który przychodzi pomagać nam w polu. Tak, to rzeczywiście dziwna dziewczynka, ale jest w niej coś ujmującego. Nie dziwię się teraz, że postanowiliście ją zatrzymać. Widzę też, że nie trzeba wam tak znowu bardzo współczuć. Może wyrośnie na całkiem miłą osobę. Oczywiście, w dość dziwny sposób wyraża swoje myśli, tak jakby jej słowa były trochę... trochę takie nienaturalne, ale trzeba mieć nadzieję, że jej to przejdzie, gdy pomieszka trochę u kulturalnych ludzi. Łatwo też wpada w złość, ale pocieszające jest to, że takie dziecko szybko się zapala, ale i szybko cały gniew mu przechodzi, tak że na pewno nie będzie się starała nikogo podstępnie oszukać. Chroń nas, Panie, od kłamliwych i przebiegłych dzieci, ot co. Tak więc, koniec końców, muszę ci powiedzieć, Marylo, że ją polubiłam.

Kiedy Maryla zaczęła zbierać się do wyjścia, zapadał już zmierzch; Ania wyłoniła się z pachnącego sadu z naręczem białych narcyzów.

— Chyba nieźle mi poszło, co? — orzekła nie bez dumy, gdy wracały ścieżką do domu. — Pomyślałam sobie, że jak mam coś zrobić, to zrobię to z rozmachem.

— Rzeczywiście, dałaś z siebie wszystko — rzekła Maryla. Była nieco zmieszana faktem, że chciało jej się śmiać na samo wspomnienie sceny przeprosin. Miała też nieodparte wrażenie, że właściwie powinna skrzyczeć Anię za to, że tak dobrze odegrała swoją rolę skruszonej owieczki. Cóż, kiedy to wszystko było na swój sposób takie zabawne! W końcu doszła do porozumienia ze swoim sumieniem, mówiąc poważnym i surowym tonem do Ani: — Mam nadzieję, że nie będzie już więcej okazji do składania takich przeprosin. Chciałabym też, abyś bardziej się starała panować nad swoim wybuchowym charakterem.

— To nie byłoby takie trudne, gdyby ludzie przestali mi dokuczać z powodu mojego wyglądu — powiedziała dziewczynka, wzdychając przy tym przeciągle. — Nie obrażam się o nic innego, ale te ciągłe uszczypliwe uwagi na temat moich włosów doprowadzają mnie do szału. Czy ty też myślisz, że moje włosy nabiorą kasztanowego odcienia, gdy dorosnę?

— Nie powinnaś tyle rozmyślać o własnym wyglądzie, Aniu. Wydaje mi się, że jesteś zbyt próżna.

— Jak mogę być próżna i jednocześnie brzydka? — zaprotestowała. — Podobają mi się ładne rzeczy. Dlatego nie cierpię patrzeć w lustro, bo wiem, że nie zobaczę w nim nic ładnego. Robi mi się wtedy tak strasznie smutno — tak samo się czuję, gdy widzę jakiś brzydki przedmiot. Od razu jest mi go żal, że nie jest piękny.

— Piękny jest ten, kto pięknie czyni — przytoczyła sentencję Maryla.

— Słyszałam te słowa już wielokrotnie, ale nie jestem do nich przekonana — powiedziała sceptycznie Ania, wdychając zapach narcyzów. — Ależ te kwiaty są wspaniałe! To ładnie ze strony pani Linde, że pozwoliła mi je zerwać. Nie żywię już do niej urazy. Gdy człowiek przeprosi i zostanie mu wybaczone, zaraz czuje się tak lekko i beztrosko, prawda, Marylo? Jak te gwiazdy dzisiaj jasno świecą. Gdybyś mogła zamieszkać na którejś z nich, to jaką byś wybrała? Ja chciałabym zamieszkać na tej wielkiej, która tak mocno błyszczy, tam daleko, ponad tym ciemnym wzgórzem.

— Aniu, przestałabyś wreszcie tyle mówić — powiedziała Maryla, bardzo już zmęczona nadążaniem za zmiennym biegiem myśli Ani.

Dziewczynka nie odezwała się więcej, aż weszły na ścieżkę prowadzącą do domu. Przywitał je lekki przelotny wiatr, który przyniósł ze sobą ostry zapach młodych, wilgotnych od rosy liści paproci. W kuchni paliło się wesołe światło, które prześwitywało przez gałęzie drzew i rozpraszało mroki nocy. Ania podeszła nagle do Maryli i wsunęła w jej twardą, spracowaną dłoń swą małą rączkę.

— Jak miło jest iść do domu i wiedzieć, że to prawdziwy dom — powiedziała. — Pokochałam Zielone Wzgórze jak żadne inne miejsce. Żadnego innego nie mogłam nazwać domem. Och, Marylo, jestem taka szczęśliwa. Od razu mogłabym zacząć się modlić i nie byłoby to dla mnie w najmniejszym stopniu ciężarem.

Pod wpływem dotyku małej rączki Maryli zrobiło się ciepło na sercu; być może było to echo jakichś nie spełnionych macierzyńskich tęsknot. Słodycz, która na nią spłynęła, jak i fakt, że nie nawykła doświadczać podobnych uczuć — wprawiły ją w zakłopotanie. Postanowiła jak najszybciej przywrócić normalny stan rzeczy i w tym celu nie omieszkała pouczyć Ani.

— Jeżeli będziesz grzeczną i posłuszną dziewczynką, zawsze będziesz się czuła szczęśliwa. A odmawianie modlitwy nigdy nie powinno być ciężarem.

— A jednak odmawianie modlitwy to niezupełnie to samo co modlenie się — powiedziała w zamyśleniu Ania. — Zaraz zacznę sobie wyobrażać, że jestem wiatrem, który buszuje w wierzchołkach drzew. Kiedy znudzę się już drzewami, wyobrażę sobie, że poruszam delikatnie liśćmi paproci, a potem polecę do ogrodu pani Linde i sprawię, że zatańczą kwiaty, po czym jednym susem przeskoczę pole koniczyny i odwiedzę Jezioro Lśniących Wód, zmarszczę jego taflę w drobne, iskrzące się fale. Och, wiatr pozwala wyobrazić sobie tyle różnych rzeczy! Dobrze, Marylo, nie będę już nic więcej mówić.

— I dzięki Bogu — odetchnęła z ulgą Maryla.

PIERWSZE WRAŻENIA ANI ZE SZKÓŁKI NIEDZIELNEJ

— No i cóż, jak ci się podobają? — zapytała Maryla.

Ania stała w swoim pokoju, przyglądając się bardzo uważnie trzem nowym sukienkom rozłożonym na łóżku. Jedna z nich uszyta była z ciemnobrązowej kraciastej bawełny, którą Maryla nabyła zeszłego lata u wędrownego handlarza; tkanina spodobała jej się, wyglądała bowiem na bardzo praktyczną i trwałą. Druga sukienka była satynowa, w biało-czarną kratkę — materiał ten Maryla kupiła z kolei zimą, po okazyjnej cenie. Ostatnia z sukienek zrobiona była ze sztywnej brudnoniebieskiej tkaniny drukowanej we wzory. Materiał na nią Maryla dostała parę dni wcześniej w sklepie w Carmody.

Wszystkie sukienki Maryla uszyła sama i wszystkie trzy wyglądały bardzo podobnie — dół odznaczał się bardzo prostym krojem, podobnie zresztą jak i skromna góra, do której doszyte były zwyczajne rękawy, tak wąskie, że bardziej ciasne i niewygodne już być nie mogły.

— Będę sobie wyobrażać, że mi się podobają — poważnym głosem oświadczyła Ania.

— Nie chcę, żebyś musiała to sobie wyobrażać — odparła urażonym tonem Maryla. — Widzę, że sukienki nie przypadły ci do gustu! A czego im brakuje? Czy nie są schludne, czyste i przede wszystkim zupełnie nowe?

— Owszem, są.

— To dlaczego ci się nie podobają?

— One... one nie są... ładne — niechętnie przyznała się Ania.

— Niеładne! Też coś! — żachnęła się Maryla. — Szyjąc dla ciebie sukienki, nie zawracałam sobie głowy tym, czy okażą się ładne. Nie zamierzam schlebiać twojej próżności, Aniu. Od razu muszę ci to jasno powiedzieć. Te sukienki są całkiem przyzwoite, trwałe i praktyczne, bez wymyślnych falbanek i innych zbędnych ozdóbek. Żadnych innych sukienek tego lata ode mnie już nie dostaniesz. Tę brązową będziesz nosiła na zmianę z niebieską, gdy zaczniesz chodzić do szkoły. W satynowej możesz chodzić do kościoła i na lekcje do szkółki niedzielnej. Chciałabym, abyś dbała o te sukienki i uważała, aby ich nie podrzeć. Byłam przekonana, że okażesz wdzięczność, gdy dostaniesz nowe ubrania w miejsce tej swojej przykrótkiej wełnianej sukienczyny.

— Ależ ja jestem bardzo wdzięczna — sprostowała Ania. — Ale byłabym o wiele bardziej wdzięczna, gdyby choć jedna z nich miała bufiaste rękawy. Bufiaste rękawy są teraz takie modne. Tak bym się cieszyła, Marylo, gdybym mogła chodzić w sukience z bufiastymi rękawami.

— Chyba będziesz musiała się bez nich obyć. Nie będę marnować materiału na jakieś tam bufki. Uważam, że bufiaste rękawy wyglądają po prostu śmiesznie. O wiele bardziej odpowiadają mi proste, zwyczajne rękawy.

— Śmiesznie to będę wyglądała wtedy, gdy wszystkie inne dziewczynki będą miały bufiaste rękawy i tylko ja jedna wystąpię w prostych i zwyczajnych — upierała się Ania przy swoim, uderzając przy tym w żałobne tony.

— No rzeczywiście! Aleś wymyśliła! Powieś swoje sukienki starannie w szafie i przygotuj się do lekcji w szkółce niedzielnej. Dostałam od pana Bella materiały do nauki i jutro pójdziesz na pierwsze zajęcia — powiedziała Maryla, po czym, głęboko urażona, zeszła na dół.

Ania zacisnęła kurczowo dłonie i przyjrzała się sukienkom.

— Miałam nadzieję, że chociaż jedna z nich będzie biała, z bufiastymi rękawami — wyszeptała ze smutkiem. — Modliłam się o nią, ale niespecjalnie liczyłam na to, że ją dostanę. Zapewne Bóg ma ważniejsze sprawy na głowie niż martwienie się sukienką jakiejś tam sieroty. Wiedziałam, że będę musiała zdać się w tym względzie tylko na Marylę. Na szczęście potrafię sobie wyobrazić, że jedna z nich jest uszyta ze śnieżnobiałego muślinu, ma białe koronkowe falbanki i potrójne bufki na rękawach.

Następnego dnia silny ból głowy zmusił Marylę do pozostania w domu, nie mogła więc zaprowadzić Ani do szkółki niedzielnej.

— Będziesz musiała zejść ścieżką na dół, do domu pani Linde — powiedziała. — Ona dopilnuje, abyś trafiła do właściwej salki. Pamiętaj tylko, żebyś się odpowiednio zachowywała. Zostań potem na kazaniu i poproś panią Linde, żeby ci wskazała naszą ławkę w kościele. Masz tutaj centa na tacę. Nie przyglądaj się zbyt natarczywie ludziom i nie wierć się. Jak wrócisz do domu, opowiesz mi, o czym było kazanie.

Ania wyruszyła z domu wystrojona, tak jak miała nakazane, w sztywną czarno-białą satynową sukienkę, która choć odpowiednio długa i na pewno nie zanadto ciasna, bezlitośnie ujawniała chudość Ani i podkreślała kanciastość jej figury. Nowy kapelusz miał bardzo niewyszukany fason, był mały i płaski, co również bardzo rozczarowało

Anię, która po cichu liczyła na ozdoby w postaci wstążek oraz kwiatów. Dziewczynka szybko temu jednak zaradziła, ponieważ zanim dotarła do głównej drogi, już wpadła w zachwyt na widok morza złotych, targanych wiatrem jaskrów oraz wspaniałych kwiatów dzikiej róży. Od razu przybrała swój kapelusz girlandami kwiecia. Cokolwiek mogli pomyśleć sobie inni ludzie, Ania była z siebie zadowolona, toteż maszerowała wesoło drogą, dumnie unosząc rudą głowę ozdobioną dekoracją z różowych i żółtych kwiatów.

Gdy dotarła do domu pani Linde, dowiedziała się, że czcigodna dama już wyszła. Wcale tym nie zrażona, Ania samotnie doszła do kościoła. W przedsionku spotkała sporą grupę dziewczynek. Większość z nich ubrana była w białe, niebieskie bądź różowe stroje. Wszystkie wpatrzyły się ciekawie w nowo przybyłą osobę z niezwykłą ozdobą na głowie. Dziewczynki z Avonlea zdążyły już usłyszeć rozmaite historie na temat Ani. Pani Linde orzekła, że Ania ma bardzo wybuchowy charakter. Jerry Buote, chłopak, który pomagał na Zielonym Wzgórzu, twierdził, że Ania bez przerwy mówi coś do siebie albo rozmawia z drzewami i kwiatami, jakby była niespełna rozumu. Dziewczynki przyglądały się Ani i szeptały coś między sobą, zasłaniając się trzymanymi w ręku gazetkami. Nikt nie wykonał ani jednego przyjaznego gestu pod jej adresem, ani teraz, ani później, kiedy Ania znalazła się na lekcji u panny Rogerson.

Panna Rogerson, dama w średnim wieku, prowadziła zajęcia w szkółce niedzielnej od dwudziestu lat. Jej metoda nauczania wyglądała następująco. Czytała jedno z pytań zamieszczonych w kościelnej broszurce i lustrowała klasę surowym wzrokiem sponad gazetki, aż wybrała do odpowiedzi którąś z dziewczynek. Bardzo często jej wzrok spoczywał na Ani, która dzięki musztrze Maryli odpowiadała sprawnie i szybko. Bardzo wątpliwe jednak, czy rozumiała w pełni treść zarówno pytania, jak i odpowiedzi.

Wydawało jej się, że nie zdoła polubić panny Rogerson, i czuła się bardzo nieszczęśliwa. Wszystkie dziewczynki w klasie miały bufiaste rękawy. Ania poczuła, że życie bez bufiastych rękawów nie jest wiele warte.

— No i cóż, jak podobała ci się szkółka niedzielna? — dopytywała się Maryla, gdy dziewczynka wróciła do domu. Wianek Ani nieco przywiądł, porzuciła go więc gdzieś przy drodze, i Maryli przez jakiś czas oszczędzone było wiedzieć, jaką to ozdobę miała na głowie jej podopieczna.

— Wcale mi się nie podobało, było okropnie.

— Ależ, Aniu, jak możesz tak mówić! — upomniała ją Maryla.

Ania usiadła w bujanym fotelu, westchnęła głęboko, ucałowała jeden z listków Ślicznotki i pomachała ręką kwitnącej fuksji.

— Pewnie czuły się trochę samotne, gdy mnie przy nich nie było — wytłumaczyła swoje zachowanie. — A teraz mogę ci już opowiedzieć, jak wyglądały zajęcia w szkółce niedzielnej. Przez cały czas zachowywałam się odpowiednio, tak jak mnie o to prosiłaś. Pani Linde już zdążyła wyjść, zanim dotarłam do jej domu, więc poszłam dalej sama. Weszłam do kościoła razem z całą grupą innych dziewczynek i zajęłam miejsce na skraju ławki, przy oknie. Tam przesiedziałam cały początek zajęć. Pan Bell poprowadził bardzo długą modlitwę. Gdybym nie siedziała przy oknie, czułabym się pewnie bardzo zmęczona. Na szczęście okno wychodziło akurat na Jezioro Lśniących Wód, tak więc wpatrywałam się w taflę wody i wyobrażałam sobie mnóstwo wspaniałych rzeczy.

— Nie powinnaś w czasie zajęć rozmyślać o niebieskich migdałach. Trzeba było skupić się i słuchać pana Bella.

— Tylko że on wcale nie starał się przemawiać do mnie — stwierdziła Ania. — Rozmawiał z Bogiem, ale tym również nie wydawał się zbytnio zainteresowany. Widocznie uważał, że Bóg i tak jest zbyt daleko, aby mogło to odnieść jakikolwiek skutek. Ja sama zmówiłam własną krótką modlitwę. Wzdłuż brzegów jeziora rośnie rząd białych brzóz, których gałęzie zwisają tuż nad powierzchnią wody. Promienie słońca ześlizgiwały się po nich i wpadały głęboko, głęboko w wodną toń. Och, Marylo, to wyglądało zupełnie jak obraz ze snu! Poczułam, jak przenika mnie dreszcz, i powiedziałam sobie cichutko: „Dzięki Ci za to, Boże, wielkie dzięki". Powtórzyłam to chyba ze dwa albo trzy razy.

— Mam nadzieję, że niezbyt głośno — zaniepokoiła się Maryla.

— Och, wcale nie. Zupełnie cicho. No więc kiedy pan Bell przebrnął wreszcie przez modlitwę, dzieci powiedziały mi, że następne zajęcia odbywają się już w salce, z panną Rogerson. Oprócz mnie było tam jeszcze dziewięć innych dziewczynek. Wszystkie miały rękawy z bufkami. Próbowałam sobie wyobrazić, że moje też są bufiaste, ale jakoś mi się nie udało. Zupełnie nie rozumiem, dlaczego. Przecież gdy byłam sama w swoim pokoju, wyobraziłam to sobie z łatwością, tam jednak, pośród tylu dziewczynek, z których każda miała bufiaste rękawy, ta sztuka mi się nie udała.

— Do szkółki niedzielnej nie chodzi się po to, by rozmyślać o fasonach rękawów. Powinnaś brać udział w lekcji i pilnie uważać. Mam nadzieję, że pamiętałaś o tym.

— No pewnie, nawet odpowiadałam na całe mnóstwo pytań. Panna Rogerson zadawała ich bardzo wiele. Uważam, że to nie było w porządku z jej strony, tak bez przerwy nas odpytywać. Ja sama chciałam dowiedzieć się od niej wielu rzeczy, nie odważyłam się jednak zapytać, bo ona zupełnie mi nie wygląda na bratnią duszę. Potem wszystkie dziewczynki recytowały z pamięci teksty pieśni i hymnów kościelnych. Panna Rogerson zapytała, czy i ja umiem jakieś. Zaproponowałam, że zamiast pieśni, których akurat nie znałam, mogę zadeklamować wiersz pod tytułem: *Pies na grobie swego pana*. Wiersz ten pamiętałam z podręcznika dla klasy trzeciej. Co prawda nie jest to poemat religijny, ale ma w sobie tyle smutku i melancholii, że pomyślałam, iż całkiem by się nadawał. Panna Rogerson uznała jednak, że wiersz nie jest odpowiedni, i na następną niedzielę kazała mi się nauczyć pieśni dziewiętnastej. Przeczytałam jej słowa jeszcze w kościele, są naprawdę przejmujące. Szczególnie dwie linijki — aż dreszcz mnie przechodził, gdy je czytałam:

> Skruszyłeś jarzmo ciemięzcy,
> Jak w dniu porażki Madianitów*.

Nie wiem, co znaczy „jarzmo", ani tym bardziej, kim byli „Madianici", ale te słowa mają w sobie tyle dramatyzmu. Nie mogę się już doczekać następnej niedzieli, gdy będę je mogła wyrecytować. Zamierzam ćwiczyć przez cały tydzień. Gdy zajęcia w szkółce się skończyły, poprosiłam pannę Rogerson, bo pani Linde była już zbyt daleko, aby wskazała mi waszą ławkę w kościele. Starałam się siedzieć spokojnie i nie wiercić. Odczytano trzeci rozdział Apokalipsy św. Jana. Trwało to wszystko bardzo długo. Gdybym to ja była pastorem, odczytywałabym tylko krótkie, najbardziej przejmujące fragmenty. Kazanie również było strasznie długie. Przypuszczam, że pastor starał się, aby nie było krótsze niż czytanie. Wcale nie mówił ciekawie, zdaje się,

---

* Cytat z hymnu Johna Morisona (1750–1798) *The Race That Long In Darkness Pined*, będącego parafrazą fragmentu Księgi Izajasza (9, 1–6) (przyp. red.).

że zwyczajnie brakuje mu wyobraźni. Dlatego nie słuchałam go zbyt uważnie. Pozwoliłam po prostu płynąć myślom i dumałam o najbardziej zadziwiających rzeczach.

Maryla poczuła, że dziewczynkę należałoby właściwie skarcić. Powstrzymała się jednak od uwag, bo uświadomiła sobie, że wiele z tego, co mówiła Ania, zwłaszcza o modlitwie pana Bella i kazaniu pastora, pokrywało się dokładnie z odczuciami, które sama żywiła od lat, a których nigdy nie odważyła się ujawnić. Nagle pomyślała, że jej własne, skrzętnie skrywane myśli i przekonania ujawniły się raptem, w jakże słyszalnej i oskarżycielskiej formie, w szczerych słowach małej sieroty, uosabiającej lekceważone człowieczeństwo.

ŚLUBOWANIE DOZGONNEJ PRZYJAŹNI

Dopiero w następny piątek dotarła do Maryli wiadomość o tym, jak to jej podopieczna wystąpiła w kapeluszu przystrojonym polnymi kwiatami. Gdy tylko Maryla wróciła od pani Linde, zaraz zawołała Anię do siebie.

— Aniu, pani Małgorzata powiada, że w ubiegłą niedzielę przyszłaś do kościoła w osobliwym nakryciu głowy — ponoć doczepiłaś do kapelusza jakiś śmieszny wianek upleciony z jaskrów i kwiatów dzikiej róży. Skąd ci to przyszło do głowy? Ładne musiałaś zrobić z siebie widowisko.

— Tak, wiem, że nie do twarzy mi w żółtym i różowym — zaczęła Ania.

— Cóż za głupstwa znowu opowiadasz! Nie chodzi o to, czy kwiaty były żółte, czy różowe, problem w tym, że w ogóle wsadziłaś je sobie na głowę. Prawdziwe skaranie boskie z tobą!

— A co to za różnica, czy kwiaty przypina się do sukienki, czy zdobi nimi głowę — zdumiała się Ania. — Wiele dziewczynek miało przy sukienkach bukieciki kwiatów. I co w tym dziwnego?

Maryla nie dawała się wciągnąć w jakieś abstrakcyjne rozważania, wolała się trzymać konkretów.

— Proszę mi w ten sposób nie odpowiadać, Aniu. Postąpiłaś bardzo głupio. Pamiętaj, żeby mi się to już więcej nie powtórzyło. Pani Małgorzata opowiadała mi, że omal nie zapadła się pod ziemię ze wstydu, gdy cię zobaczyła w tym nakryciu głowy. Nie udało jej się podejść na tyle blisko, żeby ci szepnąć do ucha, abyś usunęła tę śmieszną dekorację. W końcu ludzie zaczęli gadać rozmaite rzeczy na twój temat. Oczywiście wszyscy byli przekonani, że to ja kazałam ci przyjść w takim stroju.

— Ojej, tak bardzo mi przykro — powiedziała Ania. Łzy same cisnęły jej się do oczu. — Nie przyszło mi do głowy, że miałabyś coś przeciwko temu. Te jaskry i róże były tak świeże i piękne, że z ochotą przystroiłam nimi kapelusz. Wiele dziewczynek miało sztuczne kwiaty przy kapeluszach. Zdaje mi się, Marylo, że będziesz miała przeze mnie masę kłopotów. Może lepiej byłoby, gdybyś mnie odesłała z powrotem do sierocińca. Chociaż to byłoby naprawdę straszne. Nie wiem, jak bym to zniosła. Pewnie rozchorowałabym się na gruźlicę. Jestem przecież taka chuda, sama widzisz. Ale już lepsze to niż ciągłe narażanie was na przykrości.

— Co też ty mówisz, Aniu — zdenerwowała się Maryla, niezadowolona z faktu, że doprowadziła dziecko do płaczu. — Wcale nie chcę odsyłać cię do sierocińca, możesz mi wierzyć. Chciałabym tylko, abyś zachowywała się tak jak inne dziewczynki i nie robiła z siebie pośmiewiska. No, przestań już płakać i wytrzyj twarz. Mam dla ciebie dobrą wiadomość. Diana Barry wróciła dzisiaj po południu do domu. Wybieram się do pani Barry pożyczyć wykrój spódnicy, więc jeśli tylko masz ochotę, możesz pójść ze mną i zapoznać się z Dianą.

Ania zerwała się na równe nogi i zacisnęła kurczowo ręce, na jej policzkach ciągle jeszcze lśniły łzy. Ściereczka do naczyń, którą obszywała, upadła na podłogę, lecz Ania w ogóle tego nie zauważyła.

— Och, Marylo, tak bardzo się boję — teraz, gdy to wszystko ma się zdarzyć naprawdę, odczuwam wielki strach. Co będzie, jeśli się jej nie spodobam? To byłaby najbardziej tragiczna chwila w moim życiu.

— Tylko nie wpadaj mi tu w panikę. I proszę, postaraj się nie używać takich pretensjonalnych słów. Brzmią dziwacznie w ustach małej dziewczynki. Myślę, że Diana cię polubi. Powinnaś jednak starać się wywrzeć dobre wrażenie przede wszystkim na jej mamie. Jeżeli jej się nie spodobasz, nie będzie miało znaczenia, czy Diana cię polubi, czy też nie. Gdy pani Barry dowie się o scenie, jaką zrobiłaś przy pani Linde, a także o tym, jak wybrałaś się do kościoła z wieńcem jaskrów na głowie — nie wiem, co sobie pomyśli. Musisz być grzeczna, dobrze się zachowuj, no i pamiętaj, żebyś nie plotła jakichś niedorzeczności. O mój Boże, przecież ty cała drżysz!

Ania rzeczywiście dygotała na całym ciele. Twarz miała bladą i była bardzo spięta.

— Och, Marylo, ty też byś się denerwowała przed spotkaniem z dziewczynką, która miałaby zostać twoją przyjaciółką od serca, i bałabyś się, że jej matka mogłaby cię wcale nie polubić — rzuciła, pędem biegnąc po kapelusz.

Poszły skrótem w stronę farmy Jabłoniowe Wzgórze. Po drodze przecięły strumień i wspinając się pod górę, minęły jodłowy zagajnik. Gdy Maryla zapukała do kuchennych drzwi, pani Barry natychmiast jej otworzyła. Była to wysoka, czarnooka i czarnowłosa kobieta, o twarzy zdradzającej zdecydowany charakter. Krążyły słuchy, że jest bardzo wymagająca w stosunku do swoich dzieci.

— Jak się masz, Marylo — powitała serdecznie przybyłą. — Wejdź, proszę, a to pewnie jest ta dziewczynka, którą adoptowaliście?

— Tak, to Anna Shirley.

— Na imię mam Ania — powiedziała dziewczynka, która pomimo znacznego zdenerwowania nie omieszkała wspomnieć o ulubionej formie swojego imienia.

Pani Barry nie zwróciła uwagi na sprostowanie i zapytała uprzejmie: „Jak się miewasz?"

— Ogólnie czuję się całkiem dobrze, dziękuję, jedynie w sercu noszę ogromny niepokój — oświadczyła Ania niezwykle poważnym głosem. Zaraz potem, teatralnym szeptem, zwróciła się do swojej opiekunki: „Chyba w tym, co do tej pory powiedziałam, nie było niczego niedorzecznego, Marylo?"

Diana siedziała na sofie, zajęta czytaniem książki, którą odłożyła, gdy do pokoju weszli goście. Była bardzo ładną dziewczynką: podobnie jak matka miała czarne włosy i oczy oraz zaróżowione policzki, po ojcu odziedziczyła zaś pogodny, wesoły wyraz twarzy.

— A to moja córeczka, Diana — powiedziała pani Barry. — Diano, może byś zaprowadziła koleżankę do ogródka i pokazała jej swoje kwiaty. Lepiej będzie, gdy zamiast psuć sobie oczy, pójdziesz się trochę przespacerować. Ona czyta o wiele za dużo — rzekła tym razem do Maryli, dziewczynki bowiem już wyszły — nie mogę jej oderwać od książek, tym bardziej że ojciec ją wspiera i zachęca do czytania. Wiecznie przesiaduje nad książkami. Cieszę się, że wreszcie może znajdzie kogoś do zabawy i chętniej będzie wychodzić na powietrze.

W ogrodzie, który skąpany był w łagodnym świetle wieczornego słońca, sączącym się od zachodu przez gałęzie starych, ciemnych jodeł, Ania i Diana nieśmiało przyglądały się sobie nawzajem ponad kępą wspaniałych pomarańczowych lilii.

Ogród Barrych cały aż kipiał od kwiatów, które rosły dosłownie wszędzie. Gdyby tylko Ania była choć trochę mniej zatrwożona tym, że oto ważą się losy jej przyjaźni, na pewno wpadłaby w zachwyt. Ogród okalały olbrzymie stare wierzby i wysokie jodły, pod którymi bujnie rozrastały się cieniolubne kwiaty. Staranne, przecinające się pod kątem prostym ścieżki, obrzeżone morskimi muszlami, wyglądały jak sieć rudoczerwonych wstążek. Pomiędzy nimi wytyczone były grządki, na których kwiaty, gdzie indziej już niespotykane, mogły rozrastać się do woli. Rosły tam wonne różowe laki, okazałe pąsowe piwonie, pachnące białe narcyzy, drobne cierniste różyczki, niebiesko-różowe i białe orliki, liliowe kwiaty mydlnicy, piołun, kępy ozdobnych traw i mięta. Kwitły również fioletowe odmiany storczyków, żonkile i mnóstwo białej, rozsiewającej delikatny zapach koniczyny; krwistoczerwone pacioreczniki, niczym ogniste lance, wystrzeliwały w górę ponad białymi kwiatkami ziela piżmowego. W ogrodzie tym słońce świeciło do późna, jak gdyby ociągało się z odejściem, wypełniał go brzęk pszczelich rojów, a wiatr włóczęga wesoło pomykał, szeleszcząc liśćmi i grając cichutko.

— Och, Diano — odezwała się w końcu Ania, zaciskając dłonie i zniżając głos niemal do szeptu. — Jak myślisz... czy sądzisz, że mogłabyś mnie choć trochę polubić, to znaczy na tyle, bym mogła zostać twoją serdeczną przyjaciółką?

Diana się roześmiała. Każdą swoją wypowiedź poprzedzała śmiechem.

— No... myślę, że tak — odpowiedziała szczerze. — Bardzo się cieszę, że zamieszkałaś na Zielonym Wzgórzu. Dobrze jest mieć się z kim bawić. W pobliżu nie mieszka żadna inna dziewczynka w moim wieku, a moje siostry są jeszcze zbyt małe.

— Czy klniesz się na wszystkie świętości, że pozostaniesz mą przyjaciółką od serca po wsze czasy? — z wielkim żarem w głosie zapytała Ania.

Diana wyglądała na zupełnie zaskoczoną.

— Czy nie wiesz, że bardzo brzydko jest kląć? — zganiła Anię.

— Ależ nie ma mowy o przeklinaniu — zapewniła ją Ania. — Chodzi mi o to, abyśmy złożyły uroczystą przysięgę i ślubowały sobie dozgonną przyjaźń.

— Skoro tak, to nie mam nic przeciwko temu — odpowiedziała z wyraźną ulgą Diana. — Jak to się robi?

— Trzeba podać sobie ręce — powiedziała poważnym głosem Ania. — Powinno się to robić nad jakąś płynącą wodą. Musimy więc sobie wyobrazić, że ta ścieżka jest strumieniem. Ja pierwsza złożę przysięgę. Uroczyście przysięgam, że będę wierną przyjaciółką Diany Barry, tak długo, jak słońce i księżyc będą ukazywać się na niebie. Teraz ty powtórz te same słowa i wymień moje imię.

Diana ze śmiechem wyrecytowała „przysięgę", po czym powiedziała:

— Aniu, słyszałam już wcześniej od innych, że jesteś trochę dziwna, ale myślę, że bardzo cię polubię.

Gdy Maryla wraz z Anią wracały do domu, Diana odprowadziła je aż do drewnianego mostku. Dziewczynki przez całą drogę trzymały się za ręce. Dopiero przy strumyku rozstały się, obiecując sobie solennie spotkać się następnego popołudnia.

— No i jak, spodobała ci się Diana, znalazłaś w niej bratnią duszę? — zapytała Maryla, gdy szły przez ogród do domu.

— Bardzo — westchnęła Ania, szczęśliwie nie uchwyciwszy lekkiej nuty ironii w głosie Maryli. — Och, Marylo, jestem teraz chyba najszczęśliwszą dziewczynką na całej Wyspie Księcia Edwarda. Zapewniam cię, że dzisiaj będę się żarliwie modlić. Jutro w brzozowym zagajniku pana Wilhelma Bella planujemy zbudować domek, w którym będziemy się bawić. Czy mogłabym zabrać sobie kawałki potłuczonych naczyń, które leżą w drewutni? Urodziny Diany są w lutym, a moje w marcu. Nie sądzisz, że to nadzwyczajny zbieg okoliczności? Diana pożyczy mi książkę do czytania. Mówi, że jest bardzo ciekawa. Pokaże mi też w lesie miejsce, w którym rosną dzikie konwalie. Czy nie uważasz, że Diana ma bardzo uduchowione oczy? Też chciałabym mieć takie. Obiecała nauczyć mnie piosenki *Nelly w leszczynowym jarze*. Ma też podarować mi obrazek, który będę mogła zawiesić w swoim pokoju. Mówiła, że jest przepiękny, przedstawia pewną damę w błękitnej jedwabnej sukni. Ten obrazek dostała od wędrownego sprzedawcy maszyn do szycia. Szkoda, że ja nie mam niczego, co mogłabym jej podarować. Jestem o cal wyższa od Diany, ale za to ona ma o wiele więcej ciała. Mówi, że chciałaby być szczupła, bo to dodaje wdzięku, myślę jednak, że powiedziała tak tylko dlatego, żeby mnie pocieszyć. Któregoś dnia pójdziemy razem nad morze pozbierać muszelki. Umówiłyśmy się, że to źródło, które bije niedaleko mostka, nazwiemy Źródłem Nimf. Prawda, że to bardzo elegancka nazwa? Czytałam kiedyś o źródełku, które tak właśnie się nazywało. Jeśli się nie mylę, nimfa to rodzaj wróżki.

— Mam tylko nadzieję, że nie zagadałaś Diany na śmierć — powiedziała Maryla. — Pamiętaj jednak, Aniu, że to są tylko twoje plany. Przecież nie będziesz mogła bez przerwy się bawić. Najpierw trzeba dopełnić wszystkich obowiązków.

Czara szczęścia Ani była już prawie pełna, a ostatnią kroplę słodyczy dodał do niej Mateusz. Właśnie wrócił ze sklepu w Carmody i wyjął z kieszeni małą paczuszkę, którą wręczył dziewczynce, niepewnie spoglądając w stronę Maryli.

— Słyszałem, że lubisz czekoladki, więc kupiłem ci trochę — powiedział do Ani.

— Hm — mruknęła z niezadowoleniem Maryla. — Popsuje sobie zęby i żołądek. No już dobrze, moje dziecko, nie martw się. Możesz zjeść te czekoladki, skoro Mateusz specjalnie fatygował się, żeby je dla ciebie przywieźć. Lepiej by zrobił, kupując miętowe cukierki. Są o wiele zdrowsze. Pamiętaj, abyś nie zjadła wszystkich od razu, bo zrobi ci się niedobrze.

— Nie, na pewno bym tak nie postąpiła — zapewniła gorąco Ania. — Dzisiaj wieczorem zjem tylko jedną. Połowę z nich chciałabym oddać Dianie, czy mogę to zrobić? Jeżeli będę mogła się z nią podzielić, to ta połowa, która mnie przypadnie, będzie smakować dwa razy lepiej. Tak się cieszę, że będę mogła coś jej ofiarować.

— Trzeba przyznać — rzekła Maryla, gdy dziewczynka poszła już do swojego pokoju — że Ania w ogóle nie jest skąpa. To bardzo dobrze, bo u dzieci najbardziej nie znoszę skąpstwa. Mój Boże, minęły zaledwie trzy tygodnie od czasu jej przyjazdu, a wydaje mi się, jakby mieszkała tu od zawsze. Nie wyobrażam sobie Zielonego Wzgórza bez niej. No, już nie miej takiej miny, jakbyś chciał powiedzieć: „A nie mówiłem, że tak się stanie!" Źle, gdy kobieta się mądrzy, ale u mężczyzny to już jest absolutnie nie do zniesienia. Otwarcie przyznam, że cieszę się z tego, iż przyjęliśmy do siebie Anię. Coraz bardziej ją lubię, tylko wolałabym, żebyś nie podkreślał na każdym kroku, że to ty miałeś rację.

RADOŚĆ OCZEKIWANIA

— Ania dawno powinna już wrócić i zająć się szyciem — powiedziała Maryla, patrząc na zegar, a następnie spoglądając za okno, gdzie panowała złotawa sierpniowa spiekota, a życie toczyło się w bardzo spowolnionym rytmie. — Przedłużyła zabawę z Dianą o pół godziny ponad wyznaczony czas, a teraz na dodatek ona i Mateusz sterczą tam przy stosie drewna i plotą trzy po trzy, tak jakby Ania nie wiedziała, że dawno powinna być już w domu zajęta robotą. A ten oczywiście słucha jej jak jaki głupi. Jeszcze nigdy nie widziałam, żeby stary chłop dał się tak omamić. Im dłużej ona plecie i im większe androny opowiada, tym on chętniej jej słucha. — Aniu, proszę natychmiast przyjść do domu, słyszysz?!

Dziewczynka posłyszała rytmiczne stukanie od strony zachodniego okna i pędem przybiegła do domu. Oczy miała rozpromienione, policzki delikatnie zaróżowione, a rozplecione włosy spływały jej na plecy ognistym strumieniem.

— Och, Marylo — wykrzyknęła, z trudem łapiąc oddech — wszystkie dzieci ze szkółki niedzielnej pójdą za tydzień na piknik, który odbędzie się na polu pana Harmona Andrewsa, nad Jeziorem Lśniących Wód. Pani Bell i pani Małgorzata Linde przygotują lody — pomyśl no tylko, Marylo — l o d y! Marylo, czy ja też będę mogła tam pójść?

— Najpierw popatrz na zegar, Aniu. O której godzinie kazałam ci wrócić?

— O drugiej — ale ten piknik, to jest dopiero nowina. Marylo, czy będę mogła pójść? Jeszcze nigdy w życiu nie byłam na pikniku. Marzyłam o tym, żeby wziąć w czymś takim udział, ale nigdy...

— Tak, rzeczywiście, kazałam ci przyjść o drugiej. A teraz jest za piętnaście trzecia. Proszę, wytłumacz się, dlaczego mnie nie posłuchałaś.

— No, chciałam, bardzo chciałam. Ale nawet sobie nie wyobrażasz, jak cudowna jest Kraina Beztroski, no wiesz, to miejsce, gdzie się bawimy. No a potem Mateusz też musiał dowiedzieć się o pikniku, a słuchać potrafi jak nikt inny. Proszę, powiedz, będę mogła pójść?

— Będziesz musiała nauczyć się zwalczać różne pokusy w rodzaju Krainy Beztroski, czy jak ją tam sobie nazwałaś. Jeżeli wyznaczam ci porę, o której masz wrócić, to musisz się tego trzymać, a nie przychodzić pół godziny spóźniona. Po drodze też nie ma obowiązku zatrzymywać się na pogaduszkach, nawet gdy znajdzie się życzliwego słuchacza. Co się zaś tyczy pikniku, to oczywiście możesz wziąć w nim udział. Chodzisz na zajęcia do szkółki niedzielnej, więc nie ma powodu, byś zostawała w domu, gdy inne dzieci pójdą na piknik.

— Tylko że... tylko... — jąkała się Ania — Diana mówi, że wszystkie dzieci muszą zabrać koszyczki z jedzeniem. Jak wiesz, Marylo, nie potrafię gotować, no i... i... jakoś to przeżyję, że nie będę miała bufiastych rękawów, poczuję się jednak okropnie upokorzona, gdy przyjdzie mi pójść na piknik bez koszyczka. Ta myśl mnie prześladuje, odkąd tylko Diana mi o tym wspomniała.

— No to możesz już przestać się zamartwiać. Uszykuję dla ciebie koszyczek.

— Och, Marylo, taka jesteś dla mnie dobra. Ogromnie jestem ci wdzięczna.

Pomiędzy jednym „och" a drugim Ania rzuciła się Maryli na szyję i w uniesieniu ucałowała ją w oba blade policzki. Nigdy dotąd nie pocałowało Maryli z własnej woli żadne dziecko. I znowu zrobiło jej się błogo na sercu, tak jak wtedy, gdy wracały z Anią do domu po przeproszeniu pani Linde. Maryla nie chciała okazać, że spontaniczny odruch dziewczynki sprawił jej ogromną radość. Pewnie dlatego rzuciła zaraz dość obcesowo:

— No, już wystarczy tych całusów. Wolałabym, żebyś robiła to, o co cię proszę. Co do gotowania, to już niedługo zacznę cię uczyć. Tylko że ty masz wciąż tak pstro w głowie, Aniu. Ciągle czekam, aż zmądrzejesz i nabierzesz rozsądku. Wtedy przystąpimy do lekcji. Aby gotować, trzeba mieć trochę oleju w głowie, nie można sobie w środku pracy zacząć nagle fantazjować i dać się ponieść myślom nie wiadomo dokąd. Teraz wyjmij swój patchwork* i dorób kawałek, zanim zasiądziemy do podwieczorku.

— Nie lubię robić patchworków — powiedziała Ania płaczliwym głosem, szukając koszyka z przyborami do szycia i siadając nad stertą czerwonych i białych kawałków materiału pociętych w kwadraty. Wzdychała przy tym głęboko. — Uważam, że szycie może być ciekawe, ale do wykonywania patchworków nie potrzeba ani krzty wyobraźni. Zszywa się tylko rządek za rządkiem, i ciągle nie widać końca. No ale oczywiście o wiele bardziej lubię być Anią z Zielonego Wzgórza, która musi robić patchworki, niż ja-

---

* patchwork — kompozycja ze zszytych kawałków tkanin, futra, skóry itp. (przyp. red.).

kąkolwiek inną Anią, nawet gdybym mogła wtedy spędzać czas wyłącznie na zabawie. Szkoda tylko, że przy wyrabianiu patchworków godziny nie mijają tak szybko jak przy zabawie z Dianą. Tak świetnie się razem bawimy, Marylo. Jeżeli chodzi o wyobraźnię, mogę liczyć głównie na siebie, natomiast pod każdym innym względem Diana jest po prostu doskonałością. Pewnie pamiętasz ten skrawek ziemi, który znajduje się pomiędzy naszą farmą a posiadłością pana Barry'ego. Płynie tamtędy strumień. Ta ziemia należy do pana Wilhelma Bella. Na samym jej skraju odkryłyśmy małą polanę otoczoną brzozami — to najbardziej romantyczne miejsce, jakie widziałam. Zrobiłyśmy tam sobie miejsce do zabaw. Nadałyśmy mu nawet nazwę: Kraina Beztroski. Czy nie jest to poetycka nazwa? Upłynęło sporo czasu, zanim na nią wpadłam. Nie spałam prawie całą noc, próbując ją wymyślić. To było jak natchnienie, przyszło całkiem nieoczekiwanie, gdy prawie już zasypiałam. Diana była po prostu o c z a r o w a n a. Ten nasz domek wygląda nawet nie najgorzej. Może byś przyszła kiedyś go zobaczyć? Zamiast krzeseł leżą tam takie wielkie, porośnięte mchem kamienie, a deski, które umocowałyśmy między drzewami, służą nam za półki. Ustawiłyśmy na nich wszystkie nasze naczynia. Oczywiście, są trochę potłuczone, ale przecież nietrudno sobie wyobrazić, że nic im nie brakuje. Jest tam na przykład kawałek talerza, na którym namalowano czerwone i żółte pędy bluszczu — to naczynie jest szczególnie piękne. Trzymamy je w naszym salonie razem ze szkiełkiem wróżki. Szkiełko jest prześliczne. Diana znalazła je w lesie, niedaleko kurnika. Pojawiają się na nim takie malutkie kolorowe tęcze. Mama Diany powiedziała nam, że to szkiełko pochodzi z ich starego żyrandola. O ile jednak milej jest wyobrażać sobie, że zgubiła je nocą jakaś wróżka, gdy tańczyła z przyjaciółkami na balu. Dlatego właśnie nazwałyśmy ten kawałek szkiełkiem wróżki. Mateusz obiecał, że zbuduje dla nas stół. A tę małą sadzawkę na polu pana Barry'ego nazwałyśmy Jeziorem Starych Wierzb. Diana pożyczyła mi książkę i w niej właśnie znalazłam takie określenie. To naprawdę fascynująca książka. Główna bohaterka miała aż pięciu adoratorów. Mnie tam by wystarczył jeden, a tobie, Marylo? Była bardzo piękna i niezwykle dużo wycierpiała. Potrafiła też zemdleć dosłownie na zawołanie. Też bym chciała tak umieć, a ty, Marylo? To takie romantyczne. Tyle że ja w zasadzie nie mam problemów ze zdrowiem, chociaż jestem taka szczupła. Wierzę, że kiedyś nabiorę więcej ciała. Nie uważasz, że już trochę przytyłam? Co rano przyglądam się swoim łokciom i sprawdzam, czy czasem nie pojawiły się na nich takie ładne dołeczki. Diana będzie miała nową sukienkę, z rękawami do łokcia. Założy ją, gdy pójdziemy na piknik. Mam wielką nadzieję, że w następną środę będzie ładna pogoda. Byłabym śmiertelnie rozczarowana, gdyby coś przeszkodziło mi wziąć udział w tym pikniku. Pewnie jakoś bym się z tym wreszcie pogodziła, ale pamiętałabym o tej przykrości do końca życia. Nieważne, czy potem miałabym okazję uczestniczyć w setkach innych pikników, żaden nie miałby już takiego znaczenia jak ten pierwszy. Mają tam być także łodzie, będziemy pływać po Jeziorze Lśniących Wód, a do tego jeszcze lody, tak jak ci już mówiłam. Jeszcze nigdy nie jadłam lodów. Diana próbowała wytłumaczyć mi, jak one smakują, ale wydaje mi się, że lody to jest coś, czego nie sposób sobie wyobrazić.

— Aniu, mówisz bez przerwy już równe dziesięć minut, patrzyłam na zegar. A teraz, tak dla zaspokojenia ciekawości, chciałabym się przekonać, czy potrafiłabyś równie długo milczeć.

Ania poddała się tej próbie bez sprzeciwów. Przez resztę tygodnia nie mówiła jednak o niczym innym, tylko o pikniku. W sobotę zaczął padać deszcz i Ania okropnie się denerwowała, czy taka brzydka pogoda nie utrzyma się przypadkiem aż do środy. Żeby ją czymś zająć, Maryla kazała dziewczynce dorobić jeszcze kawałek patchworku.

W niedzielę Ania przyznała się Maryli, gdy wracały razem z kościoła, że przeszedł ją zimny dreszcz, kiedy pastor ogłosił, że odbędzie się piknik.

— Po plecach chodziły mi ciarki, Marylo! Chyba aż do tamtej chwili nie mogłam uwierzyć, że piknik naprawdę się odbędzie. Cały czas się bałam, że może wszystko sobie wymyśliłam. Kiedy jednak pastor poinformował o pikniku z kazalnicy, wreszcie uwierzyłam, że to prawda.

— Za bardzo się wszystkim przejmujesz, Aniu — westchnęła Maryla. — Myślę, że życie przyniesie ci niejedno rozczarowanie.

— Och, Marylo, oczekiwanie, że coś miłego się wydarzy, to niemal połowa przyjemności! — wykrzyknęła Ania. — Można czegoś nie otrzymać, ale już sam moment oczekiwania jest przyjemny. Pani Linde mówi: „Błogosławieni, którzy na nic nie czekają, albowiem nie doznają rozczarowania". Myślę jednak, że gorzej jest, gdy się na nic nie czeka, niż wtedy, gdy doznaje się rozczarowania.

Tego dnia Maryla, zgodnie ze swoim zwyczajem, założyła ametystową broszkę. Zawsze przypinała ją do sukni, kiedy wybierała się do kościoła. Jej brak graniczyłby w odczuciu Maryli ze świętokradztwem — to tak, jakby nie wzięła ze sobą Biblii lub pieniędzy na ofiarę. Ta ametystowa broszka była największym skarbem Maryli. Jakiś wujek przywiózł ją ze swoich zamorskich wojaży dla jej matki, a ona ofiarowała ją potem Maryli. Broszka miała owalny kształt, była nieco staromodna i zawierała kosmyk matczynych włosów. Wysadzana była dookoła bardzo pięknymi ametystami. Maryla nie znała się na drogich kamieniach na tyle, żeby wiedzieć, ile naprawdę są warte. Uważała jednak, że są bardzo ładne, i zawsze towarzyszyła jej świadomość, że rzucają wspaniałe fioletowe refleksy, pięknie się prezentując na jej wizytowej sukience uszytej z brązowej satyny.

Gdy Ania po raz pierwszy zobaczyła ozdobę, stanęła jak porażona urodą klejnotu.

— Och, Marylo, to taka elegancka broszka. Nie wiem, jak możesz skupić się na kazaniu, gdy masz ją na sobie. Ja nie mogłabym wtedy należycie uważać, to pewne. Moim zdaniem ametysty są przepiękne. Kiedyś myślałam, że tak właśnie wyglądają brylanty. Dawno temu czytałam o nich i próbowałam sobie wyobrazić, jak wyglądają. Myślałam, że mają taki właśnie głęboki fioletowy odcień. Gdy zobaczyłam kiedyś brylantowy pierścionek pewnej pani, doznałam takiego rozczarowania, że zaczęłam płakać. Pierścionek był co prawda piękny, ale nie tak wyobrażałam sobie brylanty. Czy pozwolisz mi potrzymać tę broszkę choć przez chwilę? A czy to prawda, że w ametystach zaklęte są dusze dobrych fiołków?

ANIA PRZYZNAJE SIĘ DO WINY

W poniedziałek wieczorem, jeszcze przed piknikiem, Maryla wyszła ze swojego pokoju z bardzo zatroskaną twarzą.

— Aniu — powiedziała do dziewczynki, która łuskała groch, siedząc przy wzorowo posprzątanym stole i wyśpiewując z wielkim zapałem *Nelly w leszczynowym jarze*, piosenkę, której nauczyła ją Diana — czy nie widziałaś czasem mojej ametystowej broszki? Wydawało mi się, że przypięłam ją do poduszeczki na szpilki, kiedy tylko wróciłam wczoraj wieczorem z kościoła, teraz jednak nigdzie nie mogę jej znaleźć.

— Ja... ja widziałam ją dziś po południu, gdy poszłaś na zebranie Koła Pomocy — powiedziała wolno Ania. — Przechodziłam obok twojego pokoju i zobaczyłam, że jest przypięta do poduszeczki. Weszłam więc do środka, żeby się jej lepiej przyjrzeć.

— Czy dotykałaś broszki? — zapytała Maryla surowo.

— Taaak — potwierdziła Ania. — Wzięłam ją i przypięłam sobie do sukienki, żeby sprawdzić, jak będzie wyglądać.

— Nie miałaś prawa tego robić. Bardzo nieładnie, gdy mała dziewczynka wścibia nos w nie swoje sprawy. Po pierwsze, nie powinnaś wchodzić do mojego pokoju, a po drugie, nie powinnaś dotykać broszki, która do ciebie nie należy. Gdzie ją włożyłaś?

— Och, odłożyłam ją z powrotem na komódkę. Nie miałam jej na sobie dłużej niż minutę. Naprawdę, Marylo, nie chciałam myszkować w twoich rzeczach. Nie pomyślałam, że to będzie coś złego, jak wejdę na chwilę i przymierzę broszkę. Teraz jednak widzę, że postąpiłam źle, i obiecuję, że to się więcej nie powtórzy. To jest na pewno moja dobra cecha — nigdy nie robię czegoś drugi raz, gdy wiem, że postąpiłam źle.

— Nie odłożyłaś jej na miejsce — powiedziała Maryla. — Broszki nie ma na komódce. Musiałaś ją chyba wynieść gdzieś z pokoju.

— Na pewno odłożyłam ją na miejsce — odpowiedziała szybko Ania.

„A to szelma", pomyślała Maryla.

— Na pewno odłożyłam ją na komódkę, nie pamiętam tylko, czy przypięłam ją do poduszeczki, czy położyłam na tej chińskiej tacy. Jestem jednak całkowicie pewna, że ją odłożyłam.

— Dobrze, pójdę poszukać jej jeszcze raz — powiedziała Maryla, uznając, że powinna być sprawiedliwa w ocenach. — Jeżeli odłożyłaś broszkę tam, gdzie mówisz, musi tam nadal być. Jeżeli jej nie będzie, znaczy to, że nie odłożyłaś jej na miejsce, to wszystko!

Maryla wróciła do swojego pokoju i szukała broszki wszędzie, nie tylko na komodzie, ale i w każdym zakamarku, w którym mogła się zawieruszyć. Poszukiwania okazały się jednak bezskuteczne i Maryla wróciła do kuchni.

— Aniu, broszka zniknęła. Sama się przyznałaś, że byłaś ostatnią osobą, która trzymała ją w ręce. Przypomnij sobie, co z nią zrobiłaś? Lepiej od razu powiedz prawdę. Czy wyniosłaś ją na dwór i zgubiłaś?

— Naprawdę nie zabierałam jej nigdzie — powiedziała Ania poważnym głosem, dzielnie wytrzymując groźne spojrzenie Maryli. — Na pewno nie wyniosłam broszki z twojego pokoju, mówię szczerą prawdę i nie zmienię zdania, nawet gdyby mi przyszło zginąć na szafocie, choć niezupełnie rozumiem, co ten wyraz znaczy. Tylko tyle mam do powiedzenia.

Ostatnie słowa Ani miały jedynie podkreślić, że dziewczynka mówi prawdę, Maryla jednak uznała je za oczywistą bezczelność.

— Jestem przeświadczona, że mówisz nieprawdę — odezwała się ostro. — Mam całkowitą pewność. A teraz proszę, zamilknij, no, chyba że zdecydowana jesteś wyznać całą prawdę. Idź do swojego pokoju i zostań tam tak długo, aż uznasz, że jesteś gotowa się przyznać.

— Czy mam zabrać ze sobą groch do łuskania? — zapytała potulnie Ania.

— Nie, sama się tym zajmę. Idź i zrób tak, jak mówię.

Gdy Ania wyszła, Maryla, bardzo zmartwiona i przygnębiona, zabrała się do wykonywania swoich codziennych wieczornych obowiązków. Bardzo zasmuciła się zniknięciem drogocennej broszki. A jeżeli Ania ją zgubiła? I jak ona mogła zachować się tak impertynencko, zaprzeczać oczywistym faktom! I do tego robiła z siebie takie niewiniątko. „Sama już nie wiem, co bym wolała — zastanawiała się Maryla, nerwowo łuskając groch. — Nie wydaje mi się, by Ania chciała tę broszkę ukraść. Po prostu wzięła ją sobie do zabawy albo, wpatrując się w broszkę, jak zwykle oddała się swoim fantazjom. Musiała ją zabrać, to całkiem jasne, bo od tej pory, aż do mojego powrotu wieczorem, nie było w domu żywego ducha. A broszka przepadła bez śladu, to więcej niż pewne. Przypuszczam, że ją zgubiła i boi się teraz do tego przyznać z obawy przed karą. To straszne, że mnie okłamuje. O wiele gorsze niż te niekontrolowane wybuchy gniewu. To wielka odpowiedzialność trzymać w domu dziecko, któremu nie można zaufać. W końcu jej przebiegłość i kłamliwość wyszły na jaw. Już zdecydowanie wolałabym, żeby broszka zwyczajnie się zgubiła. Gdyby tylko Ania przyznała się, nie martwiłabym się tak bardzo".

Co jakiś czas Maryla wracała do swojego pokoju i bezskutecznie próbowała odnaleźć ukochany klejnot. Również wizyta w pokoju Ani nic nie dała. Dziewczynka uparcie zarzekała się, że nie wie, co mogło się stać z broszką. Jej upór utwierdzał tylko Marylę w przekonaniu, że mała kłamie.

Następnego ranka zdecydowała, że Mateusz powinien dowiedzieć się o wszystkim. Brat był zmieszany i zupełnie zaskoczony. Nie chciał od razu podejrzewać Ani, ale okoliczności i fakty przemawiały przeciwko niej.

— Jesteś całkowicie pewna, że nie spadła gdzieś za komodę? — było to jedyne zdanie, które przyszło mu do głowy.

— Odsunęłam komodę, wyjęłam szuflady, przejrzałam wszystkie zakamarki, zaglądnęłam w każdą szparę — odpowiedziała zdecydowanym głosem Maryla. — Broszka zniknęła; to dziecko ją sobie przywłaszczyło i jeszcze na dodatek kłamie. Taka jest gorzka prawda, Mateuszu, i musimy przyjąć ją do wiadomości.

— No cóż, jak teraz zamierzasz postąpić? — zapytał smutnym głosem Mateusz, ciesząc się w duchu, że to Maryla, a nie on, będzie musiała coś zadecydować. Tym razem nie miał ochoty się wtrącać.

— Pozostanie w swoim pokoju tak długo, aż się przyzna — oświadczyła Maryla ponurym głosem, mając w pamięci, że poprzednim razem ta metoda okazała się skuteczna. —

Potem się zastanowimy, co robić dalej. Może broszkę uda się jeszcze odnaleźć, jeśli Ania powie nam, dokąd ją zabrała. Tak czy inaczej, musi spotkać ją surowa kara.

— No cóż, w takim razie ty będziesz musiała ją ukarać — odezwał się Mateusz, sięgając po kapelusz. — Ja nie chcę mieć z tym nic wspólnego. Pamiętasz, sama ostrzegałaś mnie, że mam się nie wtrącać.

Maryla poczuła, że została przez wszystkich opuszczona. Nie mogła nawet udać się do pani Linde po radę. Weszła na górę z bardzo smutną miną, a gdy wracała, na jej obliczu malowało się jeszcze większe przygnębienie. Dziewczynka uparcie nie przyznawała się do winy. Niezmiennie odpowiadała, że nie zabrała broszki. Widać też było po niej, że sporo płakała, i Maryla poczuła, że ogarnia ją współczucie, które natychmiast w sobie stłumiła. „Do wieczora na pewno zmięknie", pomyślała.

— Zostaniesz w swoim pokoju tak długo, aż się przyznasz — oświadczyła. — Możesz być tego całkiem pewna — dodała bardzo stanowczym głosem.

— Przecież jutro jest piknik! — krzyknęła Ania. — Chyba pozwolisz mi pójść? Wyjdę z pokoju tylko na to jedno popołudnie, dobrze? Potem zostanę tu tak długo, jak tylko zechcesz, i z radością odbędę resztę kary. Musisz pozwolić mi pójść na ten piknik.

— Nie pójdziesz ani na piknik, ani w ogóle nigdzie indziej, dopóki się nie przyznasz.

— Ależ, Marylo — jęknęła Ania.

Maryla jednak już wyszła z pokoju i zamknęła za sobą drzwi.

Środowy ranek był tak piękny i słoneczny, jakby ktoś zamówił pogodę specjalnie na piknik.

Wokół Zielonego Wzgórza rozlegał się śpiew ptaków, białe lilie pachniały tak mocno, że ich słodka woń rozchodziła się dosłownie wszędzie, niesiona niewidzialnym dla oczu powiewem, przez okna i drzwi przedostawała się do wnętrza domu, gdzie wędrowała od pokoju do pokoju niczym duch błogosławieństwa. Brzozy w dolinie chwiały się na wietrze i poruszały gałęziami, jakby chciały pozdrowić Anię, która zwykle o tej porze witała się z nimi, wyglądając przez okno. Kiedy Maryla przyniosła do pokoju śniadanie, Ania siedziała wyprostowana na łóżku, twarz miała bladą, usta zaciśnięte, błyszczące oczy i widać było, że powzięła jakieś postanowienie.

— Marylo, chciałabym ci coś wyznać.

— Ach! — Maryla odstawiła tacę. Jeszcze raz jej metoda poskutkowała, jednak tym razem zamiast zadowolenia Maryla doznała jedynie goryczy. — No dobrze, posłucham, co masz mi do powiedzenia.

— To ja zabrałam ametystową broszkę — powiedziała Ania, jak gdyby recytowała zadaną lekcję. — Miałaś rację. Nie zamierzałam tego zrobić, kiedy wchodziłam do pokoju. Gdy jednak przypięłam ją sobie do sukienki, wyglądała tak pięknie, że po prostu nie mogłam oprzeć się pokusie. Wyobraziłam sobie, jak to będzie cudownie, gdy zabiorę ją do Krainy Beztroski i będę udawała, że jestem lady Kordelią Fitzgerald. O wiele łatwiej przyszłoby mi uwierzyć, że jestem lady Kordelią, gdybym pod szyją miała przypiętą prawdziwą ametystową broszkę. Diana i ja robimy sobie korale z owoców dzikiej róży. Czym jednak jest taki naszyjnik w porównaniu z prawdziwą broszką z ametystów? W końcu nie wytrzymałam i zabrałam broszkę. Myślałam, że zdążę ją odnieść, zanim wrócisz do domu. Wracając, nadłożyłam drogi, żeby zatrzymać ją trochę dłużej. Kiedy szłam przez most na Jeziorze Lśniących Wód, odpięłam broszkę, aby jeszcze raz na nią popatrzeć. Och, Marylo, gdybyś widziała, jak lśniła w słońcu! Chwilę potem, kiedy oparłam się o poręcz mostu, wyślizgnęła mi się z rąk i, skrząc się najpiękniejszymi odcieniami fioletu, spadła głęboko, głęboko, na samo dno Jeziora Lśniących Wód. To wszystko, co mogę powiedzieć na ten temat, Marylo.

Maryla poczuła, że gniew ogarnia ją na powrót. Ten dzieciak zabrał jej ukochaną ametystową broszkę, a teraz siedzi sobie spokojnie na łóżku i opowiada w najlepsze wszystkie szczegóły, w ogóle nie okazując skruchy ani żalu.

— Aniu, to, co mówisz, jest okropne — powiedziała, starając się zachować spokój. — Jeszcze nigdy nie spotkałam równie niegodziwej dziewczynki.

— Myślę, że masz rację, jestem bardzo niegodziwa — spokojnie zgodziła się Ania. — Wiem, że zasłużyłam na karę i ty będziesz musiała mi ją wyznaczyć. Proszę cię jednak, Marylo, czy mogłabyś zrobić to od razu, tak abym mogła iść na piknik ze spokojną głową?

— Piknik, dobre sobie! Nie pójdziesz na żaden piknik. To właśnie będzie twoja kara. Nie jest nawet w połowie tak surowa, jak na to zasłużyłaś.

— Nie pójdę na piknik! — Ania skoczyła na równe nogi i chwyciła Marylę za rękę. — Ale przecież obiecałaś, że będę mogła pójść. Marylo, ja muszę być na tym pikniku. Po to przecież przyznałam się do winy. Ukarz mnie, jak tylko chcesz, ale nie zabraniaj mi tam iść. Och, Marylo, tak bardzo cię proszę, pozwól mi pójść. Pomyśl o lodach! Przecież wiesz, że taka okazja może się już nigdy nie powtórzyć.

Maryla z kamiennym wyrazem twarzy uwolniła rękę z uścisku.

— Daruj sobie te prośby i błagania, Aniu. Nie pójdziesz na piknik i koniec. Nie chcę słyszeć ani słowa więcej.

Ania zrozumiała, że Maryli nie da się przebłagać. Zacisnęła dłonie, krzyknęła przeraźliwie i rzuciła się na łóżko, ukrywając twarz w pościeli. Płakała i wiła się, dając w ten sposób wyraz swej bezgranicznej rozpaczy.

— Na miłość boską! — krzyknęła zdumiona Maryla, spiesznie schodząc po schodach. — To dziecko musi być nienormalne. Nikt inny w jej wieku nie zachowywałby się podobnie. Jeżeli nie jest szalona, to przynajmniej na pewno ma podły charakter. Mój Boże, Małgorzata miała chyba rację, od początku wiedziała, co się święci. Teraz jest jednak za późno, żeby można było cokolwiek zmienić, sama przecież przyłożyłam do tego rękę, więc nie mogę się poddać.

Był to bardzo ponury poranek. Maryla pracowała zaciekle przez cały czas, a gdy już nie mogła znaleźć niczego lepszego do roboty, zabrała się za szorowanie podłogi na ganku i pucowanie półek w spiżarni. Co prawda ani półki, ani weranda nie wymagały tak gruntownych porządków, Maryla jednak potrzebowała zajęcia. Na koniec postanowiła jeszcze wygrabić całe podwórze.

Kiedy obiad był już gotowy, podeszła do schodów i zawołała Anię. Zalana łzami, tragiczna w wyrazie twarz dziewczynki ukazała się nad balustradą.

— Zejdź na obiad, Aniu.

— Nie chcę jeść obiadu, Marylo — powiedziała Ania, zanosząc się płaczem. — Nie mogłabym niczego przełknąć. Mam złamane serce. Kiedyś na pewno poczujesz wyrzuty sumienia, że tak bardzo mnie skrzywdziłaś, ale ja ci wybaczam. Gdy nadejdzie ostatnia godzina, chcę, abyś pamiętała, że ja ci wybaczyłam. Teraz jednak proszę, nie zmuszaj mnie do jedzenia obiadu, tym bardziej że to zwykła gotowana wieprzowina z jarzynami. Jak mogłabym zjeść coś tak zupełnie nieromantycznego jak wieprzowina, gdy spotkało mnie takie nieszczęście?

Poirytowana Maryla wróciła do kuchni i wylała wszystkie żale na swojego brata, który siedział bardzo nieszczęśliwy, z jednej strony bowiem chciał, aby sprawiedliwości stało się zadość, a z drugiej nie mógł się wyzbyć współczucia, które zupełnie bezpodstawnie żywił dla Ani.

— No cóż, nie powinna była wziąć tej broszki ani udawać, że nic nie wie na ten temat — przyznał, spoglądając ponuro w swój talerz, tak jakby zgadzał się z Anią, że wieprzowina z jarzynami zupełnie nie pasuje do panującego nastroju. — Tylko że ona jest jeszcze taka mała, a poza tym to zupełnie niezwykła osóbka. Nie uważasz, że ta kara jest dla niej zbyt surowa? Przecież tak bardzo marzyła o tym pikniku.

— Ależ Mateuszu, zdumiewasz mnie doprawdy. Sądziłam, że zbyt łatwo puściłam jej wszystko płazem. A ona w dodatku w ogóle nie zdaje sobie sprawy ze swojej przewiny i to właśnie mnie najbardziej martwi. Gdyby przynajmniej żałowała tego, co zrobiła, nie byłoby tak źle. A ty chyba też nic nie rozumiesz, ciągle ją tylko usprawiedliwiasz, przecież widzę.

— No cóż, jest jeszcze mała — coraz słabiej bronił się Mateusz. — Powinniśmy się starać ją zrozumieć, nikt jej przecież nie wychowywał.

— No więc teraz nareszcie ktoś się tym zajął — ucięła krótko Maryla.

Nie wiadomo, czy riposta siostry trafiła mu do przekonania, sprawiła jednak, że Mateusz umilkł. Obiad minął w bardzo niewesołej atmosferze. Humor dopisywał jedynie Jerry'emu Buote, który przychodził pomagać na farmie, ale Maryla uznała jego wesołość niemal za powód do osobistej obrazy.

Gdy pozmywała już naczynia, przygotowała ciasto na biszkopt i nakarmiła kury, przypomniała sobie, że w jej najlepszym, czarnym koronkowym szalu zrobiła się niewielka dziurka. Zauważyła ją, gdy w poniedziałek po południu wróciła do domu ze spotkania kółka charytatywnego. Postanowiła teraz zająć się cerowaniem.

Szal przechowywała w pudle, które trzymała w swoim kufrze. Gdy Maryla wyciągnęła szal i podniosła go, słońce, które prześwitywało przez pędy dzikiego wina gęsto oplatające okno, oświetliło nagle coś, co ukryte było w fałdach szala, a teraz skrzyło się i rzucało fioletowe refleksy. Maryla porwała przedmiot do ręki z okrzykiem zdumienia. Była to zagubiona ametystowa broszka, która zaczepiła się o koronkę i zwisała na nitce.

— Wielkie nieba! — powiedziała w osłupieniu. — A to co? Moja broszka leży tu sobie w najlepsze, podczas gdy ja zamartwiam się, że przepadła w jeziorze Barry'ego. I po cóż Ania wymyśliła tę historię o jej zgubieniu? Chyba zaraz uwierzę, że Zielone Wzgórze jest zaczarowane. Teraz sobie przypominam, że gdy w poniedziałek po południu zdjęłam szal, położyłam go na chwilę na komódce. Widocznie wtedy broszka musiała się jakoś zahaczyć. A to ci historia!

Maryla udała się do pokoju Ani z broszką w ręce. Ania zdążyła się już wypłakać i siedziała przy oknie bardzo przygnębiona.

— Aniu — powiedziała poważnym tonem. — Właśnie znalazłam broszkę, zaplątała się w mój czarny koronkowy szal. A teraz chciałabym się dowiedzieć, po cóż opowiadałaś dzisiaj rano te wszystkie głupstwa.

— Jak to, przecież powiedziałaś, że będę musiała tutaj zostać, dopóki się nie przyznam — odpowiedziała Ania znużonym głosem. — Postanowiłam przyznać się do winy, bo bardzo chciałam pójść na piknik. Całą historię wymyśliłam, gdy leżałam już w łóżku, starałam się ubarwić ją najlepiej, jak potrafiłam. Powtarzałam ją w kółko, żeby niczego nie zapomnieć. Ale ty i tak nie pozwoliłaś mi wziąć udziału w pikniku, więc cały mój wysiłek poszedł na marne.

Maryla wbrew samej sobie nabrała ochoty do śmiechu. Gryzło ją jednak sumienie.

— Aniu, ty jednak jesteś niezrównana! Ale myliłam się co do ciebie, teraz to wyraźnie widzę. Powinnam była ci wierzyć, skoro nigdy wcześniej nas nie okłamałaś. Naturalnie nie należało się przyznawać do czegoś, czego nie zrobiłaś. Postąpiłaś niewłaściwie, tyle że było w tym sporo mojej winy. Więc jeżeli gotowa jesteś mi wybaczyć, Aniu, to ja ci też wybaczę i zaczniemy wszystko zupełnie od początku. A teraz zbieraj się szybko i biegnij na piknik.

Ania zerwała się jak rakieta.

— Och, Marylo, czy nie jest już czasem za późno?

— Nie, jest zaledwie druga. Wszyscy dopiero zdążyli się zgromadzić, a podwieczorek będzie nie wcześniej niż za godzinę. Umyj twarz, uczesz włosy i włóż swoją brązową sukienkę. Ja przyszykuję dla ciebie koszyczek. Upiekłam dużo różnych rzeczy. Każę Jerry'emu zaprząc kasztankę i zawieźć cię na piknik.

— Och, Marylo — wykrzyknęła Ania, biegnąc czym prędzej się umyć. — Jeszcze pięć minut temu byłam tak nieszczęśliwa, że zaczęłam żałować, że w ogóle się urodziłam, a teraz nie zamieniłabym się nawet z aniołem!

Tego wieczoru Ania wróciła do domu niezwykle szczęśliwa, choć zupełnie wyczerpana. Błogostan, który ją ogarnął, nie poddawał się żadnym opisom.

— Och, Marylo, zabawa była boska. To zupełnie nowe powiedzenie, którego się dzisiaj nauczyłam. Słyszałam, jak mówiła tak Marysia Bell. Te słowa tyle oddają. Było cudownie. Podwieczorek był wspaniały, a potem pan Harmon Andrews zabrał nas na przejażdżkę po Jeziorze Lśniących Wód. W jednej łodzi siedziało nas sześć. A Jane Andrews to prawie wypadła za burtę. Wychylała się z łódki, żeby zerwać lilie wodne, i gdyby pan Andrews jej nie złapał za szarfę, pewnie w ostatniej chwili wypadłaby i utopiła się. Szkoda, że podobna historia nie przytrafiła się mnie. Tak romantycznie byłoby cudem uniknąć utonięcia. Miałabym do opowiadania niesamowitą historię z dreszczykiem. No i jedliśmy lody. Brak mi słów, Marylo, żeby opisać ich smak. Mogę cię tylko zapewnić, że te lody były po prostu boskie.

Tego wieczoru Maryla opowiedziała bratu całą historię.

— Muszę ci wyznać, że się myliłam — przyznała szczerze. — Ale dostałam nauczkę. Śmiać mi się chce, kiedy przypomnę sobie, jak to Ania „przyznawała się do winy". Pewnie nie powinno mi być do śmiechu, bo w końcu powiedziała nieprawdę. To chyba nie było jednak takie najgorsze w całej tej historii, a poza tym jest tu sporo mojej winy. To dziecko trudno czasami zrozumieć. Jestem jednak przekonana, że wyrośnie na porządnego człowieka. Jeszcze jedno jest pewne: tam gdzie przebywa Ania, nie ma mowy o nudzie.

SZKOLNE PROBLEMY, CZYLI BURZA W SZKLANCE WODY

— Jaki cudowny mamy dzisiaj dzień! — powiedziała Ania, biorąc głęboki oddech. — W taki dzień jak dziś to dopiero chce się żyć. Szkoda, że tylu ludzi jeszcze się nie urodziło i nie będą mieli okazji zobaczyć, jak dzisiaj jest pięknie. W ich życiu na pewno również trafią się wspaniałe dni, ale ten jest już dla nich stracony. A w ogóle to cudownie jest iść sobie taką śliczną drogą do szkoły.

— Ta droga jest o wiele przyjemniejsza niż główny trakt. Tam jest tak gorąco i unosi się tyle kurzu — powiedziała Diana, która miała praktyczne podejście do życia. Zaglądała co jakiś czas do swojego koszyka i zastanawiała się, czy trzy mięciutkie, pyszne malinowe ciasteczka, które spoczywały spokojnie na dnie, wystarczą do obdzielenia dziesięciu dziewczynek i ile kęsów każda z nich dostanie.

Dziewczynki z Avonlea zawsze dzieliły się jedzeniem, które zabierały ze sobą do szkoły. Gdyby któraś z nich zjadła, dajmy na to, malinowe ciasteczka sama lub też podzieliła się nimi tylko ze swoją najlepszą koleżanką, na zawsze przylgnęłoby do niej przezwisko „skąpiradło". Problem polegał jednak na tym, że jakkolwiek rozdzieliłoby się trzy ciastka pomiędzy dziesięć dziewczynek, porcje mogły jedynie pozostawić uczucie dręczącego niedosytu.

Ścieżka, którą Ania i Diana szły do szkoły, miała naprawdę dużo uroku. Ania pomyślała nawet, że ta droga jest tak piękna, iż aby się nią zachwycić, wcale nie trzeba wspomagać się wyobraźnią. Gdyby musiała chodzić do szkoły główną drogą, nie byłoby w tym nic romantycznego, jednakże przechadzka Aleją Zakochanych do Jeziora Starych Wierzb, poprzez Dolinę Fiołków, a w końcu Ścieżką Brzóz, była tak romantyczna, jak tylko można to sobie wyobrazić.

Aleja Zakochanych prowadziła z sadu na Zielonym Wzgórzu i ciągnęła się dalej przez las, aż do samej granicy posiadłości Cuthbertów. Tą właśnie drogą pędzono krowy na pastwisko położone na tyłach farmy, a zimą wożono drewno z lasu. Ania nazwała ten odcinek ścieżki Aleją Zakochanych, nim zdążył upłynąć miesiąc od czasu jej przyjazdu na farmę.

— Nie chodzi o to, że naprawdę chodzą tędy zakochani — tłumaczyła Maryli. — Po prostu Diana i ja czytamy teraz taką świetną książkę, w której jest właśnie mowa o Alei Zakochanych. Dlatego zapragnęłyśmy, aby i u nas była podobna aleja. A poza tym to bardzo ładna nazwa, prawda, Marylo? I jaka romantyczna! Wyobrażamy sobie, no wiesz, że naprawdę przechadzają się tam pary zakochanych. Lubię tę aleję, bo mało ludzi nią chodzi, więc można sobie spokojnie rozmyślać na głos, a i tak nikt nie poczyta nam tego za dziwactwo.

Ania wyruszała z domu sama i szła Aleją Zakochanych aż do strumyka. Tam spotykała się z Dianą i dalej podążały już razem drogą pod baldachimem klonów.

— Klony to takie towarzyskie drzewa — mówiła Ania. — Zawsze coś szeleszczą i szepczą do wędrowców.

Fragment drogi obsadzony klonami kończył się przy wiejskim mostku. Potem dziewczynki opuszczały już aleję i szły przez pole pana Barry'ego obok Jeziora Starych Wierzb. Za jeziorem rozpościerała się Dolina Fiołków — mała zielona polana, na którą rzucały cień drzewa z lasu Andrzeja Bella.

— Teraz oczywiście fiołki tam nie kwitną — tłumaczyła Ania. — Diana mówiła mi jednak, że wiosną na polance rozkwitają ich miliony. Och, Marylo, czy potrafiłabyś sobie wyobrazić podobny widok? Taki obraz po prostu zapiera mi dech w piersiach. To ja nazwałam to miejsce Doliną Fiołków. Diana powiedziała, że nikt lepiej ode mnie nie potrafi nadawać miejscom takich ciekawych nazw. Miło jest być w czymś dobrym, no nie? Ale to Diana wymyśliła nazwę Ścieżka Brzóz. Chciała, więc jej pozwoliłam, chociaż jestem przekonana, że na pewno wymyśliłabym coś znacznie bardziej poetycznego niż taką sobie zwykłą Ścieżkę Brzóz. Każdy by potrafił wymyślić coś takiego. Ale muszę ci powiedzieć, Marylo, że ta Ścieżka Brzóz to jedno z najpiękniejszych miejsc na świecie.

Ania miała rację. Również inni ludzie, którzy trafiali na Ścieżkę Brzóz, byli tego samego zdania. Była to niezbyt szeroka, kręta dróżka, prowadząca ze wzgórza poprzez lasy należące do pana Bella. Światło, które tam dochodziło, przesypywało się przez listowie jak przez szmaragdowe sito i wyglądało tak nieskazitelnie, jak blask dobywający się z samego serca diamentu. Po obu stronach ścieżki rosły smukłe, młode brzozy o białej korze i giętkich konarach. W poszyciu, u podnóża brzóz, królowały paprocie i gwiazdnice, leśne odmiany konwalii i fioletowe jagody. Powietrze było aż ciężkie od zapachu lasu, wszędzie rozlegał się dźwięk ptasich głosów, a wysoko, w konarach drzew, śmiał się i szumiał leśny wiatr. Od czasu do czasu można było zobaczyć królika kicającego w poprzek drogi, należało jednak zachowywać się cicho, co Ani i Dianie zdarzało się nad wyraz rzadko. W dolinie ścieżka dochodziła do głównej drogi i wówczas wystarczyło jedynie wspiąć się na porośnięty świerkami pagórek, ażeby dostać się do szkoły.

Budynek szkoły w Avonlea był stosunkowo niski, pobielony i miał duże, szerokie okna. Sale umeblowane były wygodnie, stały tam solidne, trochę staromodne ławki, których otwierane blaty całe pokryte były inicjałami i rozmaitymi hieroglifami, pracowicie nanoszonymi przez trzy pokolenia uczniaków. Szkoła była oddalona od drogi, a tuż za nią rozciągał się ciemny jodłowy las, przez który przepływał strumień. Wszystkie dzieci przechowywały w strumieniu swoje butelki z mlekiem, aby do obiadu pozostawało ono chłodne i nie kwaśniało.

Pierwszego września Maryla z tajoną obawą i nie bez złych przeczuć patrzyła, jak Ania wyrusza do szkoły. Jej podopieczna była przecież taka inna od pozostałych dzieci. Jak da sobie radę w szkole? I co najważniejsze, jak, u licha, wytrzyma tyle godzin bez gadania?

Na szczęście wszystko ułożyło się lepiej, niż Maryla przypuszczała. Ania wróciła do domu we wspaniałym nastroju.

— Chyba polubię tę szkołę — oświadczyła. — Naszego nauczyciela jednak zbytnio nie poważam. Ciągle tylko podkręca wąsa i gapi się na Prissy Andrews. No wiesz, Prissy jest już dorosła. Ma szesnaście lat i przygotowuje się do egzaminów wstępnych na Queen's Academy w Charlottetown, do których przystąpi w przyszłym roku. Matylda Boulter mówi, że nasz nauczyciel zabujał się w Prissy na amen. Ona ma bardzo ładną cerę i kręcone brązowe włosy, które potrafi elegancko ułożyć. Siedzi z tyłu klasy w takiej długiej ławce i on też tam bez przerwy przesiaduje, bo jak powiada — musi jej wytłumaczyć lekcje. Ale Ruby Gillis twierdzi, że widziała, jak pisał coś do Prissy na tabliczce, a ona się wtedy czerwieniła jak burak i chichotała. Ruby Gillis mówi, że to na pewno nie miało nic wspólnego z lekcją.

— Ależ Aniu, pamiętaj, żebyś mi więcej nie wyrażała się w ten sposób o swoim nauczycielu — powiedziała ostro Maryla. — Nie chodzi się do szkoły po to, żeby krytykować nauczycieli. Myślę, że mimo wszystko potrafi cię czegoś nauczyć, a ty powinnaś starać się jak najwięcej z tego skorzystać. Chcę, żebyś wiedziała, iż nie po to chodzisz do szkoły, aby potem snuć w domu podobne opowieści. Ja na pewno czegoś takiego nie będę tolerować. Mam nadzieję, że zachowywałaś się odpowiednio.

— Naprawdę bez zarzutu — odpowiedziała z pewną miną Ania. — Nawet wcale nie było to takie trudne, jak może sobie myślałaś. Siedzę z Dianą. Nasza ławka stoi tuż przy oknie, przez które możemy sobie wyglądać na Jezioro Lśniących Wód. Koleżanki są bardzo miłe i w czasie przerwy obiadowej bawiłyśmy się naprawdę super. Świetnie jest mieć tyle koleżanek do zabawy. Najbardziej jednak lubię oczywiście Dianę i tak już pozostanie. Ja po prostu u w i e l b i a m Dianę. A w ogóle to znacznie odstaję od innych dzieci w moim wieku. Wszyscy przerabiają podręcznik do piątej klasy, tylko ja jedna nie opanowałam materiału z czwartej. Wstydzę się tego. Ale za to tylko ja mam taką bujną wyobraźnię i bardzo szybko to odkryłam. Dzisiaj przerabialiśmy czytanki, mieliśmy lekcję geografii, historii Kanady oraz dyktando. Pan Phillips powiedział, że robię potworne błędy, i pokazał moją pokreśloną tabliczkę wszystkim dzieciom. Czułam się tym bardzo upokorzona, Marylo, mógł przecież zachować się nieco grzeczniej w stosunku do nowej uczennicy. Ruby Gillis dała mi jabłko, a Zosia Sloane pożyczyła przepiękną różową kartkę z napisem: „Czy mogę cię odwiedzić?" Kartkę mogę zatrzymać do jutra. A Matylda Boulter dała mi ponosić przez całe popołudnie swój pierścionek z oczkiem. Czy mogłabym zabrać sobie kilka tych perłowych koralików przyczepionych do starej poduszeczki na szpilki, którą widziałam na strychu? Zrobiłabym sobie pierścionek. Aha, Marylo, zapomniałam jeszcze o jednym. Jane Andrews powiedziała mi, że Minnie Macpherson powiedziała jej, że słyszała, jak Prissy Andrews mówiła Sarze Gillis, że mam bardzo ładny nos. Marylo, to pierwszy komplement, jaki usłyszałam w życiu, i nawet sobie nie wyobrażasz, jak dziwnie się poczułam. Marylo, czy ja naprawdę mam ładny nos? Tobie mogę zaufać, że powiesz mi prawdę.

— Jest całkiem w porządku — powiedziała dość powściągliwie Maryla. W duchu uważała, że Ania ma rzeczywiście bardzo zgrabny nosek, nie zamierzała jednak o tym głośno mówić.

Od czasu tej rozmowy upłynęły już trzy tygodnie i na razie wszystko układało się nadzwyczaj pomyślnie. W jeden z rześkich wrześniowych poranków Ania i Diana szły sobie beztrosko Ścieżką Brzóz i wyglądały na najszczęśliwsze dziewczynki w całym Avonlea.

— Myślę, że Gilbert Blythe będzie już dzisiaj w szkole — powiedziała Diana. — Całe lato spędził u swoich kuzynów w Nowym Brunszwiku. Wrócił do domu dopiero w sobotę wieczorem. Mówię ci, Aniu, on jest z a b ó j c z o przystojny. No i bez przerwy droczy się ze wszystkimi dziewczynkami. Ciągle uprzykrza nam życie.

Z tonu jej głosu wynikało jednak jasno, że zdecydowanie wolałaby, aby Gilbert uprzykrzał jej życie, niż żeby tego nie robił.

— Gilbert Blythe? — zapytała Ania. — Czy to nie jego nazwisko widziałam na ścianie przy wejściu do szkoły obok nazwiska Julii Bell z podpisem: „zakochana para"?

— Ano tak — odpowiedziała Diana, odrzucając głowę do tyłu. — Jestem jednak pewna, że on wcale tej Julii Bell tak bardzo nie lubi. Kiedyś słyszałam, jak mówił, że na jej piegach uczył się tabliczki mnożenia.

— Och, naprawdę, Diano, mogłabyś nie wspominać przy mnie o piegach — poprosiła Ania. — To brak delikatności, przecież wiesz, że sama mam ich bardzo wiele. Ale zgadzam się, że wypisywanie na ścianach głupich uwag w rodzaju „zakochana para" jest idiotyczne. Niech no by tak ktoś ośmielił się umieścić moje imię obok imienia jakiegoś chłopaka! — Szybko jednak dodała: — Ale... chyba się na to nie zanosi.

Dziewczynka westchnęła. Denerwowałoby ją, gdyby ktoś wypisywał na ścianie jej nazwisko. Jednakże świadomość tego, że podobne niebezpieczeństwo wcale jej nie grozi, sprawiała, że czuła się gorsza od innych.

— Nie przesadzaj — powiedziała Diana, której czarne oczy i błyszczące włosy wzniecały taki ferment w sercach chłopców z Avonlea, że jej imię figurowało na ścianach szkoły co najmniej z pół tuzina razy. — Przecież to tylko taki żart. I nie bądź znowu taka pewna, że twoje imię nie pojawi się na ścianie. Karol Sloane jest w tobie śmiertelnie zakochany. Powiedział swojej mamie — wyobrażasz sobie — swojej mamie, że jesteś najbystrzejszą dziewczyną z całej szkoły. To chyba o wiele więcej warte niż uroda.

— Wcale nie — zaprzeczyła Ania, jak na kobietę przystało. — Ja tam wolałabym być ładna. A poza tym nie znoszę Karola Sloane'a. Nie cierpię chłopaków z wyłupiastymi oczami. Gdyby ktokolwiek próbował zrobić z nas parę, chybabym tego nie przeżyła. Ale oczywiście miło jest być najlepszą uczennicą w klasie.

— Teraz dojdzie do twojej klasy Gilbert — powiedziała Diana — a on przywykł do tego, że jest zawsze najlepszy, możesz mi wierzyć. Uczy się z podręcznika do czwartej klasy, ale ma już prawie czternaście lat. Cztery lata temu jego ojciec poważnie zachorował i ze względu na swój stan zdrowia musiał wyjechać do Alberty. Gilbert pojechał razem z nim. Spędzili tam trzy lata i do czasu powrotu do Avonlea Gilbert prawie w ogóle nie chodził do szkoły. Teraz już nie tak łatwo przyjdzie ci zostać prymuską.

— I bardzo dobrze — odpowiedziała prędko Ania. — Jakiż to powód do dumy — być lepszym od dziewięcio- czy dziesięciolatków. Wczoraj wstałam, żeby przeliterować słowo „wzburzenie". Josie Pye uprzedziła mnie, wyobraź sobie jednak, że zerkała przy tym do książki. Pan Phillips tego nie spostrzegł, bo akurat przyglądał się Prissy Andrews, ja jednak zauważyłam. Posłałam jej spojrzenie pełne wzgardy, przez co zrobiła się czerwona jak burak i w końcu pomyliła się przy literowaniu.

— Te Pye'ówny ciągle oszukują — powiedziała oburzona Diana, gdy przełaziły przez płot zamykający dojście do głównej drogi. — Gertie Pye wstawiła do strumyka swoje mleko akurat tam, gdzie zawsze ja kładłam moją butelkę. Wyobrażasz sobie? Przestałam się do niej odzywać.

Kiedy pan Phillips usiadł z tyłu klasy obok Prissy Andrews, żeby posłuchać, jak czyta po łacinie, Diana szepnęła Ani do ucha:

— To właśnie jest Gilbert Blythe, siedzi w sąsiednim rzędzie, dokładnie naprzeciwko ciebie. Przyjrzyj mu się tylko i powiedz, czy nie uważasz, że jest przystojny.

Ania popatrzyła w kierunku Gilberta. Mogła się spokojnie przyglądać, bo Gilbert Blythe był całkowicie pochłonięty ukradkowym przypinaniem do oparcia ławki długiego płowego warkocza siedzącej przed nim Ruby Gillis.

Gilbert był wysokim chłopakiem, miał kręcone brązowe włosy, łobuzerskie piwne oczy i filuterny uśmiech. Ruby Gillis właśnie chciała wstać, by pokazać nauczycielowi, co wyszło jej z rachunków, gdy nagle z piskiem opadła z powrotem na ławkę, przekonana, że wyrwała sobie włosy razem z cebulkami. Wszyscy wlepili w nią wzrok, a pan Phillips spojrzał na nią tak surowo, że Ruby rozpłakała się. Gilbert błyskawicznym ruchem wyciągnął szpilkę z oparcia i z poważną miną udawał, że jest całkowicie zagłębiony w lekturze podręcznika do historii. Kiedy jednak wrzawa nieco przycichła, mrugnął porozumiewawczo do Ani z szelmowskim uśmiechem.

— Rzeczywiście, Gilbert Blythe j e s t przystojny — wyznała Ania Dianie. — Uważam jednak, że pozwala sobie na zbyt wiele. To chyba nie jest w dobrym tonie puszczać oko do zupełnie nieznajomej dziewczyny?

Najważniejsze wydarzenia tego dnia rozegrały się jednak dopiero po południu. Tym razem pan Phillips dosiadł się do Prissy Andrews, żeby wytłumaczyć jej algebrę, reszta uczniów natomiast robiła, co się komu żywnie podobało — zajadali niedojrzałe jabłka, opowiadali sobie coś na ucho, rysowali na tabliczkach i urządzali między rzędami ławek wyścigi świerszczy, które przywiązywali do długich nitek. Gilbert Blythe za wszelką cenę starał się zwrócić na siebie uwagę Ani, bezskutecznie jednak, jako że dziewczynka była w tej chwili zupełnie zobojętniała nie tylko na obecność Gilberta, ale i jakiegokolwiek innego chłopaka w szkole. Brodę podparła rękoma i zapatrzyła się w niebieski zarys Jeziora Lśniących Wód, którego niewielki fragment można było dojrzeć przez wychodzące na zachód okno. Ania przebywała teraz daleko, w baśniowej krainie marzeń, nie słysząc i nie widząc niczego poza cudownymi wizjami podsuwanymi jej przez wyobraźnię.

Gilbert Blythe nie przywykł jednak do tego, by pragnąc zwrócić na siebie uwagę jakiejś dziewczynki, spotykał się z obojętnością. Jak ona śmiała go nie zauważać, ta rudowłosa Shirley, z tym swoim spiczastym podbródkiem i ogromnymi oczyma, które były tak inne od oczu pozostałych dziewcząt z Avonlea.

Gilbert wyciągnął rękę, złapał koniec rudego warkocza Ani, po czym uniósł go do góry i przenikliwym szeptem zasyczał: „Marchewa! Marchewa!"

Wówczas dopiero Ania — której marzenia w jednej chwili rozpadły się w gruzy — popatrzyła na niego i posłała mu prawdziwie mściwe spojrzenie! Potem zaś nastąpiło znacznie więcej. Dziewczynka poderwała się z ławki. Spojrzała na Gilberta, a w jej pełnych oburzenia oczach najpierw zabłysły iskry, a zaraz potem gwałtownie zalśniły łzy.

— Ty wstrętny chłopaku! — krzyknęła w ogromnym wzburzeniu. — Jak śmiesz!

I chwilkę potem — łups! Ania uderzyła Gilberta tabliczką w głowę tak mocno, że tabliczka pękła na pół.

Uczniowie ze szkoły w Avonlea zawsze byli podekscytowani, gdy dochodziło do jakiejś awantury. Scena, która przed chwilą się rozegrała, zapowiadała interesujący ciąg dalszy. Wszyscy wydali z siebie niby to pełne zgrozy „och!", naprawdę jednak byli wniebowzięci. Dianie wyrwał się stłumiony okrzyk. Ruby Gillis, która przejawiała skłonności do histerii, zaczęła szlochać. Tomek Sloane, który z otwartą ze zdziwienia buzią przyglądał się wszystkiemu, uwolnił przez nieuwagę całą swoją drużynę świerszczy.

Pan Phillips, krocząc majestatycznie między rzędami ławek, podszedł do Ani i położył ciężką rękę na jej ramieniu.

— Shirleyówna, co to ma znaczyć? — odezwał się poirytowany.

Ania nie odpowiedziała. Przyznanie się przed całą szkołą, że została nazwana „Marchewą", byłoby dla niej zbyt wielkim upokorzeniem. Wówczas Gilbert wstał i śmiałym głosem oświadczył:

— To wszystko moja wina, dokuczałem jej.

Pan Phillips zignorował wyznanie Gilberta.

— Jest mi niezmiernie przykro, że moja uczennica ujawniła taki wybuchowy temperament i mściwy charakter — oświadczył niezwykle poważnym tonem, jak gdyby sam fakt bycia jego uczniem powinien automatycznie wykorzeniać wszelkie zło, które lęgło się w sercach małych, dalekich od doskonałości śmiertelników. — Aniu, proszę, wejdź teraz na podest przed tablicą i postój tam sobie do końca zajęć.

Ania zdecydowanie wolałaby już karę chłosty niż takie upokorzenie, od którego jej wrażliwa dusza drżała jak od uderzeń bata. Z pobladłą, skamieniałą twarzą poddała się życzeniu nauczyciela. Pan Phillips wziął do ręki kredę i napisał na tablicy nad głową Ani: „Uczennica Shirley ma bardzo zły charakter. Uczennica Shirley musi nauczyć się opanowywać swoje wybuchy gniewu". Po czym odczytał wszystko na głos, tak aby nawet nie znający liter pierwszoklasiści wiedzieli, co mówi napis.

Ania spędziła pod tablicą resztę popołudnia. Nie płakała ani nie zwieszała głowy. Gniew dalej w niej kipiał i pomagał znosić katusze upokorzenia, przez które musiała przejść. Z oczami pełnymi głębokiej urazy i płonącymi policzkami tak samo niewzruszenie przyjmowała współczujące spojrzenia Diany, pełne oburzenia kręcenie głową Karola Sloane'a, jak i złośliwe uśmieszki Josie Pye. Jeżeli chodzi o Gilberta Blythe'a, to nie raczyła nawet na niego spojrzeć. Nigdy już nie zaszczyci go spojrzeniem! Nigdy się do niego nie odezwie!

Gdy lekcje dobiegły końca, Ania pomaszerowała do domu z wysoko uniesioną rudą głową. Gilbert Blythe próbował ją zatrzymać, gdy wychodziła ze szkoły.

— Strasznie cię przepraszam, że zażartowałem sobie z twoich włosów — powiedział ze skruchą. — Jestem z tobą zupełnie szczery. Nie obrażaj się na mnie tak na amen, proszę cię.

Ania minęła go z wyrazem zupełnego lekceważenia na twarzy, udając, że nie słyszy.

— Och, Aniu, jak mogłaś tak go minąć bez słowa — ni to z przyganą, ni to z podziwem wyszeptała Diana, gdy wracały ze szkoły. Diana czuła, że ona sama nigdy nie oparłaby się błaganiu Gilberta.

— Nigdy mu tego nie wybaczę — oświadczyła Ania zdecydowanym głosem. — W dodatku pan Phillips mówił do mnie tylko po nazwisku. Żelazo rozdziera moją duszę, Diano.

Diana nie miała pojęcia, o co Ani chodziło z tym żelazem, wyczuła jednak, że o coś strasznego.

— Nie powinnaś tak sobie brać do serca, że Gilbert zażartował z twoich włosów — powiedziała uspokajającym głosem. — Przecież tak samo droczy się ze wszystkimi dziewczynkami. Z moich czarnych włosów też sobie pokpiwał. Dziesiątki razy przyrównywał mnie do wrony, a przy tym nigdy nawet nie próbował się usprawiedliwiać.

— Co innego być porównanym do wrony, a co innego otrzymać przezwisko „Marchewa" — odparła z godnością Ania. — Gilbert Blythe potwornie mnie zranił.

Cała sprawa poszłaby może w zapomnienie, gdyby nie kolejne wydarzenia. Tak to już bowiem w życiu bywa, że nieszczęścia chodzą parami.

Uczniowie z Avonlea często spędzali popołudniowe przerwy na zbieraniu żywicy w świerkowym lasku pana Bella, rosnącym na wzgórzu za pastwiskiem. Stamtąd mieli doskonały widok na dom Ebena Wrighta, w którym wynajmował mieszkanie pan Phillips. Gdy zobaczyli, że nauczyciel ukazuje się w drzwiach domu, prędko biegli do szkoły. Ponieważ jednak z lasku do szkoły było trzy razy dalej niż z domu pana Wrighta, bardzo często przybiegali, zdyszani i zziajani, trzy minuty po czasie.

Następnego dnia pan Phillips w przystępie pedagogicznego uniesienia, które co jakiś czas go nawiedzało, postanowił zreformować dotychczas obowiązujący regulamin — zanim udał się na obiad, obwieścił uczniom, że gdy wróci do klasy, wszyscy mają już być w ławkach. Każdy, kto się spóźni, zostanie ukarany.

Wszyscy chłopcy i kilka dziewcząt poszli do lasku pana Bella, tak jak zwykle. Zamierzali oczywiście zaraz wracać, gdy tylko uda im się znaleźć trochę żywicy do żucia. Jednakże leśne ostępy bywają takie ciekawe, a złocista żywica tak nieodparcie kusząca... Dzieci zbierały żywicę, bawiły się i włóczyły po lesie. W rezultacie zapomniały, że czas bezlitośnie ucieka, i przypomniały sobie o tym dopiero wtedy, gdy Jimmy Glover krzyknął z wierzchołka starego, dostojnie wyglądającego świerka: „Nauczyciel idzie!"

Dziewczynki, które nie wchodziły na drzewa, pierwsze zerwały się do biegu i zdążyły dotrzeć do szkoły dosłownie na ostatnią chwilę. Chłopcy natomiast musieli pospiesznie zsuwać się z drzew i potrzebowali nieco więcej czasu, przybiegli więc do klasy później. Wśród najbardziej spóźnionych znalazła się też Ania, która co prawda w ogóle nie zbierała żywicy, ale odeszła dość daleko, brodząc po pas w paprociach, gdzie, w wianku z konwalii na głowie, cichutko sobie podśpiewywała i czuła się zupełnie jak jakaś leśna boginka.

Potrafiła jednak biegać szybko jak sarenka, więc doścignęła chłopców i wpadła do szkoły razem z nimi właśnie wtedy, gdy pan Phillips wieszał na haku swój kapelusz.

Nauczycielowi przeszła już ochota na reformy i nie chciało mu się wymyślać kary dla kilkunastu uczniów, trzeba jednak było dotrzymać danego słowa, toteż rozejrzał się za kozłem ofiarnym i jego wzrok trafił na Anię, która padła na ławkę zziajana. Zapomniała zupełnie o wianku, który przekrzywił się, spadając jej na ucho i nadając zawadiacki, rozwichrzony wygląd.

— Posłuchaj, Shirleyówna, ponieważ tak bardzo lubisz towarzystwo chłopców, spełnimy dzisiaj twoje pragnienia — powiedział z sarkazmem w głosie. — Zdejmij z głowy ten swój wianek i usiądź obok Gilberta Blythe'a.

Wszyscy chłopcy prócz Gilberta parsknęli śmiechem. Diana aż pobladła ze współczucia, zdjęła wianek z włosów Ani i uścisnęła jej rękę. Ania spojrzała na pana Phillipsa ze skamieniałą twarzą.

— Czy słyszałaś, co do ciebie powiedziałem? — zapytał stanowczo nauczyciel.

— Tak, proszę pana — odpowiedziała, ociągając się, Ania. — Myślę jednak, że pan wcale nie chciał tego powiedzieć.

— Możesz być pewna, że to właśnie chciałem powiedzieć — odrzekł pan Phillips wciąż pełnym sarkazmu głosem, tak bardzo znienawidzonym przez wszystkie dzieci, a już szczególnie przez Anię, którą taki ton dotykał do żywego. — Natychmiast masz zrobić to, co ci kazałem.

Przez moment wydawało się, że Ania nie posłucha nauczyciela. Po chwili jednak, widząc, że nie ma innego wyjścia, wstała z ławki i z wyniosłą miną usiadła obok Gilberta Blythe'a, opierając ramiona na ławce i chowając twarz w dłoniach. Ruby Gillis, która zdążyła przyjrzeć się jej przez chwilę, opowiadała później, wracając ze szkoły, że „nigdy przedtem nie widziała niczego podobnego — twarz Ani była kredowobiała i cała usiana okropnymi czerwonymi plamkami".

Dla Ani był to prawdziwy koniec świata. Nie dosyć, że tylko ją spotkała kara, chociaż kilkanaście innych osób również na nią zasłużyło, to jeszcze musiała dzielić ławkę z chłopcem, i jakby tego było mało — był nim akurat Gilbert Blythe. Poczuła, że nie zniesie tego dłużej i że nie ma zamiaru nawet próbować. Wszystko się w niej gotowało ze wstydu, gniewu i upokorzenia.

Z początku pozostałe dzieci w klasie przyglądały się winowajczyni z zaciekawieniem, szeptały coś, chichotały i trącały się łokciami. Ponieważ Ania nie podnosiła wcale głowy, a Gilbert sprawiał wrażenie, że poza ułamkami nic dla niego nie istnieje, zainteresowanie opadło, a dzieci powróciły do zajęć i zapomniały o Ani. Kiedy nauczyciel zapowiedział lekcję historii, Ania, choć powinna na nią pójść, wcale nie ruszyła się z miejsca, a pan Phillips, który jeszcze przed ogłoszeniem lekcji historii pochłonięty był układaniem poetyckich linijek „Dla Priscilli", wciąż nie mógł znaleźć odpowiedniego rymu do swojego wiersza i wcale nie zauważył braku Ani. W pewnej chwili, kiedy nikt nie patrzył, Gilbert wyjął ze schowka pod ławką mały różowy cukierek w kształcie serduszka, na którym widniał napis: „Jesteś słodka", i wsunął go Ani pod rękę. Wówczas Ania podniosła się z miejsca, ostrożnie, czubkami palców ujęła cukierek, po czym upuściła go na podłogę, zmiażdżyła obcasem na proch i usiadła z powrotem w ławce, nawet nie zaszczycając Gilberta spojrzeniem.

Gdy lekcje dobiegły końca, Ania pomaszerowała z powrotem do swojej ławki, ostentacyjnie wyciągnęła wszystko ze schowka — książki, tabliczki do pisania, pióro i atrament,

Biblię i podręcznik do arytmetyki — po czym, formując równy stosik, ułożyła przedmioty na pękniętej tabliczce.

— Po co zabrałaś te rzeczy ze sobą do domu? — zapytała Diana, gdy tylko znalazły się na drodze. Wcześniej nie odważyła się zadać tego pytania.

— Nie wrócę już więcej do szkoły — oświadczyła Ania.

Diana wydała stłumiony okrzyk i wpatrywała się usilnie w Anię, pragnąc dociec, czy przyjaciółka mówi serio.

— A czy Maryla pozwoli ci zostać w domu? — zapytała.

— Będzie musiała się zgodzić. N i g d y nie wrócę na lekcje do tego człowieka.

— Och! Aniu! — Diana wyglądała tak, jakby zaraz miała się rozpłakać. — Jak możesz mi coś takiego robić! Co ja wtedy pocznę? Pan Phillips na pewno każe mi siedzieć z tą okropną Gertie Pye — wiem, że tak będzie, bo teraz siedzi sama. Proszę cię, wróć do szkoły.

— Zrobiłabym dla ciebie prawie wszystko, Diano — powiedziała Ania smutnym głosem. — Pozwoliłabym odjąć sobie wszystkie kończyny, jeśli tylko mogłabym ci w ten sposób pomóc. Tego jednego zrobić jednak nie mogę, więc błagam, nie proś mnie. Rozdzierasz mi tylko duszę.

— Pomyśl, ile świetnej zabawy cię ominie — lamentowała Diana. — Będziemy budować nowy, śliczny domek przy strumyku, w przyszłym tygodniu mamy grać w piłkę, a ty przecież jeszcze nigdy tego nie robiłaś. To naprawdę doskonała zabawa. Będziemy też uczyć się nowej piosenki — Jane Andrews już ją sobie ćwiczy, a Alicja Andrews ma przynieść w przyszłym tygodniu nową książkę i będziemy ją czytać na głos, rozdział po rozdziale, siedząc przy strumieniu. A ty tak bardzo przecież lubisz głośne czytanie książek.

Nic nie mogło skłonić Ani do zmiany decyzji. Już nigdy nie wróci do szkoły na lekcje pana Phillipsa. Powiedziała o tym Maryli, gdy tylko przyszła do domu.

— Trele-morele, zwyczajne głupstwa opowiadasz — stwierdziła Maryla.

— To nie są żadne głupstwa — odparła Ania, wpatrując się w Marylę poważnym, pełnym przygany wzrokiem. — Czy nie rozumiesz, Marylo? Obrażono mnie.

— Obrażono ją, patrzcie państwo! Jutro pójdziesz do szkoły, tak samo jak zwykle.

— Nie, Marylo — odparła łagodnie Ania, kręcąc przy tym głową. — Nie pójdę do szkoły. Będę się uczyć w domu, obiecuję się bardzo przykładać, grzecznie zachowywać i cały czas milczeć, jeśli coś takiego w ogóle jest możliwe. Nie pójdę jednak do szkoły, możesz być tego pewna.

Maryla dostrzegła w drobnej twarzyczce Ani nieprzejednany upór. Zrozumiała, że trudno będzie nakłonić dziewczynkę do zmiany decyzji, w swojej mądrości postanowiła jednak chwilowo nic więcej nie mówić. „Przejdę się pod wieczór do Małgorzaty i zapytam ją o zdanie — pomyślała. — Nie ma sensu teraz na siłę przekonywać Ani do swoich racji. Zbyt jest tym wszystkim poirytowana, a wiem przecież, jaka potrafi być uparta, gdy coś sobie wbije do głowy. Jeżeli dobrze zrozumiałam to, co mówiła, pan Phillips chyba trochę przesadził, zachowując się jak despota. Jednakże nie ma sensu małej o tym mówić. Lepiej porozmawiam z Małgorzatą. Jej dziesięcioro dzieci chodziło przecież do szkoły i powinna być obeznana z takimi problemami. Na pewno już zresztą o wszystkim zdążyła się dowiedzieć".

Maryla zastała Małgorzatę jak zwykle przy robótce. Pani Linde, jak zawsze uśmiechnięta, pracowicie dziergała kolejną narzutę na łóżko.

— Przypuszczam, że już wiesz, z czym przyszłam — powiedziała Maryla z lekkim zażenowaniem.

Pani Małgorzata skinęła tylko głową.

— Pewnie porozmawiać o szkolnych problemach Ani — odparła. — Matylda Boulter wstąpiła do mnie po drodze ze szkoły i opowiedziała mi o wszystkim.

— Nie bardzo wiem, jak powinnam postąpić — powiedziała Maryla. — Ona się zarzeka, że nie wróci już do szkoły. Jeszcze nigdy nie widziałam, żeby jakieś dziecko aż tak coś przeżywało. Liczyłam się z tym, że będą kłopoty, gdy tylko poszła do szkoły. Wiedziałam, że wszystko idzie zbyt gładko, żeby ten stan mógł utrzymać się dłużej. Ona jest taka przewrażliwiona i nerwowa. Co byś mi radziła, Małgorzato?

— No cóż, skoro już prosisz mnie o radę — uprzejmie powiedziała pani Linde, jako że uwielbiała, gdy ktoś się jej radził — najpierw spróbowałabym ją trochę rozweselić. Wydaje mi się, że pan Phillips postąpił niewłaściwie. Rzecz jasna, nie ma sensu uświadamiać tego dzieciom. Chyba rozumiesz. Oczywiście dobrze zrobił, karząc ją wczoraj za ten niekontrolowany wybuch gniewu. Dzisiaj jednak sprawy wyglądały trochę inaczej. Wszyscy inni, którzy spóźnili się tak samo jak Ania, również powinni zostać ukarani, bez dwóch zdań, ot co. Nie uważam też, żeby sadzanie dziewczynek w jednej ławce z chłopcami było słuszne. To nie jest przyzwoite. Matylda Boulter była naprawdę oburzona. Wzięła stronę Ani i powiedziała, że wszystkie inne dzieci były tego samego zdania. Zdaje się, że na swój sposób ją lubią. Nigdy nie myślałam, że uda się jej nawiązać z dziećmi taki dobry kontakt.

— To naprawdę uważasz, że powinnam jej pozwolić pozostać w domu? — zapytała zdumiona Maryla.

— Nie posyłałabym jej do szkoły tak długo, aż sama zapragnie pójść. Możesz być pewna, Marylo, że za tydzień ochłonie i sama będzie wolała wrócić do szkoły, ot co. A jak ją teraz przymusisz, to dostanie jeszcze jakiegoś napadu furii i będziesz miała z nią więcej kłopotu niż kiedykolwiek. Im mniej będzie zamieszania wokół tego wszystkiego, tym lepiej, takie jest moje zdanie. Z pewnością dużo nie straci przez to, że opuści parę lekcji. Pan Phillips wcale nie jest takim znowu dobrym nauczycielem. W skandaliczny sposób nie radzi sobie z trzymaniem dyscypliny, ot co, a poza tym skupia całą uwagę tylko na starszych uczniach, których przygotowuje do Queen's Academy, zaniedbując młodsze dzieci. Nie zagrzałby tu długo miejsca, gdyby nie fakt, że jego wuj jest członkiem zarządu szkoły, i to tym najważniejszym, jako że pozostałych dwóch okręcił sobie wokół palca, ot co. Z całą stanowczością stwierdzam: z edukacją na Wyspie jest coraz gorzej.

Pani Małgorzata pokręciła głową z dezaprobatą, co miało znaczyć, że gdyby to ona kierowała edukacją w prowincji, sprawy miałyby się o wiele lepiej.

Maryla posłuchała rady Małgorzaty i ani słowem nie wspomniała, że życzy sobie, aby dziewczynka wróciła do szkoły. Ania odrabiała lekcje w domu, wykonywała domowe obowiązki i bawiła się z Dianą w chłodne jesienne popołudnia aż do zapadnięcia fioletowego zmierzchu. Ilekroć jednak spotykała Gilberta Blythe'a na drodze lub w szkółce niedzielnej, traktowała go z nie ukrywaną pogardą i żadne wysiłki podejmowane z jego strony nie mogły tego stanu rzeczy zmienić. Nawet pojednawcze działania Diany kończyły się fiaskiem. Ania najwyraźniej postanowiła, że będzie trwać w nienawiści do Gilberta do końca życia.

Tak jak z całej duszy nienawidziła Gilberta, tak samo uwielbiała Dianę i była jej oddana całym sercem, kochała bowiem i nienawidziła z jednakową pasją. Pewnego wieczoru, po powrocie z sadu z koszykiem pełnym jabłek, Maryla zastała Anię siedzącą w pokoju i płaczącą wielkimi łzami.

— O co tym razem chodzi? — zapytała Maryla.

— To z powodu Diany — załkała Ania. — Tak bardzo lubię Dianę, Marylo. Nie mogę wyobrazić sobie życia bez niej. Wiem jednak, że gdy Diana dorośnie, to na pewno wyjdzie za mąż, wyjedzie i zostawi mnie samą. I co ja wtedy zrobię? Nienawidzę męża Diany, nienawidzę go z całej duszy. Wszystko już sobie wyobraziłam, jak biorą ślub w kościele i tak dalej — Diana w śnieżnobiałej sukni z welonem, piękna i pełna majestatu, niczym królowa. Ja pewnie byłabym druhną, także w pięknej sukni, co prawda z bufiastymi rękawami, ale za to ze złamanym sercem. Oczywiście na twarzy miałabym promienny uśmiech. A potem musiałabym powiedzieć Dianie „Żegnaj-j-j"... — Przy tych słowach Ania zupełnie się rozkleiła i zaniosła głośnym szlochem.

Maryla szybko odwróciła głowę, ażeby ukryć rozbawienie, jej wysiłek nie zdał się jednak na nic. Opadła na najbliższe krzesło i wybuchnęła takim serdecznym śmiechem, że Mateusz, który przechodził akurat przez podwórze, zatrzymał się zdumiony. Kiedy to ostatni raz słyszał, żeby Maryla tak się śmiała do rozpuku?

— No cóż, Aniu — powiedziała zaraz, gdy tylko wrócił jej głos. — Jeżeli już koniecznie musisz się martwić na zapas, to, na miłość boską, nie wybiegaj myślą aż tak daleko. Ty rzeczywiście masz niebywałą fantazję, nie ma co do tego wątpliwości.

PODWIECZOREK I JEGO OPŁAKANE SKUTKI

W październiku Zielone Wzgórze prezentowało się bardzo pięknie. Brzozy w dolinie przebarwiały się na słoneczny złocisty kolor, klony za sadem stroiły się w purpurę, czereśnie, które rosły przy drodze, przybierały najpiękniejsze odcienie ciemnej czerwieni i oliwkowej zieleni, na polach wygrzewała się w jesiennym słońcu ozimina.

Ania upajała się barwami, które ją otaczały.

— Och, Marylo! — krzyknęła któregoś sobotniego ranka rozradowana dziewczynka, idąc żwawym krokiem w stronę domu i tuląc w ramionach wspaniałe kolorowe gałęzie. — Tak się cieszę, że co roku nastaje w końcu październik. Okropnie byłoby, gdyby po wrześniu następował zaraz listopad, prawda? Spójrz na te gałązki klonu. Czy nie przechodzi cię dreszcz zachwytu, a może nawet kilka dreszczy? Udekoruję tymi gałęziami swój pokój.

— Strasznie naśmiecisz — zauważyła Maryla, której zmysł estetyczny nie rozwinął się w stopniu wystarczającym. — Ciągle coś znosisz do swego pokoju, gdy wracasz ze spaceru, a sypialnie wymyślono przecież głównie po to, żeby w nich spać.

— Spać i marzyć, Marylo. A przecież marzy się o wiele lepiej w pokoju, w którym są jakieś piękne rzeczy. Chciałabym włożyć te gałęzie do tego starego niebieskiego dzbanka i postawić na stole.

— W takim razie uważaj, żebyś nie zasypała całych schodów liśćmi. Po południu jadę na zebranie kółka charytatywnego do Carmody i pewnie wrócę dopiero o zmroku. Pamiętaj, żeby Mateusz i Jerry dostali kolację, i nie zapomnij — tak jak ostatnio — zaparzyć herbatę, zanim zasiądziecie do stołu.

— To okropne, że o tym zapomniałam — powiedziała Ania przepraszającym głosem. — Zdarzyło się to akurat wtedy, gdy zastanawiałam się, jak by tu nazwać tę fiołkową polankę — dlatego zapomniałam o wszystkich innych sprawach. Mateusz był dla mnie taki dobry. Ani trochę nie krzyczał. Sam zaparzył herbatę i powiedział, że nic się nie stanie, jak chwilkę poczekamy. Gdy czekaliśmy na herbatę, opowiedziałam mu śliczną bajkę i dzięki temu czas się nie dłużył. To była naprawdę piękna bajka, Marylo. Zapomniałam zakończenia, więc sama wymyśliłam nowe, a Mateusz powiedział, że zupełnie nie mógł poznać, w którym miejscu dołączyłam brakujący kawałek.

— Mateusz uznałby, że nic się nie stało, nawet wówczas, gdybyś nagle wstała w środku nocy i zażądała obiadu. Mam nadzieję, że tym razem już o niczym nie zapomnisz. I jeszcze coś — mam wątpliwości, czy postępuję słusznie, bo pewnie przez to będziesz jeszcze bardziej roztargniona niż zazwyczaj — ale możesz zaprosić dzisiaj Dianę do nas, spędzicie wspólnie popołudnie i zjecie razem podwieczorek.

— Och, Marylo! — Ania zacisnęła dłonie. — To cudownie! A jednak potrafisz wyobrażać sobie różne rzeczy, inaczej nigdy nie wpadłabyś na to, że ja tak bardzo chciałam zaprosić Dianę. Na pewno będzie miło i trochę tak, jakbyśmy były zupełnie dorosłe. Nie ma obawy, bym w towarzystwie Diany zapomniała zaparzyć herbatę. Marylo, czy mogę użyć tego serwisu w różyczki?

— Oczywiście, że nie! Serwis w różyczki! I co jeszcze? Przecież wiesz, że tego serwisu używam tylko wtedy, gdy przychodzi do nas pastor lub panie z kółka charytatywnego. Wystarczy, jak ustawisz na stole tę starą brązową zastawę. Możesz jednak otworzyć słoiczek konfitur wiśniowych. I tak trzeba je będzie zużyć, bo zdaje mi się, że zaczynają fermentować. Możesz też pokroić keks, podać herbatniki i kruche ciasteczka.

— Już sobie wyobrażam, jak siedzę za stołem i nalewam herbatę — powiedziała Ania, przymykając w ekstazie oczy. — I jak pytam Dianę, czy życzy sobie cukier! Wiem, że nie słodzi herbaty, ale oczywiście zadam jej to pytanie, jakbym o niczym nie wiedziała. A potem będę ją namawiać, żeby zjadła jeszcze kawałek keksu lub nałożyła sobie więcej konfitur. Och, Marylo, już sama myśl o tym jest przyjemna. Kiedy Diana przyjdzie z wizytą, to czy mogę zaprowadzić ją najpierw do gościnnego pokoju, żeby zostawiła tam swój kapelusz? A potem do salonu?

— Nie. Wystarczy, jak posiedzicie sobie razem w dużym pokoju. Możesz jednak wziąć tę napoczętą butelkę syropu malinowego — został jeszcze od czasu spotkania parafialnego. Stoi w kredensie, na drugiej półce od góry, możecie się nim poczęstować, jeżeli będziecie miały ochotę, i weźcie sobie wcześniej po ciasteczku, bo Mateusz zapewne spóźni się na podwieczorek, ponieważ musi dostarczyć ziemniaki na statek.

Ania jak na skrzydłach zbiegła ze wzgórza w dolinę, minęła Źródło Nimf, a następnie pognała ścieżką wiodącą wśród świerków na Jabłoniowe Wzgórze, aby zaprosić Dianę na podwieczorek. Wskutek tego, ledwo Maryla zdążyła wyruszyć do Carmody, Diana już się pojawiła na Zielonym

Wzgórzu. Założyła prawie najlepszą sukienkę, no i w ogóle ubrana była tak, jak powinno się być ubranym do proszonego podwieczorku. Przy wszelkich innych okazjach miała w zwyczaju po prostu wpadać do kuchni bez pukania. Tym razem jednak zapukała, zgodnie z dobrym obyczajem, do frontowych drzwi. Kiedy Ania, również ubrana w swoją prawie najlepszą sukienkę i równie wytworna w sposobie bycia, otworzyła Dianie, obie dziewczynki uścisnęły sobie ręce tak poważnie i dostojnie, jakby się wcześniej nie znały. Potem Diana weszła do pokoju Ani, żeby zdjąć kapelusz, a następnie w eleganckiej pozie odsiedziała dziesięć minut w dużym pokoju. Cała ta sztuczna powaga zniknęła bez śladu dopiero po wstępnych ceremoniach.

— Jak się miewa pani Barry? — zapytała uprzejmie Ania, jak gdyby nie widziała z samego rana, jak mama Diany zbiera jabłka w sadzie, ciesząc się doskonałym zdrowiem i świetnym samopoczuciem.

— Nadzwyczaj dobrze, dziękuję. A pan Cuthbert zapewne pojechał odstawić ziemniaki na „Lily Sands", prawda? — powiedziała Diana, którą Mateusz podwoził rano do pana Harmona Andrewsa.

— Tak, tegoroczne zbiory są naprawdę bardzo udane. Mam nadzieję, że pan Barry również nie ma powodu do narzekań.

— Rzeczywiście, mamy prawdziwy urodzaj, dziękuję. A jak tam zbiory jabłek, czy równie obfite?

— O, jabłek jest zatrzęsienie — odparła Ania, nagle zapominając o całej powadze i zrywając się na równe nogi. — Biegnijmy do sadu po malinówki. Maryla powiedziała, że możemy zerwać wszystkie, które zostały na drzewie. Ona naprawdę ma dobre serce, niczego nam nie żałuje. Przygotowała dla nas keks i konfitury z wiśni. Jednakże nie jest w dobrym tonie opowiadać gościom o szczegółach poczęstunku, dlatego nie mogę ci teraz powiedzieć, co Maryla pozwoliła nam wziąć sobie do picia. Powiem ci tylko, że to coś zaczyna się na litery „s" i „m", a do tego ma piękny czerwony kolor. Ja lubię, gdy napój ma taki jasny czerwony kolor, a ty? Smakuje wtedy dwa razy lepiej.

Sad, w którym wspaniałe rozłożyste gałęzie drzew aż uginały się pod ciężarem owoców, wyglądał tak kusząco, że dziewczynki pozostały w nim przez większość popołudnia. Usiadły sobie w kąciku; trawy nie zwarzył jeszcze przymrozek, a łagodne jesienne promienie słońca utrzymywały się wyjątkowo długo. Dziewczynki zajadały jabłka i paplały bez wytchnienia. Diana miała do opowiedzenia masę rzeczy na temat szkoły. Musiała teraz siedzieć z Gertie Pye, czego wręcz nie znosiła. Ołówek Gertie bez przerwy skrzypiał i ten piskliwy dźwięk doprowadzał Dianę do białej gorączki. Ruby Gillis udało się w magiczny sposób pozbyć kurzajek, to najszczersza prawda. Usunęła je za pomocą czarodziejskiego kamienia, który dostała od starej Marii Joe z Creek. Wystarczyło potrzeć nim kurzajki, a następnie rzucić go przez lewe ramię w czasie nowiu księżyca, a kurzajki znikły jak ręką odjął. Na ścianie w szkole pojawił się nowy napis, tym razem umieszczono obok siebie nazwiska Karola Sloane'a i Em White, która bardzo się z tego powodu złościła. Sam Boulter odpyskował panu Phillipsowi, a pan Phillips obił go za to rózgą. Wówczas do szkoły przyszedł ojciec Sama i powiedział nauczycielowi, żeby więcej nie ważył się tknąć żadnego z jego dzieci. A Matylda Andrews dostała nowy czerwony kapelusik i niebieskie wdzianko, takie z ramiączkami na krzyż, zawiązywane z tyłu i przyozdobione frędzelkami. Przez to chodziła dumna niczym paw, aż się wszystkim zbierało na mdłości. Lizzie Wright przestała się odzywać do Gosi Wilson, bo starsza siostra Gosi odbiła kawalera starszej siostrze Lizzie.

A w ogóle to wszyscy bardzo tęsknią za Anią i chcieliby, aby wróciła do szkoły, no a Gilbert Blythe...

Ale Ania nie chciała niczego słyszeć na temat Gilberta Blythe'a. Zerwała się i zaproponowała, żeby poszły napić się syropu z malin.

Rzut oka na zawartość kredensu pozwalał stwierdzić, że na drugiej półce od góry nie było butelki z syropem. Stała za to dobrze ukryta na najwyższej półce. Dziewczynka postawiła butelkę na tacy i zaniosła na stół razem ze szklanką.

— Proszę cię, Diano, poczęstuj się — powiedziała uprzejmie. — Ja na razie nie mam ochoty, tak bardzo objadłam się jabłkami.

Diana nalała sobie pełną szklankę, z przyjemnością przyjrzała się pięknej, rubinowej barwie napoju i z gracją zaczęła go sączyć.

— Ten syrop malinowy jest naprawdę pyszny — powiedziała. — Nie przypuszczałam, że będzie aż tak dobry.

— Cieszę się, że ci smakuje. Napij się, ile zechcesz. Ja pobiegnę dołożyć trochę do pieca. Jak się prowadzi dom, to ma się niezliczoną ilość obowiązków, nieprawdaż?

Kiedy Ania wróciła z kuchni, Diana kończyła właśnie drugą szklankę soku i, zachęcana przez gospodynię, zgodziła się wypić jeszcze trzecią. Za każdym razem nalewała sobie do pełna, bo syrop bardzo jej smakował.

— To najpyszniejszy syrop, jaki w życiu piłam — powiedziała Diana. — O wiele lepszy niż ten, którym częstuje pani Linde, chociaż tak bardzo się nim chwali. Ten tutaj smakuje zupełnie inaczej.

— Wcale bym się nie zdziwiła, gdyby syrop Maryli okazał się lepszy od tego, który robi pani Linde — powiedziała z całym przekonaniem Ania. — Maryla świetnie gotuje. Mnie również próbuje nauczyć gotowania, ale wierz mi,

Diano, to potwornie ciężka praca. I właściwie zupełnie nie pozwala rozwinąć wyobraźni. Wszystko musi być zrobione ściśle według przepisu. Ostatnim razem, gdy piekłam ciasto, zapomniałam dodać mąki. Właśnie układałam sobie wspaniałą opowieść o mnie i o tobie, Diano. W tej mojej opowieści zachorowałaś poważnie na ospę i leżałaś opuszczona przez wszystkich; ja jedna nie bałam się czuwać przy twoim łóżku i pielęgnować cię, aż powróciłaś do zdrowia. Wtedy okazało się, że sama zaraziłam się ospą i wkrótce zmarłam. Pochowano mnie pod tymi topolami, które rosną na podwórzu, a ty zasadziłaś na moim grobie krzak róży, który zraszałaś łzami. No i nigdy, przenigdy nie zapomniałaś przyjaciółki z młodych lat, która poświęciła dla ciebie swoje życie. Och, Diano, to była naprawdę wzruszająca historia. Łzy spływały mi po policzkach, kiedy mieszałam ciasto. Zapomniałam jednak dodać mąki i skutki tego były po prostu opłakane. Jak zapewne wiesz, mąka jest niezbędna, gdy robi się ciasto. Maryla była bardzo zła i nie ma się czemu dziwić. Sprawiam jej tyle kłopotu. W zeszłym tygodniu miała straszne przejścia z powodu sosu do puddingu. We wtorek jedliśmy na obiad pudding śliwkowy i została go prawie połowa oraz cały dzbanek sosu. Maryla powiedziała, że jest tego tyle, że wystarczy na jeszcze jeden obiad. Kazała mi zanieść wszystko do spiżarni, postawić na półce i przykryć. Ja oczywiście chciałam to zrobić, ale gdy niosłam pudding i sos do spiżarni, wyobraziłam sobie, że jestem siostrą zakonną — naprawdę należę oczywiście do kościoła protestanckiego, ale wyobraziłam sobie, że jestem katoliczką — taką, która przyobleka się w zakonny welon, żeby za murami klasztoru znaleźć ukojenie dla swego złamanego serca. Z tego wszystkiego zapomniałam przykryć naczynie z sosem. Przypomniałam sobie o nim dopiero rano i pobiegłam prędko do spiżarni. Spróbuj sobie wyobrazić moje przerażenie, gdy zobaczyłam, że w sosie pływa martwa mysz! Wyjęłam ją łyżką, wyrzuciłam na podwórko i trzykrotnie wymyłam łyżkę. Maryli akurat nie było, bo doiła krowy. Miałam szczery zamiar zapytać ją potem, czy mogę wylać sos świniom. Kiedy jednak Maryla wróciła do domu, wymyślałam właśnie historię o tym, że jestem królową mrozu, która przemierza knieje, zmieniając kolory drzew, tak że przybierają barwę żółtą lub czerwoną, zgodnie z ich własnym życzeniem. No i znowu zapomniałam o sosie, a potem Maryla posłała mnie do sadu, żebym nazrywała jabłek. No i cóż, tego ranka państwo Ross ze Spencervale przyjechali z wizytą. Znasz ich, więc wiesz, jacy oboje są wytworni, a już zwłaszcza pani Ross. Kiedy Maryla mnie przywołała, obiad był już gotowy i wszyscy siedzieli przy stole. Starałam się zachowywać bardzo uprzejmie i godnie, tak aby pani Ross nabrała przekonania, że choć nie jestem ładna, to sposobem bycia przypominam małą damę. Wszystko szło nad wyraz gładko, dopóki nie zobaczyłam Maryli z talerzem puddingu w jednej ręce i dzbankiem podgrzanego sosu w drugiej. Diano — to było straszne. Przypomniałam sobie nagle o tym, co się stało w spiżarni, zerwałam się z miejsca i piskliwym głosem wrzasnęłam: „Marylo, nie możesz podać tego sosu. Utopiła się w nim mysz. Zapomniałam ci o tym powiedzieć". Diano, wierz mi, nigdy nie zapomnę tej chwili, choćbym miała dożyć i stu lat. Pani Ross spojrzała na mnie takim szczególnym wzrokiem, a ja pomyślałam, że chyba zapadnę się zaraz pod ziemię. Przecież ona słynie z tego, że jest doskonałą gospodynią, wyobrażasz sobie, co mogła o nas pomyśleć? Maryla zaczerwieniła się, jakby ją trawił ogień, ale nie powiedziała ani słowa. Po prostu wyniosła i śliwkowy pudding, i sos, a na stole postawiła konfitury z truskawek. Nawet poprosiła, abym trochę skosztowała, ale ja niczego nie mogłam przełknąć. Jej uprzejme zachowanie sprawiło, że miałam jeszcze większe wyrzuty sumienia. Dopiero kiedy państwo Ross odjechali, Maryla strasznie mnie skrzyczała. Ach, Diano, co się dzieje?

Diana wstała niepewnie z miejsca, chwiejąc się na boki. Po chwili znowu usiadła, chwytając się za głowę.

— Czuję się bardzo chora — powiedziała odrobinę bełkotliwym głosem. — Ja... ja muszę szybko do domu.

— Och, nie ma mowy, żebyś szła do domu, przecież nie było jeszcze podwieczorku — zaprotestowała zrozpaczona Ania. — Zaraz wszystko uszykuję, już pędzę nastawić herbatę.

— Muszę do domu — trochę głupawo, lecz z uporem powtórzyła Diana.

— To pozwól mi chociaż przynieść ci coś do jedzenia — błagała Ania. — Dam ci kawałek keksu i konfitury z wiśni. Poleż trochę na sofie, a na pewno poczujesz się lepiej. Gdzie cię boli?

— Muszę do domu — powiedziała znowu Diana, bez jednego słowa wytłumaczenia. Na próżno Ania ją błagała, żeby została.

— Jeszcze nigdy nie słyszałam, żeby ktoś przyszedł w gości i nie posiedział nawet do podwieczorku — lamentowała biedna gospodyni. — Och, Diano, a może ty naprawdę rozchorowałaś się na ospę, czy to możliwe? Jeżeli tak, to możesz na mnie liczyć, nie będę odstępować od twojego łóżka ani na chwilę. Nigdy cię nie opuszczę. Ale naprawdę, bardzo proszę, zostań na podwieczorku. Co ci jest?

— Strasznie kręci mi się w głowie — odparła Diana.

I rzeczywiście, szła nader chwiejnie. Ania, ze łzami w oczach, bardzo rozczarowana, przyniosła kapelusz Diany i odprowadziła ją aż pod samo ogrodzenie posiadłości państwa Barry. Całą drogę powrotną płakała, a gdy dotarła już do domu, schowała do spiżarni resztkę syropu malinowego i zabrała się za przygotowywanie podwieczorku, na który mieli przyjść Mateusz i Jerry, uszedł z niej jednak cały zapał i chęć do pracy.

Następnego dnia była niedziela, z nieba od świtu do zmierzchu lały się strugi deszczu i Ania nie wytknęła nosa poza Zielone Wzgórze. W poniedziałkowe popołudnie Maryla posłała ją w pewnej sprawie do pani Linde. Po chwili dziewczynka pędem wróciła do domu, cała zapłakana. Wpadła do kuchni i rzuciła się na sofę, kryjąc twarz, jakby cierpiała katusze.

— Co się znowu stało, Aniu? — dopytywała się Maryla, przerażona i pełna złych przeczuć. — Mam nadzieję, że tym razem nie zachowałaś się zuchwale w stosunku do pani Linde.

Strumień łez i jeszcze bardziej spazmatyczny szloch stanowiły całą odpowiedź.

— Aniu, kiedy zadaję ci pytanie, chcę, byś się odezwała jak należy. Proszę natychmiast się podnieść i wytłumaczyć mi, dlaczego płaczesz.

Ania usiadła. Wyglądała niczym uosobienie tragedii.

— Pani Linde była dzisiaj z wizytą u pani Barry i zastała ją bardzo roztrzęsioną — załkała. — Pani Barry mówi, że w sobotę upiłam Dianę i odprowadziłam ją do domu w strasznym stanie. Oświadczyła, że muszę być bardzo zepsuta i podła i że już nigdy, przenigdy nie pozwoli Dianie bawić się ze mną. Cóż teraz pocznę, Marylo, o ja nieszczęsna, biada mi!

Maryla wpatrywała się w Anię z wyrazem osłupienia na twarzy.

— Upiłaś Dianę!? — powiedziała zdumiona, gdy tylko odzyskała głos. — Chyba albo ty straciłaś rozum, albo pani Barry. A cóż, u licha, dałaś Dianie do picia?

— Nic, tylko ten syrop malinowy — zawodziła Ania. — Nie wiedziałam, że syropem malinowym można się upić, choćby nawet wypiło się trzy pełne szklanki, tak jak Diana. Upić się — to przecież jak... jak mąż pani Thomas. Ale ja naprawdę nie chciałam upić Diany.

— Trele-morele, zupełne głupstwa opowiadasz! — oświadczyła Maryla, energicznym krokiem zmierzając w stronę kredensu w dużym pokoju. Na półce od razu spostrzegła butelkę trzyletniego wina z porzeczek, domowej roboty, z którego słynęła na całą okolicę, chociaż niektórzy mieszkańcy Avonlea, hołdujący bardziej surowym zasadom, nie wyłączając samej pani Barry, nie pochwalali tego, że Maryla wyrabiała wino. Od razu też przypomniała sobie, że butelkę z syropem, o której mówiła Ani, zabrała któregoś dnia z kredensu i wyniosła do piwnicy.

Wróciła do pokoju z butelką wina w ręku. Usta zaczęły jej niespokojnie drgać, układając się do mimowolnego uśmiechu.

— Aniu, ty masz doprawdy niezwykły talent do popadania w tarapaty. Zamiast syropu malinowego podałaś Dianie wino porzeczkowe. Nie zauważyłaś różnicy?

— Nie spróbowałam ani troszeczkę — odrzekła Ania. — Myślałam, że to syrop. Chciałam być taka... taka gościnna. Dianie zrobiło się strasznie niedobrze i musiała iść do domu. Pani Barry powiedziała pani Linde, że Diana była kompletnie pijana. Śmiała się głupio, kiedy mama pytała ją, co się stało, położyła się zaraz do łóżka i przespała kilka godzin. Pani Barry poczuła od niej alkohol i zrozumiała, że Diana się upiła. Wczoraj przez cały dzień Diana miała straszny ból głowy. Pani Barry jest okropnie oburzona. Zawsze już będzie przeświadczona, że zrobiłam to celowo.

— Uważam, iż to raczej Dianie należy się kara za to, że była aż tak łakoma i wypiła trzy pełne szklanki — rzuciła krótko Maryla. — Nawet gdyby to był tylko syrop, to po trzech szklankach również poczułaby się chora. No, to będzie woda na młyn tych, którzy i tak mieli mi za złe moje wino. A przecież ostatni raz robiłam je trzy lata temu, przestałam, gdy pastor ogłosił, że tego nie pochwala. Tę jedną butelkę zatrzymałam na wypadek niestrawności. No już dobrze, moje dziecko, uspokój się. Wcale nie uważam, że coś zawiniłaś, jest mi tylko przykro, że wyszło z tego takie nieporozumienie.

— Muszę płakać — powiedziała Ania. — Mam złamane serce. Gwiazdy sprzysięgły się przeciwko mnie. Diana i ja zostałyśmy rozdzielone na zawsze. Och, Marylo, nigdy bym nie myślała, że coś takiego może się stać, wtedy gdy ślubowałyśmy sobie dozgonną przyjaźń.

— Nie pleć głupstw, Aniu. Pani Barry na pewno zmieni zdanie, gdy dowie się, jak było naprawdę z tym winem. Ona pewnie przypuszcza, że zrobiłaś głupi żart, czy coś w tym rodzaju. Dobrze byłoby, gdybyś poszła do niej dzisiaj wieczorem i opowiedziała, co się stało.

— Opuszcza mnie odwaga na myśl o spotkaniu twarzą w twarz z panią Barry — westchnęła Ania. — Ona na pewno czuje się bardzo dotknięta. Może lepiej byłoby, gdybyś to ty do niej poszła, Marylo. Przecież ona o wiele bardziej poważa ciebie niż mnie. Na pewno prędzej wysłucha twoich słów niż moich.

— No dobrze, pójdę — powiedziała Maryla, dochodząc do wniosku, że tak rzeczywiście będzie rozsądniej. — Nie płacz już, Aniu. Wszystko będzie dobrze.

Zmieniła jednak zdanie po wizycie na Jabłoniowym Wzgórzu. Ania czekała na powrót Maryli i od razu rzuciła się do drzwi, żeby ją powitać.

— Och, Marylo, widzę po twojej twarzy, że wszystko na nic i pani Barry nie dała się przebłagać — powiedziała pełnym smutku głosem.

— Pani Barry! — parsknęła Maryla. — Spośród wszystkich niemądrych kobiet, jakie znam, ona najbardziej pozbawiona jest rozsądku. Próbowałam jej wytłumaczyć, że zaszła pomyłka i że nie ma w tym zupełnie twojej winy, ale mi nie uwierzyła. Znowu zaczęła mi robić wymówki o to, że robię wino porzeczkowe i że zawsze powtarzałam, iż takie wino domowej roboty nie może nikomu zaszkodzić. Powiedziałam jej na to bez ogródek, że nikt rozsądny nie wypija naraz trzech pełnych szklanek, cokolwiek by to było, i gdyby moje dziecko było aż tak łakome, na pewno zaraz by wytrzeźwiało, bo spuściłabym mu tęgie lanie.

Maryla, bardzo poruszona, przemknęła do kuchni, zostawiając za sobą na ganku małą, niezwykle strapioną duszyczkę. Po chwili Ania wymknęła się z gołą głową w chłodny jesienny zmierzch. Zdecydowanym, równym krokiem przemierzyła pole wyschniętej koniczyny i zeszła w dół, kierując się w stronę drewnianego mostku, a potem znów pięła się w górę, przez świerkowy zagajnik oświetlony bladym światłem nisko zawieszonego księżyca. Pani Barry podeszła do drzwi, słysząc nieśmiałe pukanie, i na progu ujrzała skruszoną osóbkę o pobladłych ustach i płonących oczach.

Twarz pani Barry natychmiast stężała, matka Diany bowiem niezwykle łatwo nabierała uprzedzeń, a gdy się do kogoś zraziła, jawnie okazywała swoją niechęć. Długo też żywiła w sercu urazę, a ten rodzaj chłodnego, ponurego zacięcia się w sobie najtrudniej jest zawsze pokonać. Była naprawdę przekonana, że Ania celowo upiła Dianę, że miała złe zamiary, toteż za wszelką cenę chciała uchronić swoją małą córeczkę od zepsucia, jakie w jej mniemaniu groziło ze strony źle wychowanego dziecka.

— Po co tutaj przyszłaś? — zapytała chłodnym tonem.

Ania zacisnęła dłonie.

— Och, pani Barry, proszę mi wybaczyć. Ja nie chciałam doprowadzić Diany do... do stanu upojenia. Jak mogłabym coś podobnego zrobić? Niech pani spróbuje sobie wyobrazić, że to pani jest biedną sierotą, przygarniętą przez dobrych ludzi, i że na całym świecie ma pani tylko jedną, jedyną przyjaciółkę od serca. Czy starałaby się pani odurzyć ją alkoholem? Myślałam, że podaję jej syrop malinowy. Byłam święcie przekonana, że to syrop. Och, tak panią proszę, niech mi pani pozwoli bawić się z Dianą. Jeżeli mi pani tego zabroni, żałość okryje moje serce niczym straszliwa czarna chmura.

Tego rodzaju przemowa, która w okamgnieniu zmiękczyłaby poczciwe serce pani Linde, nie wywarła jednak pożądanego wrażenia na pani Barry, tylko jeszcze bardziej ją rozdrażniła. Podejrzliwie przysłuchiwała się pełnemu egzaltacji wystąpieniu Ani i obserwowała jej teatralne gesty, po czym przyszło jej na myśl, że dziewczynka zwyczajnie się z niej naigrawa. Odezwała się więc chłodno i okrutnie:

— Nie uważam, abyś stanowiła właściwe towarzystwo dla Diany. Lepiej zrobisz, jak wrócisz do domu i nauczysz się odpowiedniego zachowania.

Usta Ani zadrżały.

— Nie pozwoli mi pani nawet pożegnać się z Dianą? — błagała.

— Diana pojechała z ojcem do Carmody — odpowiedziała pani Barry, wchodząc do środka i zamykając za sobą drzwi.

Ania wróciła do domu zrozpaczona, ale bardzo spokojna.

— Straciłam ostatnią nadzieję — zwróciła się do Maryli. — Poszłam osobiście zobaczyć się z panią Barry, ale ona potraktowała mnie bardzo niegrzecznie. Marylo, myślę, że ona nie jest dobrze wychowana. Nie pozostaje mi nic innego, jak się modlić. Nie mam jednak wielkiej nadziei, że to coś da, ponieważ nie wierzę, żeby na taką upartą osobę jak pani Barry ktokolwiek mógł mieć wpływ, nawet i sam Pan Bóg.

— Aniu, nie powinnaś opowiadać takich rzeczy — zganiła ją Maryla, starając się stłumić wielce niestosowny w tym momencie śmiech, do którego, ku swojemu zdumieniu i konsternacji, przejawiała coraz większą skłonność. I rzeczywiście, kiedy wieczorem opowiadała bratu całą historię, zaniosła się serdecznym śmiechem na wspomnienie wszystkich udręk, które ciągle spadały na Anię.

Jednakże zanim udała się na spoczynek, zajrzała jeszcze do pokoiku na poddaszu i domyśliła się, że Ania przed zaśnięciem bardzo płakała. Wówczas Maryla poczuła, że zalewa ją wielka, niespotykana u niej fala czułości.

— Biedna mała — powiedziała szeptem, odsuwając z zapłakanej twarzyczki dziecka niesforny lok. Następnie pochyliła się nad poduszką i ucałowała zaróżowiony policzek dziewczynki.

ANIA ODZYSKUJE CHĘĆ DO ŻYCIA

Następnego popołudnia Ania, siedząc w kuchni przy oknie i pochylając się nad patchworkiem, wyjrzała znienacka na dwór i przy Źródle Nimf dostrzegła Dianę, która dawała jej jakieś tajemnicze znaki. W okamgnieniu wybiegła przed dom i pognała w stronę doliny, w jej pełnych wyrazu oczach pojawiały się na przemian nadzieja i zdumienie. Nadzieja jednak prysła, gdy zobaczyła przygnębioną twarz Diany.

— I co, twoja mama nie zmieniła zdania? — powiedziała, z trudem łapiąc oddech.

Diana pokręciła smutno głową.

— Nie. Och, Aniu, ona mówi, że już nigdy nie pozwoli mi się z tobą bawić. Płakałam i płakałam, tłumaczyłam, że to nie była twoja wina — wszystko na nic. Bez przerwy ją prosiłam i starałam się nakłonić wszelkimi sposobami, żeby pozwoliła mi chociaż się z tobą pożegnać. Powiedziała, że będę mogła zostać tylko dziesięć minut i że będzie patrzyła na zegar.

— Dziesięć minut to niezbyt wiele jak na ostateczne pożegnanie — odezwała się Ania ze łzami w oczach. — Och, Diano, czy dochowasz mi wierności i obiecasz, że nigdy nie zapomnisz przyjaciółki z czasów młodości, nawet jeśli spotkasz później inne, droższe ci osoby, które napełnią twe serce słodyczą?

— Obiecuję — załkała Diana. — Nigdy też nie będę miała innej przyjaciółki od serca — nie chcę żadnej innej. Nikogo już nie mogłabym pokochać tak jak ciebie.

— Och, Diano! — zawołała Ania, zaciskając dłonie. — Naprawdę mnie kochasz?

— Pewnie, że tak. Nie wiedziałaś o tym?

— Nie — Ania wzięła głęboki oddech. — Myślałam, że mnie lubisz, ale nigdy nie miałam nadziei, że mnie pokochasz. Wiesz, Diano, nie sądziłam, że kiedykolwiek ktoś obdarzy mnie miłością. Wszak nikt nigdy mnie nie kochał, odkąd tylko sięgam pamięcią. Och, jakie to cudowne uczucie! Niechaj ten jasny promień światła już po wsze czasy oświetla mi w ciemnościach drogę, którą będę podążać samotnie, rozłączona z tobą, Diano. Och, proszę, powiedz mi to jeszcze raz.

— Kocham cię całym sercem, Aniu — powiedziała z wielkim oddaniem Diana. — Zawsze będę cię kochać, możesz być tego pewna.

— I ja ciebie, Diano — oświadczyła Ania, wyciągając przed siebie rękę, tak jakby składała uroczystą przysięgę. — W latach, które nadejdą, pamięć o tobie będzie błyszczała niczym najjaśniejsza gwiazda nad mym samotnym życiem — tak właśnie było napisane w tej książce, którą czytałyśmy ostatnio razem. Diano, czy na pamiątkę naszego rozstania mogłabyś ofiarować mi pukiel twoich czarnych jak heban włosów, tak bym sprawowała nad nim pieczę po wieczne czasy?

— A masz coś, czym można by taki lok uciąć? — zapytała rozsądnie Diana, ocierając z twarzy łzy, które popłynęły jej po policzkach pod wpływem podniosłych słów Ani.

— Na szczęście mam w kieszeni fartucha nożyczki, których używam, gdy siedzę nad patchworkiem. — Ania uroczyście dokonała obcięcia pasma włosów Diany.

— Diano, tyś najdroższą przyjaciółką mą, żegnaj na wieki. Odtąd przyjdzie nam żyć w rozłączeniu, choć tak blisko siebie. Moje biedne serce zawsze będzie biło tylko dla ciebie.

Ania stała i patrzyła, jak Diana znika z pola widzenia. Ilekroć Diana odwracała się, Ania ze smutkiem machała jej ręką na pożegnanie. Kiedy wróciła do domu, nie znajdowała żadnego pocieszenia w tym, że rozstanie wypadło tak romantycznie.

— Wszystko skończone — oznajmiła Maryli. — Nigdy już nie będę miała żadnej przyjaciółki. Czuję się gorzej niż kiedykolwiek, bo nie ma przy mnie ani Katie Maurice, ani Violetty. Zresztą nawet gdyby były, niewiele by to zmieniło. Po tym, jak zakosztowałam prawdziwej przyjaźni, wymyślone przyjaciółki już mi nie wystarczą. Rozstałam się z Dianą tam, na dole, przy strumieniu, było to takie romantyczne pożegnanie. Na zawsze pozostanie w mej pamięci. Starałam się używać najbardziej podniosłych słów, jakie tylko przyszły mi na myśl. Przecież: „Tyś przyjaciółką mą" brzmi o wiele bardziej romantycznie niż zwykłe: „Jesteś moją przyjaciółką". Diana podarowała mi kosmyk swoich włosów, mam zamiar zaszyć go w małym woreczku, który będę nosić na szyi do końca życia. Proszę cię, Marylo, dopilnuj, aby włożono mi go do trumny, bo nie sądzę, żebym miała pożyć jeszcze długo. Być może gdy pani Barry ujrzy mnie zimną już i martwą, to poczuje jakieś wyrzuty sumienia i pozwoli Dianie wziąć udział w pogrzebie.

— Nie sądzę, abyś miała umrzeć z rozpaczy, skoro nadal potrafisz tyle mówić — powiedziała Maryla, nie okazując szczególnego współczucia.

W następny poniedziałek Maryla zdumiała się na widok Ani, która zeszła z góry z koszykiem pełnym książek. Widać było, że dziewczynka powzięła jakieś mocne postanowienie, o czym świadczyły zaciśnięte usta.

— Wracam do szkoły — oświadczyła. — Tylko to mi pozostało w życiu, skoro siłą i bezlitośnie odebrano mi moją przyjaciółkę. W szkole mogę przynajmniej na nią popatrzeć i przypomnieć sobie dawne dni.

— Lepiej byłoby, gdybyś przypomniała sobie matematykę i inne lekcje — powiedziała Maryla, kryjąc zadowolenie z tak pomyślnego obrotu sprawy. — Jeżeli już zdecydowałaś się wrócić do szkoły, to mam nadzieję, że nie usłyszymy więcej o rozbijaniu tabliczek na czyjejś głowie, tudzież o innych podobnych wybrykach. Pamiętaj, żeby się dobrze zachowywać i słuchać nauczyciela.

— Spróbuję być wzorową uczennicą — zgodziła się żałosnym głosem Ania. — Nie przypuszczam jednak, aby to mogło być przyjemne. Kiedyś pan Phillips powiedział, że Minnie Andrews jest wzorową uczennicą, a przecież ona nie ma za grosz wyobraźni czy choćby iskry życia w sobie. Jest taka jakaś nudna, niemrawa i niczym nie potrafi się cieszyć. Ale ponieważ jestem teraz tak bardzo przygnębiona, sądzę, że bycie wzorową uczennicą przyjdzie mi z łatwością. Pójdę do szkoły główną drogą. Nie mogłabym iść Ścieżką Brzóz zupełnie sama. Zalałabym się chyba gorzkimi łzami.

Ania została powitana w szkole z otwartymi ramionami. Dzieciom bardzo brakowało w czasie zabaw jej pomysłowości, z rozrzewnieniem wspominały, jak razem z nimi śpiewała i jak wspaniale modulowała głos, czytając głośno książki podczas przerwy obiadowej. Ruby Gillis przemyciła dla niej aż trzy śliwki, a gdy klasa studiowała Biblię, Ella May MacPherson wycięła z okładki katalogu ogrodniczego wielki żółty bratek — tego rodzaju ozdoba szkolnej ławki była wówczas bardzo ceniona w Avonlea. Zosia Sloane obiecała nauczyć Anię dziergać nowy, bardzo elegancki wzór koronki, która wprost idealnie nadawała się do wykańczania brzegów fartuszka. Kasia Boulter podarowała jej pustą buteleczkę po perfumach z przeznaczeniem na wodę do mycia tabliczki, a Julia Bell starannie wykaligrafowała na różowym, obrzeżonym ząbkami papierze następujące wyznanie:

Dla Ani

Gdy zmierzch otuli niebo
Płaszczem złotych gwiazd,
Pamiętaj, że na wieki
Przyjaciółkę masz.

— Miło jest, gdy ktoś nas docenia — westchnęła z zachwytem dziewczynka, kiedy wieczorem opowiadała o wszystkim Maryli.

Koleżanki nie były jedynymi osobami w szkole, które „doceniły" Anię. Gdy wróciła na swoje miejsce po przerwie obiadowej — a siedziała teraz na polecenie pana Phillipsa razem z wzorową Minnie Andrews — znalazła na swojej ławce olbrzymie, soczyste jabłko. Już miała je ugryźć, gdy nagle przypomniała sobie, że ten gatunek rośnie tylko w starym sadzie państwa Blythe, po drugiej stronie Jeziora Lśniących Wód. Ania natychmiast wypuściła owoc z rąk, jak gdyby to był rozżarzony węgielek, i ostentacyjnie wytarła ręce chusteczką. Jabłko pozostało na jej ławce aż do następnego ranka, kiedy to mały Timothy Andrews, który zamiatał szkołę i rozpalał ogień w piecach, wziął je sobie, uznając, że jest to rodzaj premii. Ze zdecydowanie lepszym przyjęciem spotkał się rysik do tabliczki przysłany przez Karola Sloane'a, owinięty ładnym papierem w żółte i czerwone paseczki. Taki rysik wart był aż dwa centy, podczas gdy zwykłe kosztowały tylko jednego. Dziewczynka łaskawie przyjęła prezent i nagrodziła ofiarodawcę uśmiechem, który wprowadził zauroczonego nią chłopca w stan takiego uniesienia, że pisząc dyktando, narobił fatalnych błędów, a w rezultacie pan Phillips kazał mu zostać po lekcjach i wszystko przepisać.

Jednakże podobnie jak:

Pogrzeb Cezara bez posągu Bruta
Wskazał nam Rzymu najlepszego syna!*

— tak samo całkowity brak zainteresowania i jakichkolwiek dowodów sympatii ze strony Diany Barry, która siedziała teraz obok Gertie Pye, wysuwał się na pierwszy plan i zatruwał Ani radość z powrotu do szkoły.

— Diana mogłaby chociaż raz uśmiechnąć się do mnie — skarżyła się Maryli w czasie wieczornej rozmowy. Ale następnego ranka, szkolną pocztą, dotarła do Ani mała, misternie, choć ze strachem składana karteczka oraz niewielka paczuszka.

Droga Aniu — brzmiała wiadomość. — *Mama zabrania mi z Tobą rozmawiać i bawić się, nawet gdy jestem w szkole. To nie moja wina i proszę Cię, nie bądź na mnie zła, bo kocham Cię cały czas tak samo jak dawniej. Bardzo chciałabym zwierzyć Ci się ze wszystkich moich sekretów, a Gertie Pye nie polubiłam ani trochę. Z czerwonej bibułki zrobiłam dla Ciebie nową zakładkę do książki. Takie zakładki są teraz bardzo modne i tylko trzy dziewczynki w klasie wiedzą, jak je robić. Gdy będziesz na nią patrzyć, przypomnij sobie o mnie.*

Twoja szczerze oddana przyjaciółka
Diana Barry

---

* George Gordon Byron (1788–1824), *Wędrówki Childe Harolda*, pieśń czwarta, przekł. J. Kasprowicz, J. Paszkowski (przyp. tłum.).

Ania przeczytała liścik, ucałowała zakładkę i czym prędzej skreśliła odpowiedź, ażeby przesłać ją na drugi koniec klasy.

Moja droga Diano, oczywiście, że się na Ciebie nie gniewam, bo wiem, że musisz słuchać mamy. Morzemy jednak łączyć się z sobą na sposób duchowy. Na zawsze zatrzymam sobie Twój piękny podarek. Minnie Andrews jest bardzo miła — chociaż bez wyobraźni — jednak gdy Dianę miało się za przyjaciółkę, żadna Minnie nie może jej zastąpić. Proszę, wybacz mi błędy, bo z moją ortografią jeszcze nie jest najlepiej, choć widać już poprawę.

Twoja aż po grub
Ania vel Kordelia Shirley

PS Włożę sobie Twój list pod poduszkę i będę z nim spać
A. vel K.S.

Maryla spodziewała się większych kłopotów w związku z powrotem Ani do szkoły. Na razie jednak nic strasznego się nie wydarzyło. Może był to zbawienny wpływ „wzorowej" Minnie Andrews; w każdym razie Ania doszła do porozumienia z panem Phillipsem. Całym sercem oddała się nauce, ponieważ koniecznie chciała udowodnić, że nie jest gorsza z żadnego przedmiotu od Gilberta Blythe'a. Rywalizacja między nimi stała się bardzo widoczna. Gilbert przystąpił do niej w dobrej wierze, czego nie można było, niestety, powiedzieć o Ani, która odznaczała się mało chwalebną cechą, była mianowicie niezwykle pamiętliwa. Z taką samą pasją nienawidziła, jak kochała. Za nic nie zniżyłaby się do tego, żeby otwarcie przyznać, iż chce z Gilbertem walczyć na stopnie, wydałoby się bowiem, że zwraca na niego uwagę, a Ania za wszelką cenę pragnęła go ignorować. Rywalizacja była jednak faktem i palma pierwszeństwa przypadała raz jednej, raz drugiej stronie. To Gilbert był najlepszy z ortografii, to znowu wysuwała się na prowadzenie rudowłosa Ania, która co chwila odrzucała do tyłu swe długie warkocze. Pewnego dnia Gilbert poprawnie rozwiązał wszystkie zadania z matematyki i w nagrodę nauczyciel wpisał jego nazwisko na listę wyróżnionych uczniów, którą umieszczał na tablicy. Już nazajutrz Ania, która poprzedniego wieczora zaciekle studiowała ułamki dziesiętne, także osiągnęła ten zaszczyt. Aż nadszedł dzień, który Ania zaliczyła do okropnych. Oboje spisali się jednakowo dobrze i, ku rozpaczy dziewczynki, ich nazwiska znalazły się na liście tuż obok siebie. Chociaż nie towarzyszył temu komentarz: „zakochana para", było to niemal tak samo przykre doświadczenie. Katusze, jakich doznawała wtedy Ania, były równie oczywiste jak satysfakcja malująca się na twarzy Gilberta. Napięcie sięgało zenitu, gdy pod koniec każdego miesiąca trzeba było pisać sprawdziany. W pierwszym miesiącu Gilbert był o trzy oceny lepszy. W następnym Ania z kolei uzyskała pięć wyższych not. Jej radość ze zwycięstwa mącił jednak fakt, że Gilbert serdecznie jej pogratulował, i to w dodatku przed całą szkołą. Czułaby się znacznie lepiej, gdyby widziała, że należycie odczuł gorycz porażki.

Pan Phillips może i kiepsko nauczał, ale uczeń tak bardzo przykładający się do nauki jak Ania zrobiłby postępy bez względu na umiejętności nauczyciela. Pod koniec semestru Ania i Gilbert otrzymali promocję do piątej klasy i mogli zacząć się uczyć nowych przedmiotów, takich jak łacina, geometria, francuski i algebra. Geometria okazała się dla Ani tym, czym dla Napoleona było Waterloo.

— Ten przedmiot jest naprawdę straszny — skarżyła się Maryli. — Jestem pewna, że nigdy się nie połapię, o co w tej geometrii chodzi. Tutaj nic a nic nie można sobie wyobrazić. Pan Phillips powiedział, że jeszcze nie widział, aby ktoś był taki tępy z geometrii. A Gil... a inni uczniowie tak sobie dobrze z nią radzą. To dla mnie prawdziwa męka, Marylo. Nawet Dianie lepiej idzie niż mnie. Nie znaczy to, że mam jej to za złe. Mimo że teraz mijamy się, jakbyśmy się nie znały, nadal bardzo ją kocham i nic nie zdoła ugasić we mnie tego uczucia. Czasami, gdy myślę o Dianie, robi mi się tak strasznie smutno. Ale przecież świat jest taki ciekawy, Marylo, więc czy można długo się martwić?

ANIA SPIESZY NA RATUNEK

Wielkie rzeczy tego świata zawsze mają jakiś wpływ na rzeczy małe. Pozornie wizyta kanadyjskiego premiera na Wyspie Księcia Edwarda nie powinna mieć wiele, czy choćby cokolwiek wspólnego z losami małej Ani Shirley z Zielonego Wzgórza — a jednak miała.

Był akurat styczeń, kiedy premier wybrał się w podróż, aby spotkać się zarówno ze swymi wiernymi wyborcami, jak i przeciwnikami, którzy również wzięli udział w ogromnym wiecu, zorganizowanym w Charlottetown. Większość mieszkańców Avonlea popierała politykę premiera, dlatego prawie wszyscy mężczyźni, a także spora liczba kobiet, pojechali do oddalonego o trzydzieści mil miasta. Udała się tam również pani Małgorzata Linde. Ponieważ namiętnie lubiła rozprawiać o polityce, była święcie przekonana, że żaden wiec nie może się odbyć bez jej udziału, chociaż sama zaliczała się raczej do opozycji. Tak więc wybrała się do miasta i zabrała ze sobą męża — Tomasz mógł się przydać, gdyby trzeba było przypilnować konia. Zaprosiła także pannę Cuthbert. Maryla skrycie bardzo interesowała się polityką, a poza tym uznała, że będzie to jedyna szansa, aby zobaczyć premiera, dlatego szybko podchwyciła propozycję wyjazdu. Mateusz i Ania mieli zająć się domem do czasu jej powrotu następnego dnia.

W czasie gdy Maryla i pani Linde przebywały na wiecu, Ania i Mateusz mieli całą kuchnię do swojej dyspozycji. Jasny ogień płonął w staromodnym piecyku firmy Waterloo, a na szybach skrzyły się błękitnobiałe kryształki lodu. Mateusz zdrzemnął się na sofie nad *Poradnikiem farmera*, a Ania z ponurym zacięciem starała się skupić na nauce, co chwila jednak posyłała tęskne spojrzenia w kierunku półki z zegarem, na której spoczywała nowa książka, pożyczona tego właśnie dnia od Jane Andrews. Właścicielka książki zapewniała, że opisana w niej historia z pewnością przejmie Anię dreszczem. Dziewczynkę korciło, aby się o tym przekonać. Jednak gdyby uległa, Gilbert wziąłby następnego dnia górę w szkolnej rywalizacji. Ania odwróciła się plecami do półki i próbowała sobie wyobrazić, że książki wcale tam nie ma.

— Mateuszu, czy miałeś w szkole geometrię?

— Czy ja wiem, raczej nie — odparł Mateusz, budząc się nagle z drzemki.

— Szkoda — westchnęła Ania. — Wtedy mógłbyś mi bardziej współczuć. Nie można komuś naprawdę współczuć, jeśli samemu nigdy się nie było w podobnej sytuacji. Geometria kładzie się cieniem na całym moim życiu. Z tego przedmiotu jest ze mnie zupełna noga.

— E, chyba nie — odezwał się uspokajająco Mateusz. — Myślę, że doskonale sobie ze wszystkim radzisz. W zeszłym tygodniu spotkałem w sklepie u Blaira, w Carmody, twojego nauczyciela, pana Phillipsa. Powiedział mi, że jesteś najzdolniejszą uczennicą w szkole i robisz ogromne postępy. Tak właśnie się wyraził — robisz „ogromne postępy". Są i tacy, co to wyrzekają na niego i gadają, że Edward

Phillips jest kiepskim nauczycielem, ja jednak myślę sobie, że on jest w porządku.

Mateusz był bowiem zdania, że każdy, kto dobrze mówił o Ani, musiał być „w porządku".

— Jestem pewna, że lepiej by mi szło z tą geometrią, gdyby pan Phillips nie zmieniał ciągle liter — skarżyła się Ania. — Uczę się jakiegoś twierdzenia na pamięć, a on potem kreśli coś na tablicy i oznacza rysunek zupełnie innymi literami niż te, które są w książce, i przez to wszystko mi się gmatwa. Uważam, że nauczyciel nie powinien uciekać się do tak niecnych sposobów. Uczymy się teraz różnych rzeczy związanych z rolnictwem i wreszcie dowiedziałam się, dlaczego drogi są rdzawoczerwone. Od razu poczułam wielką ulgę. Ciekawe, jak tam się mają Maryla i pani Linde. Pani Małgorzata ciągle powtarza, że Kanada schodzi na psy, tak źle jest zarządzana przez tych z Ottawy, i że to powinno dać wyborcom sporo do myślenia. Ona mówi, że gdyby kobiety dopuszczono do głosowania, od razu każdy by zauważył zmiany na lepsze. A ty na kogo głosujesz?

— Na konserwatystów — prawie natychmiast odrzekł Mateusz. Głosowanie na konserwatystów uważał bowiem nieomal za świętość.

— W takim razie ja też zostanę konserwatystką — zdecydowanym głosem oświadczyła Ania. — Bardzo się z tego cieszę, bo Gil... to znaczy niektórzy chłopcy w naszej szkole uważają się za liberałów. Myślę, że pan Phillips również jest liberałem, no bo jest nim ojciec Prissy Andrews, a Ruby Gillis ciągle powtarza, że jak mężczyzna stara się o względy jakiejś kobiety, to musi zgadzać się z jej matką w kwestii religii, a z ojcem w sprawach polityki. Czy to prawda, Mateuszu?

— No, czy ja wiem... — odpowiedział Mateusz.

— A czy ty kiedyś starałeś się o względy jakiejś kobiety?

— Czy ja wiem, raczej nie — odparł Mateusz, któremu nigdy nawet nie przyszło do głowy, żeby się czymś takim zająć.

Ania pogrążyła się w rozważaniach, podpierając rękami podbródek.

— Wiesz, Mateuszu, to chyba musi być bardzo ciekawe, nie uważasz? Ruby Gillis mówi, że gdy dorośnie, będzie wodzić na sznurku niezliczoną ilość adoratorów i wszyscy będą za nią szaleć. Ja jednak uważam, że to byłaby przesada. Sama wolałabym mieć jednego, za to takiego z głową na karku. Ruby Gillis zna się na tych sprawach, bo ma kilka dorosłych sióstr, a pani Linde powtarza, że panny Gillis mają takie wzięcie jak ciepłe bułeczki. Pan Phillips zachodzi do Prissy Andrews prawie co wieczór. Mówi, że wstępuje, aby pomóc jej w lekcjach, tylko że Miranda Sloane również przygotowuje się do egzaminów do seminarium i o wiele bardziej potrzebuje, moim zdaniem, pomocy niż Prissy, bo jest o wiele od niej głupsza, ale do Mirandy pan Phillips jakoś nigdy wieczorami nie przychodzi. Wiele jest rzeczy na tym świecie, Mateuszu, których nie pojmuję.

— No cóż, ja też nie za bardzo mogę się w tym wszystkim rozeznać — szczerze przyznał Mateusz.

— Oj, chyba muszę wracać do lekcji. Dopóki nie skończę, nie wolno mi zajrzeć do tej nowej książki, którą pożyczyła mi Jane. Tylko że to taka straszna pokusa, Mateuszu. Nawet jak siedzę odwrócona do niej plecami, ciągle mam ją przed oczami. Jane mówi, że gdy czytała tę książkę, spłakała się do nieprzytomności. Lubię takie książki, przy których się płacze. Chyba będę musiała ją wynieść do szafy w dużym pokoju, tam gdzie Maryla trzyma dżemy, i oddać ci klucz. Pamiętaj, Mateuszu, abyś pod żadnym pozorem mi tego klucza nie wydawał, dopóki nie uporam się z lekcjami, nawet gdybym cię miała błagać na klęczkach. Łatwo powiedzieć: „nie ulegnę pokusie" — myślę jednak, że lepiej zwalczać pokusy, gdy nie ma się klucza. To może skoczę teraz do piwnicy i przyniosę kilka szarych renet, dobrze, Mateuszu? Może tobie też przynieść?

— No, nie wiem, może i miałbym ochotę — odpowiedział Mateusz, który nie lubił tego gatunku jabłek, ale dobrze wiedział, że Ania ma do nich słabość.

Gdy tylko Ania wynurzyła się z piwnicy, triumfalnie wnosząc talerz pełen jabłek, z zewnątrz dobiegł do kuchni odgłos czyichś kroków. Ktoś szedł po oblodzonym drewnianym podeście prowadzącym do domu. Za chwilę drzwi gwałtownie się otwarły i do środka wpadła Diana Barry. Twarz miała pobladłą i z trudem łapała oddech, głowę w pośpiechu omotała chustą. Widząc ją, Ania wypuściła z rąk świecę i talerz z jabłkami, tak była zdumiona. Wszystko z niesamowitym łomotem potoczyło się po schodach pod same drzwi piwnicy. Następnego ranka katastrofę odkryła Maryla; jabłka oblepione parafiną przedstawiały żałosny widok, jednak Maryla dziękowała Bogu, że dom nie poszedł z dymem.

— Co się stało, Diano? — zawołała Ania. — Czy twoja mama dała się w końcu uprosić?

— Och, Aniu, chodź zaraz — błagała niesamowicie zdenerwowana Diana. — Minnie May jest bardzo chora. Młoda opiekunka Mary Joe mówi, że to krup, a mama z tatą wybrali się do miasta i nie ma kto jechać po doktora. Minnie May czuje się naprawdę kiepsko i Mary Joe nie wie, co robić. Och, Aniu, tak bardzo się boję!

Mateusz bez jednego słowa sięgnął po czapkę i palto, prześlizgnął się obok Diany i zniknął w ciemnościach, które panowały na podwórzu.

— Poszedł zaprząc kasztankę, żeby jechać do Carmody po doktora — wyjaśniła Ania, która pospiesznie założyła na głowę kaptur i narzuciła na siebie płaszcz. — Wiem, że tak zrobił, chociaż nie wyrzekł ani słowa. Mateusz i ja rozumiemy się tak dobrze, że potrafię czytać w jego myślach.

— Chyba nie zastanie doktora w Carmody — łkała Diana. — Wiem, że doktor Blair pojechał do miasta i pewnie doktor Spencer również. Mary Joe nigdy nie widziała, jak się leczy krup, a pani Linde też wyjechała. Och, Aniu!

— Di, proszę cię, nie płacz — powiedziała pogodnym głosem Ania. — Bardzo dobrze wiem, co należy robić, gdy dziecko ma krup. Zapominasz, że pani Hammond miała bliźniaki, i to trzy razy z rzędu. Gdy trzeba się opiekować aż trzema parami bliźniąt, nabiera się sporo doświadczenia. One wszystkie przechodziły krup. Poczekaj, jeszcze wezmę ze sobą butelkę ipekakuany, to takie lekarstwo — nie wiadomo, czy macie je w domu. No to chodźmy.

Obie dziewczynki prędko wybiegły, trzymając się za ręce. Szły spiesznym krokiem Aleją Zakochanych, a następnie na przełaj przez zamarznięte pole, ponieważ śnieg był zbyt głęboki, aby można było pójść na skróty leśną drogą. Ania, choć szczerze zmartwiona chorobą Minnie May, nie mogła zapomnieć o romantycznej otoczce, która towarzyszyła całej tej sytuacji, i cieszyła się, że tak jak dawniej ma przy sobie bratnią duszę.

Noc była pogodna i mroźna. Hebanowa czerń zacienionych miejsc współgrała ze srebrem ośnieżonego zbocza. Olbrzymie gwiazdy świeciły nad pogrążonymi w ciszy polami. Tu i ówdzie wystrzelały w górę ciemne iglice obsypanych śniegiem jodeł, a pośród ich ośnieżonych gałęzi gwizdał wiatr. Ania pomyślała sobie, że dobrze jest mijać wszystkie te tajemnicze i piękne miejsca, mając u boku najlepszą przyjaciółkę, z którą tak długo była przecież rozdzielona — napawało ją to niekłamaną radością.

Trzyletnia Minnie May była naprawdę bardzo chora. Leżała na kuchennej sofie rozgorączkowana i niespokojna, a jej chropawy, świszczący oddech słychać było w całym domu. Mary Joe, pochodząca z Creek hoża francuska dziewczyna o szerokiej twarzy, wynajęta została przez panią Barry do pilnowania dzieci. Młoda opiekunka była jednak zupełnie bezradna i oszołomiona, niezdolna do podjęcia jakichkolwiek działań, nawet gdyby wiedziała, co należy robić.

Ania od razu umiejętnie zabrała się do rzeczy.

— Minnie May rzeczywiście ma krup. Wygląda dość kiepsko, ale widziałam już dzieci w gorszym stanie. Przede wszystkim potrzeba nam dużo gorącej wody. Diano, wody z czajnika wystarczy co najwyżej na jedną filiżankę! Dobrze, już go napełniłam! A ty, Mary Joe, nałóż trochę drewna do pieca. Nie obraź się, ale naprawdę mogłaś pomyśleć o tym wcześniej, gdybyś tylko zechciała ruszyć trochę głową. Rozbiorę teraz Minnie May i położę ją do łóżka, a ty, Diano, przygotuj kilka grubych ręczników. Przede wszystkim muszę podać małej dawkę ipekakuany.

Minnie May nie chciała zażyć leku, ale doświadczenie zdobyte podczas wychowywania trzech par bliźniaków pomogło Ani jakoś się z tym uporać. W ciągu tej długiej, niespokojnej nocy dziewczynki wiele razy podawały cierpiącej Minnie May lekarstwo, pracując przy niej z wielkim oddaniem i wykazując sporo cierpliwości. Także Mary Joe starała się, jak umiała — napaliła w piecu tak mocno, że ogień aż huczał, i nagotowała tyle wody, że leczeniu można by poddać cały szpital chorych na krup dzieci.

Była już trzecia w nocy, kiedy Mateusz przywiózł doktora. Zajęło mu to tak dużo czasu, gdyż musiał jechać aż do Spencervale. Najpoważniejszy kryzys już jednak minął. Minnie May poczuła się o wiele lepiej i mocno zasnęła.

— Byłam już bliska załamania — tłumaczyła Ania. — Małej robiło się coraz gorzej i gorzej. Coś podobnego nigdy nie przytrafiło się bliźniakom Hammondów, nawet tym najmłodszym. Naprawdę myślałam już, że mała Minnie May zadławi się na śmierć. Podałam jej cały zapas lekarstwa, a gdy odmierzałam ostatnią już dawkę, pomyślałam sobie — z czym nie zdradziłam się ani przed Dianą, ani przed Mary Joe, bo nie chciałam im dokładać zgryzoty — że właściwie nie ma już nadziei i że wszystkie nasze wysiłki poszły na marne. Musiałam tak sobie pomyśleć, żeby dać upust emocjom. Na szczęście po około trzech minutach mała odkaszlnęła flegmę i od razu jej się polepszyło. Niech pan sobie wyobrazi, doktorze, jaką poczułam wtedy ulgę, musi pan to sobie wyobrazić, bo mnie brakuje słów. Niektórych rzeczy po prostu nie da się wyrazić słowami, sam pan wie.

— Tak, doskonale to rozumiem — pokiwał głową doktor. Spojrzał na Anię takim wzrokiem, jakby tego, co o niej myślał, nie dało się ująć w słowa. Później jednak wyjawił swoją opinię państwu Barrym. — Ta mała rudowłosa dziewczynka, która mieszka u Cuthbertów, jest rzeczywiście tak mądra i bystra, jak o niej mówią. To ona ocaliła życie temu dziecku, bo ja przyjechałem tak późno, że nie byłoby już kogo ratować. Wykazała wielką przytomność umysłu i zaradność, jaką rzadko przejawiają dzieci w jej wieku. Nigdy nie zapomnę wyrazu jej oczu, gdy opowiadała mi, co po kolei robiła.

Był mroźny, rześki poranek, gdy Mateusz i Ania wracali na przełaj przez białe, rozległe pole, a potem pod migotliwym baldachimem klonów rosnących wzdłuż Alei Zakochanych. Powieki dziewczynki opadały, Ania była bowiem bardzo niewyspana, wciąż jednak skora do rozmowy.

— Och, Mateuszu, czy ten poranek nie jest cudowny? Świat wygląda tak, jakby Bóg wymyślił go dla własnej przyjemności, prawda? Wydaje się, że te drzewa są pokryte puchem, który można by zdmuchnąć jednym tchnieniem. Cieszę się, że świat przykrywa czasem biały szron, a ty? Cieszę się również, że wychowywanie trzech par bliźniaków pani Hammond na coś się w końcu przydało. Gdyby pani Hammond ich nie miała, nie wiedziałabym, jak pomóc małej Minnie May. Żałuję teraz, że wypominałam pani Hammond te bliźniaki. Ale wiesz co, Mateuszu, potwornie chce mi się spać. Nie mogę dzisiaj iść do szkoły. Na pewno zasypiałabym ze zmęczenia i udzielałabym samych głupich odpowiedzi. Jestem jednak zła, że muszę zostać w domu, bo Gil... to znaczy inni uczniowie okażą się potem lepsi ode mnie, a tak ciężko jest odzyskać raz utraconą pozycję — choć oczywiście im trudniej jest coś osiągnąć, tym większą ma się potem satysfakcję, no nie?

— Ja tam myślę, że dasz sobie radę — powiedział Mateusz, przyglądając się pobladłej twarzyczce Ani i głębokim cieniom pod jej oczami. — Najlepiej wskakuj do łóżka i dobrze się wyśpij. Ja się wszystkim zajmę.

Ania posłusznie poszła się położyć, spała długo i mocno, a gdy się zbudziła, było już późne popołudnie. Dziewczynka wstała i zeszła do kuchni, gdzie Maryla, która zdążyła już wrócić, siedziała nad robótką.

— Och, Marylo, czy widziałaś premiera? — wykrzyknęła od razu Ania. — A jak on wyglądał?

— Gdyby brać pod uwagę tylko jego wygląd, to nigdy nie powinien był zostać premierem. Jaki on ma nos! Ale za to potrafi wspaniale przemawiać. Byłam dumna z tego, że należę do konserwatystów. Małgorzata Linde, która popiera liberałów, oczywiście nie miała o nim dobrego zdania. Twój obiad jest w piekarniku, Aniu. Możesz też sobie wziąć trochę powideł śliwkowych ze spiżarni. Pewnie jesteś głodna. Mateusz opowiedział mi, co działo się ostatniej nocy. To prawdziwy cud, że wiedziałaś, co należy robić. Ja byłabym bezradna, bo nigdy nie widziałam nikogo chorego na krup. No dobrze, odłożymy wszystkie rozmowy na potem, jak już zjesz obiad. Widzę, że aż się rwiesz, żeby o wszystkim opowiedzieć, ale to może poczekać.

Maryla chciała powiedzieć Ani coś ważnego, ale postanowiła również trochę się z tym wstrzymać, jako że doskonale zdawała sobie sprawę, że w wyniku nadmiernego podekscytowania dziewczynka natychmiast straci apetyt i nie wykaże zainteresowania czymś tak przyziemnym jak obiad. Dopiero gdy Ania skończyła deser, Maryla powiedziała:

— Mama Diany była u nas dzisiaj po południu. Pragnęła się z tobą widzieć, ale nie chciałam cię budzić. Mówi, że uratowałaś Minnie May życie i że jest jej bardzo przykro z powodu tamtej afery z winem porzeczkowym, po której tak niesprawiedliwie cię osądziła. Pani Barry nareszcie uwierzyła, iż nie chciałaś celowo upić Diany, ma nadzieję, że jej wybaczysz i znowu będziecie się z Dianą bawić, tak jak dawniej. Jeżeli będziesz miała ochotę, to możesz do nich wstąpić dzisiaj wieczorem; Diana nie wyjdzie dziś na dwór, bo ubiegłej nocy złapała paskudne przeziębienie. No a teraz, moja Aniu, postaraj się nie ulecieć ze szczęścia prosto do nieba.

Ostrzeżenie nie było bezpodstawne, bo Ania czuła się tak uskrzydlona i wniebowzięta, że natychmiast poderwała się z miejsca. Jej twarz promieniała szczęściem.

— Och, Marylo, czy mogłabym pójść do niej od razu, przed zmywaniem naczyń? Obiecuję, że wszystko pozmywam zaraz po powrocie. Teraz czuję się tak nieziemsko szczęśliwa, że w żaden sposób nie mogłabym skupić się na równie przyziemnej robocie jak zmywanie naczyń.

— Dobrze, leć już do niej, leć — odezwała się pobłażliwie Maryla. — Aniu, wracaj mi tu zaraz, oszalałaś? Włóż coś na siebie. Chyba równie dobrze mogłabym przyzywać wiatr. Patrzcie ją, wypadła, tak jak stała, z gołą głową i bez palta. Leci teraz jak strzała przez sad z rozwianym włosem i tyleśmy ją widzieli. Łaska boska, jeżeli nie nabawi się ciężkiego przeziębienia.

Ania wracała do domu w podskokach. Wszędzie leżał śnieg, a wokół zapadł już fioletowy zimowy zmierzch. Daleko, w południowo-zachodniej części nieba, świeciła wspaniałym perłowym blaskiem gwiazda wieczorna. Niebo było lekko złotawe i pociągnięte delikatnym, zwiewnym różem. Wokół rozpościerały się białe, błyszczące od śniegu pola i ciemne wąwozy porośnięte świerkami. Delikatny dźwięk dzwoneczków brzękających u czyichś sań przypominał muzykę elfów i niósł się daleko po ośnieżonych wzgórzach; to zimowe granie nie było jednak słodsze niż radosna piosenka, która rozbrzmiewała w sercu i na ustach Ani.

— Marylo, widzisz przed sobą kogoś bez reszty szczęśliwego — oświadczyła dziewczynka. — Naprawdę, czuję się teraz niezmiernie szczęśliwa, tak, nawet pomimo rudych włosów. Przebywam chwilowo w świecie uniesień natury duchowej i takie rzeczy jak rude włosy nie mają do mnie dostępu. Pani Barry ucałowała mnie serdecznie, płakała i mówiła o tym, jak bardzo jest jej przykro i że nigdy nie będzie w stanie mi się odwdzięczyć. Poczułam się bardzo tym wszystkim zawstydzona i powiedziałam tylko najuprzejmiej, jak umiałam: „Nie żywię do pani żadnej urazy, pani Barry. Jeszcze raz chciałam panią zapewnić, że żadną miarą nie było moim celem doprowadzenie Diany do stanu upojenia alkoholowego i dlatego chciałabym to wszystko okryć płaszczem zapomnienia". Starałam się mówić najdostojniej, jak umiałam. Chyba nieźle mi poszło, Marylo? Wydaje mi się, że pani Barry zrozumiała, jaką krzywdę mi wyrządziła. Diana i ja bawiłyśmy się doskonale. Diana pokazała mi nowy, dość trudny ścieg szydełkowy, którego nauczyła ją ciocia mieszkająca w Carmody. Nikt w całym Avonlea nie zna tego ściegu, tylko my dwie i uroczyście przysięgłyśmy, że nikomu nie zdradzimy jego tajników. Diana podarowała mi piękną kartkę ozdobioną girlandami róż. Jest na niej nawet taki wierszyk:

Serce me tylko przy Tobie umie się weselić
I chyba śmierć jedynie może nas rozdzielić.

I tak rzeczywiście z nami jest, Marylo. Diana i ja mamy zamiar poprosić pana Phillipsa, żeby znowu pozwolił nam siedzieć w szkole razem. Gertie Pye może przecież przesiąść się do Minnie Andrews. Podwieczorek, który przygotowała pani Barry, był bardzo wytworny. Na stole stała najlepsza zastawa, tak jakbym była najmilej widzianym gościem. Nie umiem ci powiedzieć, jak wielką sprawiło mi to radość. Jeszcze nigdy przedtem nikt nie uhonorował mnie w ten sposób. Jedliśmy keks, torcik i pączki, i dwa rodzaje konfitur. A pani Barry zapytała mnie, czy napiję się herbaty, i poprosiła męża: „Kochanie, może byś tak podał Ani herbatniki?" To takie miłe, że wszyscy traktują mnie, jakbym już była dorosła. Wydaje mi się, Marylo, że w ogóle cudownie jest być dorosłym.

— No cóż, nie byłabym tego taka pewna — odparła Maryla z westchnieniem.

— Tak czy inaczej, kiedy już będę dorosła — zaczęła zdecydowanym tonem Ania — zawsze będę traktować małe dziewczynki tak, jakby już były dorosłe, i nigdy nie będę się z nich śmiała, nawet jeżeli ciągle będą używać wielkich słów. Wiem z własnego doświadczenia, jak łatwo jest zranić czyjeś uczucia. Po podwieczorku robiłyśmy z Dianą krówki. Trochę nam nie wyszło, chyba dlatego, że żadna z nas ich wcześniej nie robiła. Diana kazała mi mieszać w garnku składniki, a sama zajęła się smarowaniem blach. Zagapiłam się i wszystko się przypaliło. Gdy gotową masę, a raczej to, co zostało, wylałyśmy na blachę, aby ostygła, podszedł do niej kot, no i nici z cukierków. Ale samo mieszanie składników było naprawdę świetną zabawą. Potem, kiedy wychodziłam do domu, pani Barry oświadczyła, że mogę do nich przychodzić tak często, jak zechcę, a Diana stała w oknie i przesyłała mi całusy przez całą drogę, aż doszłam do Alei Zakochanych. Możesz być pewna, Marylo, że z wielką ochotą będę się dzisiaj modlić. Mam nawet zamiar ułożyć zupełnie nową modlitwę, ażeby uczcić ten szczęśliwy dzień.

KONCERT, KATASTROFA I WYZNANIE WINY

— Marylo, czy mogłabym na chwilę wyjść, żeby zobaczyć się z Dianą? — poprosiła któregoś lutowego wieczoru Ania, zbiegając na złamanie karku po schodach ze swojego pokoju.

— Nie bardzo rozumiem, po co miałabyś się włóczyć po ciemku — rzuciła szorstko Maryla. — Przecież razem z Dianą wracałaś ze szkoły, a potem jeszcze przez pół godziny stałyście na śniegu i trajkotałyście jak katarynki. Nie widzę więc powodu, żebyś znowu musiała do niej lecieć.

— Ale ona bardzo chce się ze mną zobaczyć — błagała Ania. — Ma mi coś bardzo ważnego do powiedzenia.

— Ciekawe, skąd ty o tym wiesz?

— Właśnie dała mi sygnał przez okno. Umówiłyśmy się, że będziemy dawać sobie znaki za pomocą świecy i kawałka tektury. Ustawiamy świecę na parapecie i przesłaniamy ją w równych odstępach czasu tekturą. Każda liczba błysków oznacza co innego. To był mój pomysł, Marylo.

— A jakże, nie mogło być inaczej — stwierdziła zrzędliwie Maryla. — Spodziewam się, że prędzej czy później ta głupia zabawa skończy się pożarem, bo od tych twoich sygnałów mogą zająć się zasłony.

— Och, Marylo, staramy się bardzo uważać. A ten system jest naprawdę ciekawy. Dwa błyski oznaczają pytanie: „Jesteś tam?" Trzy znaczą: „Tak", a cztery: „Nie". Pięć błysków znaczy: „Przyjdź jak najszybciej, bo mam ci coś ważnego do powiedzenia". Diana właśnie przed chwilą wysłała mi pięć błysków, więc naprawdę umieram z ciekawości, o co chodzi.

— No dobrze, w takim razie możesz odłożyć umieranie na kiedy indziej — odparła z sarkazmem Maryla. — Pozwalam ci do niej pójść, ale masz być z powrotem za dziesięć minut, pamiętaj.

Ania najwyraźniej dobrze wszystko zapamiętała, bo wróciła do domu w wyznaczonym czasie, chociaż pewnie żaden śmiertelnik nie byłby w stanie pojąć, jakim wyrzeczeniem dla niej było ograniczenie rozmowy z Dianą na ważny temat do kilku minut. Wykorzystała je jednak w stopniu doskonałym.

— Marylo, czy mogłabyś mi coś doradzić? Jutro są urodziny Diany, no i jej mama powiedziała, że mogłabym pójść do nich prosto po szkole i zostać na noc. Ich kuzyni z Nowych Mostów przyjeżdżają wielkimi saniami, bo jutro wieczorem chcą udać się na koncert do Klubu Dyskusyjnego. Zabraliby ze sobą również mnie i Dianę — to znaczy, oczywiście, jeżeli ty wyrazisz zgodę. Zgódź się, Marylo, dobrze? Nawet nie wiesz, jaka jestem podekscytowana.

— Możesz więc przestać się ekscytować, bo na pewno nie pojedziesz. Każdy powinien spać we własnym domu i we własnym łóżku, a co się tyczy koncertu w tym klubie, to zupełnie bezsensowny pomysł. Dziewczynki w ogóle nie powinny bywać w takich miejscach.

— Jestem pewna, że ten klub jest całkiem przyzwoity — przekonywała błagalnym głosem Ania.

— Nie mówię, że nie, ale nie mogę pozwolić na to, żebyś włóczyła się po koncertach i nie wracała na noc do domu. Ładna mi rozrywka dla dzieci. Jestem naprawdę zaskoczona, że pani Barry pozwala Dianie jechać.

— Ale to taka nadzwyczajna okazja — lamentowała Ania, będąc już na granicy płaczu. — W końcu Diana ma urodziny tylko raz w roku. Przecież urodziny nie zdarzają się codziennie. Prissy Andrews ma deklamować wiersz: *Wieczorem nie uderzą w dzwon*. To naprawdę doskonały, prawdziwie budujący utwór. Uważam, że powinnam go wysłuchać. A chór ma odśpiewać cztery wspaniałe, niezwykle wzruszające pieśni, które brzmią prawie jak hymn kościelny. Aha, Marylo, pastor też będzie brał udział w tym koncercie, tak, możesz mi wierzyć. Ma wygłosić przemówienie. To będzie prawie jak kazanie. Proszę cię, Marylo, czy będę mogła pojechać?

— Chyba słyszałaś, Aniu, co powiedziałam. Zdejmij buty i połóż się do łóżka. Jest już po ósmej.

— Zapomniałam o jeszcze jednej rzeczy, Marylo — odezwała się Ania, wyciągając ostatniego asa z rękawa. — Pani Barry powiedziała Dianie, że pozwoli nam spać w pokoju gościnnym. Wyobrażasz sobie, jaki to wielki honor, Marylo — twoja mała Ania w łóżku przeznaczonym tylko dla gości?

— Honor, nie honor, będziesz musiała się bez tego obyć. Proszę iść teraz do łóżka i nie chcę słyszeć ani słowa więcej.

Kiedy Ania cała we łzach udała się do swojego pokoju, Mateusz, który zdawał się drzemać na kanapie w czasie całej tej rozmowy, otworzył oczy i powiedział bardzo zdecydowanym głosem:

— Myślę, że powinnaś jej pozwolić pojechać na ten koncert.

— Nie ma mowy — opryskliwie odparła Maryla. — Kto tu w końcu zajmuje się wychowaniem Ani, ja czy ty?

— No, w zasadzie ty — przyznał Mateusz.

— W takim razie nie wtrącaj się.

— Gdzież tam, wcale się nie wtrącam. To, że mam na ten temat swoje zdanie, nie znaczy, że się wtrącam, ale moim zdaniem Ania powinna tam pojechać.

— Ty uznałbyś, że powinnam ją puścić, nawet gdyby umyśliła sobie polecieć na Księżyc, nie mam co do tego wątpliwości — niezwykle uprzejmie powiedziała Maryla. — Mogłabym się ostatecznie zgodzić na to, żeby została na noc u Diany. Ale co to za pomysł z tym koncertem? Pojedzie tam nie wiedzieć po co, przeziębi się, a na dodatek nabije sobie głowę jakimiś głupstwami i będzie potem chodzić podekscytowana przez cały tydzień. Dobrze poznałam osobowość Ani i lepiej od ciebie wiem, co jest dla niej dobre.

— Uważam, że powinnaś ją puścić — powtórzył stanowczo Mateusz.

Brat Maryli nie był co prawda dobry w uzasadnianiu swojego zdania, gdy jednak przy czymś się uparł, nic nie było go w stanie od tego odwieść. Maryla tylko westchnęła, wyrażając w ten sposób swoją bezradność, i pomyślała, że lepiej zrobi, jak zamilknie. Nazajutrz, gdy Ania zmywała naczynia po śniadaniu, Mateusz zatrzymał się w drodze do stodoły i znowu zagadnął Marylę:

— Myślę, że powinnaś jej pozwolić pojechać.

Przez chwilę Maryla robiła wrażenie, jakby zamierzała wyrzucić z siebie jakieś słowa, których wypowiadać nie należy, po czym odezwała się cierpko, świadoma, że nie ma innego wyjścia:

— No dobrze, zgadzam się, niech sobie jedzie, skoro tak ci to potrzebne do szczęścia.

Ania wybiegła ze spiżarni z kapiącą ścierką w ręku.

— Och, Marylo, wypowiedz jeszcze raz te błogosławione słowa.

— Myślę, że jeden raz w zupełności wystarczy. Mateusz to wymyślił, a ja umywam od tego ręce. Jak zachorujesz na zapalenie płuc z powodu spania w cudzym łóżku albo zawieje cię, kiedy wyjdziesz rozgrzana z sali po koncercie w środku nocy, wówczas nie obwiniaj mnie, lecz jego. Aniu, czy naprawdę nie widzisz, że zachlapałaś tą brudną wodą całą podłogę? Nigdy jeszcze nie widziałam równie nieodpowiedzialnego dziecka.

— Och, wiem, Marylo, że masz ze mną mnóstwo kłopotów — powiedziała ze skruchą Ania. — Tyle rzeczy robię źle. Z drugiej strony, wiele się nauczyłam i nie popełniam już tych samych błędów, a przecież mogłabym. Zaraz przyniosę trochę piasku i wyszoruję te plamy przed pójściem do szkoły. Och, Marylo, tak bardzo chciałam pojechać na ten koncert. Jeszcze nigdy w życiu nie byłam na żadnym koncercie, a kiedy inne dziewczynki w klasie opowiadają o swoich wrażeniach, czuję się zupełnie z tych rozmów wyłączona. Ty nie domyśliłaś się, jak mi z tego powodu przykro, a proszę — Mateusz się domyślił. On mnie rozumie. Miło jest, gdy ktoś nas rozumie, Marylo.

Nazajutrz Ania była zbyt podekscytowana, ażeby móc skupić się na lekcjach. Gilbert Blythe okazał się o wiele lepszy z ortografii i zupełnie Anię zdystansował w arytmetyce. Dziewczynka odczuwała jednak znacznie mniejsze upokorzenie, niż można by się tego spodziewać, miała bowiem w perspektywie koncert i spanie w łóżku tylko dla gości. Ona i Diana bez przerwy rozmawiały wyłącznie o tym i gdyby na miejscu pana Phillipsa był bardziej wymagający nauczyciel, na pewno zostałyby surowo upomniane.

Ania czuła, że nie przeżyłaby, gdyby nie mogła wziąć udziału w koncercie, cała bowiem szkoła mówiła tylko o tym. W Klubie Dyskusyjnym w Avonlea, gdzie zimą spotykano się regularnie, co dwa tygodnie, odbyło się już kilka mniejszych, darmowych imprez. Tym razem jednak miało to być wielkie wydarzenie. Wstęp kosztował dziesięć centów, a zebrane w ten sposób pieniądze planowano przeznaczyć na utrzymanie biblioteki. Młodzi ludzie z Avonlea ćwiczyli całymi tygodniami i właściwie wszyscy uczniowie żywo interesowali się koncertem, a to za sprawą swoich starszych braci i sióstr, którzy mieli brać w nim udział. Każdy uczeń, który ukończył dziewięć lat, liczył, że uda mu się pójść, z wyjątkiem może Karolki Sloane, której ojciec podzielał poglądy Maryli na temat udziału dziewczynek w wieczornych koncertach. Karolka Sloane przepłakała nad książką do gramatyki całe popołudnie, dochodząc w końcu do wniosku, że właściwie nie ma po co żyć.

Ania na dobre zaczęła się ekscytować wieczornym wyjściem, gdy lekcje się już skończyły, a podniecenie to narastało w niej przez cały czas, aż do rozpoczęcia koncertu — wtedy wpadła w zupełną ekstazę. Przyjęcie urodzinowe w domu Barrych było „niezwykle wytworne", aż wreszcie, w pokoiku Diany na pięterku, nastąpił radosny moment szykowania się na wielką galę. Diana ułożyła włosy Ani w nowym modnym stylu pompadour: zebrała je znad czoła i zaczesała do tyłu, zwijając w wykwintny lok, natomiast Ania z wielką wprawą zawiązała Dianie piękne kokardy. Gdy fryzury z przodu prezentowały się już należycie, dziewczynki zaczęły próbować na różne sposoby, jak by tu ułożyć włosy z tyłu głowy. Kiedy uznały w końcu, że są już gotowe do wyjścia, miały zarumienione twarze i błyszczące z podniecenia oczy.

Prawdą jest, że Ania poczuła w sercu małe ukłucie, gdy porównała swoją zwykłą czarną czapkę i uszyty przez Marylę niedopasowany szary paltocik o wąskich rękawach z fantazyjną futrzaną czapeczką i zgrabnym płaszczykiem

Diany. Na szczęście przypomniała sobie w porę, do czego służy wyobraźnia, i nie omieszkała się nią posłużyć.

Wkrótce potem przyjechali Murrayowie, kuzyni Diany z Nowych Mostów. Wszyscy stłoczyli się w wielkich, wyłożonych słomą saniach i ponakrywali futrami. Ania upajała się jazdą; sanie mknęły równo po gładkiej jak atłas drodze, a śnieg pod płozami przyjemnie skrzypiał. Czerwone słońce w całym swoim przepychu znikało za linią horyzontu, a ośnieżone wzgórza i niebieskie wody Zatoki św. Wawrzyńca stanowiły niezwykłą oprawę dla tego zjawiska, przypominały bowiem drogocenny puchar wysadzany perłami i szafirami, wypełniony po brzegi ogniem i winem. Zewsząd dobiegał brzęk dzwoneczków, a śmiechy, które słychać było w oddali, nieodparcie przywodziły na myśl wesołe głosy leśnych elfów.

— Och, Diano — westchnęła Ania, ściskając dłoń przyjaciółki wsuniętą w ciepłą rękawiczkę i schowaną pod futrem. — To chyba jakiś piękny sen. Czy ja naprawdę wyglądam tak samo jak zwykle? Czuję się tak, jakbym była zupełnie kimś innym, i ciekawa jestem, czy to po mnie widać.

— Wyglądasz bardzo ładnie — oświadczyła Diana, która dopiero co usłyszała komplement od jednej z kuzynek i uznała, że należy przekazać go dalej. — Masz śliczne rumieńce — powiedziała.

Program wieczoru był tak ułożony, że dostarczał mnóstwa rozkosznych dreszczy przynajmniej jednej osobie na sali, a ponadto, jak Ania wyznała Dianie, każdy z tych dreszczy był mocniejszy od poprzedniego. Kiedy Prissy Andrews, ubrana w nową bluzkę z różowego jedwabiu, ze sznurem pereł na gładkiej białej szyi i prawdziwymi goździkami we włosach — jak głosiła plotka, nauczyciel posłał po nie specjalnie aż do miasta — recytowała: „pięła się po śliskiej drabince, a wszędzie wokół gęstniał czarny mrok"* — Ania zadrżała i poczuła, że przenika ją dreszcz współczucia. A kiedy chór odśpiewał: „Tam w górze, wysoko ponad stokrotkami" — dziewczynka uniosła głowę i wpatrywała się w sufit, jakby widziała na nim freski przedstawiające anioły. Gdy Sam Sloane wystąpił ze skeczem o głupim Jasiu, tak bardzo się śmiała, że ludzie siedzący obok niej również zaczęli się śmiać, bardziej rozbawieni Anią niż samym dowcipem, który był tak oklepany, że nawet w Avonlea nie budził już większych emocji. Kiedy pan Phillips deklamował mowę Marka Antoniusza wygłoszoną nad martwym ciałem Cezara, uderzył w tak rzewne tony — pod koniec każdej linijki spoglądając na Prissy Andrews — że Ania poczuła, iż bez wahania wszczęłaby bunt, gdyby choć jeden rzymski obywatel wskazał jej drogę i poprowadził do walki.

Tylko jeden punkt programu zupełnie jej nie zainteresował — recytacja wiersza *Bingen nad Renem* w wykonaniu Gilberta Blythe'a. Ania wzięła do ręki książkę wypożyczoną przez Rhodę Murray z biblioteki i czytała ją aż do końca występu Gilberta. Gdy rozległy się oklaski, siedziała sztywno i bez ruchu, podczas gdy Dianę od klaskania rozbolały dłonie.

Do domu wróciły około jedenastej w nocy, zmęczone, ale szczęśliwe, że będą miały sobie tyle do opowiadania. Wszyscy domownicy już spali, było zupełnie ciemno i panowała cisza. Ania i Diana na palcach weszły do salonu, a było to długie i wąskie pomieszczenie, przez które przechodziło się do pokoju gościnnego. Wszędzie panowało przyjemne ciepło, a lekki półmrok rozświetlały jedynie rozżarzone węgle dogasające w palenisku.

---

* Niedokładny cytat z poematu Rosy Hartwick Thorpe (1850–1939) *Curfew Must not Ring To-night* (przyp. red.).

— Przebierzmy się tutaj — powiedziała Diana. — Tu jest tak ciepło i przyjemnie.

— Czy to nie był cudowny wieczór? — z zachwytem w głosie zapytała Ania. — To musi być wspaniałe uczucie, tak stać na scenie i recytować. Myślisz, Diano, że nas też kiedyś o to poproszą?

— Na pewno przyjdzie na to czas. Oni zawsze wybierają do recytacji najstarszych uczniów. Gilberta Blythe'a też zawsze proszą, chociaż jest tylko o dwa lata starszy od nas. Och, Aniu, jak mogłaś udawać, że go w ogóle nie słuchasz? Kiedy doszedł do tej linijki: „Jest jeszcze inna, lecz to nie ma siostra" — patrzył prosto na ciebie.

— Diano — odpowiedziała Ania z godnością. — Jesteś moją serdeczną przyjaciółką, więc w mojej obecności nawet nie wspominaj imienia tej osoby. Jesteś już gotowa, żeby pójść spać? Zróbmy wyścigi i zobaczmy, która z nas znajdzie się pierwsza w łóżku.

Diana podchwyciła pomysł Ani i dwie na biało ubrane postacie przebiegły przez długi salon, minęły drzwi do pokoju gościnnego i równocześnie wylądowały na łóżku. A wtedy coś się pod nimi poruszyło, stęknęło i krzyknęło stłumionym głosem:

— Na miłość boską!

Ania i Diana skoczyły jak oparzone i wybiegły z pokoju. Same nie wiedziały, kiedy, całe drżące, znalazły się na schodach.

— Och, kto to mógł być, co to było? — wyszeptała Ania, szczękając zębami z zimna i ze strachu.

— To musiała być ciotka Józefina — odparła Diana, dusząc się ze śmiechu. — Aniu, to była ciotka Józefina, mniejsza o to, skąd się tam wzięła. Na pewno będzie wściekła. Wiem, że to było straszne, po prostu straszne, ale z drugiej strony — czy kiedykolwiek przytrafiło ci się coś równie zabawnego, Aniu?

— Kim jest ta twoja ciotka Józefina?

— To ciotka mojego ojca, która mieszka w Charlottetown. Jest strasznie stara — ma chyba z siedemdziesiąt lat, czy coś koło tego — myślę, że nigdy nie była małą dziewczynką. Spodziewaliśmy się, że przyjedzie z wizytą, ale nie sądziliśmy, że to nastąpi tak prędko. Ona jest osobą z zasadami, bardzo dobrze wychowaną i na pewno nas skrzyczy za to, co się stało. No cóż, musimy się położyć obok Minnie May — nie wyobrażasz sobie, jak ona potrafi kopać przez sen.

Panna Józefina Barry nie pokazała się następnego dnia na porannym śniadaniu. Mama Diany uśmiechnęła się z sympatią do obu dziewczynek.

— Jak się udał wczorajszy wieczór? Próbowałam czekać aż do waszego powrotu, żeby powiedzieć wam, że przyjechała ciotka Józefina, i prosić, abyście poszły spać na górę, ale byłam, niestety, tak zmęczona, że zasnęłam. Mam nadzieję, że nie obudziłyście cioci?

Diana uznała, że bezpieczniej będzie pominąć pytanie milczeniem, ale obie z Anią wymieniły ukradkiem uśmiechy, w których poczucie winy mieszało się z rozbawieniem. Po śniadaniu Ania pobiegła szybko do domu i pozostała zupełnie nieświadoma awantury, do jakiej doszło niebawem w domu Barrych. Dowiedziała się o niej dopiero późnym popołudniem, gdy Maryla wysłała ją z jakąś sprawą do pani Linde.

— Słyszałam, że śmiertelnie przestraszyłyście biedną pannę Barry ubiegłej nocy? — oświadczyła pani Małgorzata poważnym głosem, ale i z wesołym błyskiem w oku. — Pani Barry była u mnie kilka minut temu — wstąpiła po drodze do Carmody. Jest bardzo zmartwiona. Starsza panna Barry była w okropnym nastroju, gdy rano wstała z łóżka. A kiedy Józefina Barry jest nie w humorze, to nie żarty, możesz mi wierzyć. Do Diany w ogóle przestała się odzywać.

— To nie była wina Diany — odparła Ania ze skruchą. — To stało się przeze mnie. Zaproponowałam, żebyśmy zrobiły wyścigi, która pierwsza znajdzie się w łóżku.

— Czułam, iż tak właśnie było — powiedziała pani Linde, zadowolona, że znowu miała rację i tak łatwo domyśliła się wszystkiego. — Wiedziałam, że to musiał być twój pomysł. Wynikła z tego tylko masa kłopotów, ot co. Panna Barry przyjechała z wizytą na cały miesiąc, ale teraz oświadczyła, że nie zostanie ani dnia dłużej i jutro z samego rana wraca do miasta, pomimo niedzieli i rozmaitych innych rzeczy. Zapewne wyjechałaby już dzisiaj, gdyby tylko państwo Barry mogli ją odwieźć. Wcześniej obiecała płacić przez cały kwartał za lekcje muzyki Diany, ale teraz obraziła się i oświadczyła, że nie da takiemu wisusowi ani grosza. Niezły to musiał być poranek. Państwu Barry na pewno jest bardzo przykro. Panna Barry jest bogata i niewątpliwie woleliby utrzymywać z nią dobre stosunki. Oczywiście pani Barry niczego takiego nie powiedziała, ale ja domyśliłam się wszystkiego, bo dobrze znam się na ludziach, bez dwóch zdań, ot co.

— Bo ja mam ciągle takiego strasznego pecha — jęknęła Ania. — Zawsze wpadam w tarapaty i wciągam w nie jeszcze moich przyjaciół — ludzi, za których mogłabym przelać krew. Może pani wie, dlaczego tak się dzieje?

— Jesteś po prostu zbyt impulsywna, moje dziecko, ot co. Bez przerwy masz jakieś szalone pomysły, a cokolwiek przyjdzie ci do głowy, zaraz o tym mówisz lub robisz to bez chwili zastanowienia.

— Och, ale przecież na tym polega cała przyjemność — zaprotestowała Ania. — Coś przychodzi nam do głowy, jakiś niesamowity pomysł i natychmiast trzeba go zrealizować. Jeżeli zaczynamy się zastanawiać, cała zabawa na nic. Czy pani tak nie uważa?

Pani Linde najwyraźniej nie podzielała zdania Ani, bo pokręciła tylko mądrze głową:

— Musisz się nauczyć, że trzeba się porządnie zastanowić, zanim coś się zrobi, ot co. Zapamiętaj sobie to przysłowie: „Najpierw patrz, a potem skacz" — szczególnie gdy masz zamiar wskoczyć do łóżka w pokoju dla gości.

Pani Linde roześmiała się ze swojego dowcipu, ale Ania dalej miała zatroskaną minę. Wcale nie było jej do śmiechu, wydawało się jej bowiem, że sprawa jest bardzo poważna. Kiedy wyszła od pani Linde, ruszyła przez zamarznięte pole w stronę Jabłoniowego Wzgórza. W drzwiach prowadzących do kuchni natknęła się na Dianę.

— Słyszałam, że twoja ciotka Józefina bardzo się pogniewała — powiedziała cicho.

— Tak, okropnie — odparła Diana, tłumiąc chichot i z obawą spoglądając przez ramię do środka. — Była strasznie zła, aż ją nosiło. Mówię ci, jak zrzędziła. Wygadywała, że jeszcze nigdy nie widziała, żeby dziewczynka tak okropnie się zachowywała, i że moi rodzice powinni się wstydzić, skoro nie potrafili mnie odpowiednio wychować. Stwierdziła, że nie zostanie tu ani dnia dłużej, ale mnie to wcale nie wzrusza. Tata z mamą bardzo się jednak martwią.

— Dlaczego im nie powiedziałaś, że to moja wina? — dopytywała się Ania.

— Myślałaś pewnie, że tak właśnie zrobię, co? — zapytała Diana wyniośle. — Nie jestem skarżypytą, a poza tym zawiniłam tak samo jak i ty.

— No cóż, w takim razie sama jej powiem — oznajmiła zdecydowanym głosem Ania.

Diana popatrzyła na przyjaciółkę zdumiona.

— Ależ Aniu, co ty mówisz? Przecież ona gotowa zjeść cię żywcem.

— Nie strasz mnie więcej, bo i tak jestem wystarczająco przestraszona — poprosiła Ania. — Prędzej już wolałabym znaleźć się pod lufą naładowanego działa, no ale cóż, nie mam innego wyjścia, Diano. Zawiniłam i teraz muszę się do tego przyznać. Na szczęście mam już w tym pewną wprawę.

— Ona jest teraz w pokoju — powiedziała Diana. — Możesz do niej wejść, skoro koniecznie chcesz. Ja za nic bym się nie odważyła. I nie sądzę, aby wynikło z tego cokolwiek dobrego.

W ten sposób zachęcona Ania wkroczyła do jaskini lwa — to znaczy podeszła pod drzwi dużego pokoju i delikatnie zapukała. Ze środka padło szorstkie: „Proszę wejść".

Panna Józefina Barry, osoba szczupła, pedantyczna i hołdująca bardzo surowym zasadom, siedziała przy kominku i zawzięcie dziergała coś na drutach. Nadal była bardzo zła i rzucała spoza okularów w złoconych ramkach gniewne spojrzenia. Obróciła się na krześle, spodziewając się ujrzeć Dianę, a zobaczyła bladą jak ściana dziewczynkę, w której oczach malowało się zarówno przerażenie, jak i determinacja.

— Kimże ty jesteś? — bezceremonialnie zapytała panna Józefina Barry.

— Jestem Ania z Zielonego Wzgórza — odpowiedział drżącym głosem mały gość, w charakterystyczny sposób zaciskając dłonie. Chciałabym coś wyznać, jeżeli pani pozwoli.

— Co takiego niby?

— To była moja wina, że wskoczyłyśmy z Dianą na łóżko, w którym pani spała. To ja wpadłam na taki pomysł. Ona sama nigdy by czegoś podobnego nie wymyśliła, jestem tego zupełnie pewna. Diana to prawdziwa dama, proszę pani. Nie można więc jej obwiniać, bo na to nie zasłużyła.

— Coś takiego! Myślę, że i ona miała w tym wszystkim swój udział, przynajmniej jeśli idzie o skakanie na łóżko. Dziewczynka z dobrego domu — cóż to za maniery?!

— Zrobiłyśmy to niechcący, w czasie zabawy. Powinna nam pani wybaczyć, skoro już przeprosiłyśmy za nasze zachowanie. Ale przede wszystkim chciałam panią prosić, panno Barry, żeby przebaczyła pani Dianie i pozwoliła jej brać te lekcje muzyki. Ona bardzo kocha muzykę, a ja już dobrze wiem, jak to jest, gdy człowiek całym sercem czegoś pragnie i nie otrzymuje tego. Jeśli koniecznie chce się pani gniewać, niech pani wyładuje swój gniew na mnie. Od wczesnego dzieciństwa zdążyłam się już przyzwyczaić, że ludzie się na mnie gniewają, więc łatwiej to zniosę niż Diana.

Gniew panny Barry trochę stopniał, a w oczach pojawiły się iskierki rozbawienia. Odezwała się jednak surowym tonem:

— Nie sądzę, aby to, że się bawiłyście, mogło was usprawiedliwiać. Kiedy ja byłam młoda, dziewczynki nie zabawiały się w taki sposób. Nie rozumiecie, co to znaczy być nagle wyrwanym z głębokiego snu, po długiej i męczącej podróży, przez dwie pannice skaczące bez opamiętania po łóżku.

— Nie wiem, ale łatwo mogę to sobie wyobrazić — dodała Ania. — Jestem przekonana, że musiała się pani czuć okropnie. Ale jest też i druga strona medalu. Niech pani spróbuje spojrzeć na całą historię naszymi oczami, jeśli pozwala pani na to wyobraźnia. Nie przyszło nam na myśl, że w tym łóżku ktoś śpi, więc śmiertelnie nas pani przestraszyła. Było to dla nas okropne przeżycie. A poza tym nie mogłyśmy spać w pokoju dla gości, chociaż wcześniej nam to obiecano. Myślę, że pani już niejeden raz spała w pokoju gościnnym. Proszę sobie jednak wyobrazić, cóż to miało być za przeżycie dla dziewczynki z sierocińca, która nigdy wcześniej nie dostąpiła podobnego zaszczytu.

Gniew panny Barry zupełnie minął. Starsza pani nawet zaczęła się śmiać, co sprawiło, że Diana, z niepokojem czekająca w kuchni na rozwój wypadków, poczuła niewysłowioną ulgę.

— Niestety, wydaje mi się, że moja wyobraźnia już trochę zardzewiała, od dawna jej bowiem nie używałam — powiedziała panna Barry. — Myślę, że zasługujecie na współczucie tak samo jak ja. Wszystko zależy od tego, z której strony się patrzy. Usiądź tutaj i opowiedz mi trochę o sobie.

— Niezmiernie mi przykro, ale nie mogę spełnić pani prośby — odparła Ania zdecydowanym głosem. — Chciałabym, bo wydaje się pani bardzo ciekawą osobą i być może ma pani w sobie coś z bratniej duszy, chociaż na pierwszy rzut oka tego nie widać. Muszę jednak wracać do domu, do panny Maryli Cuthbert. To bardzo miła osoba, która zgodziła się przyjąć mnie do swego domu i odpowiednio wychować. Stara się jak może, ale to bardzo niewdzięczna praca. Nie może jej pani winić za to, że skoczyłam na łóżko. Zanim pójdę, chciałabym się jeszcze dowiedzieć, czy wybaczy pani Dianie i zostanie w Avonlea tak długo, jak pani początkowo planowała.

— No nie wiem, może i zostanę, pod warunkiem że czasem do mnie wpadniesz porozmawiać — oznajmiła panna Barry.

Tego wieczoru panna Barry podarowała Dianie srebrną bransoletę i poinformowała pozostałych, dorosłych domowników, że na powrót rozpakowała swoje walizki.

— Postanowiłam zostać tylko dlatego, że chcę bliżej poznać tę małą Anię — powiedziała szczerze. — Ona wprawia mnie w dobry humor, a w moim wieku rzadko spotyka się kogoś, kto potrafiłby człowieka naprawdę rozśmieszyć.

Jedynym komentarzem Maryli do całej tej historii były słowa: „A nie mówiłam?" Tak naprawdę chodziło o to, aby usłyszał je Mateusz.

Panna Barry została miesiąc, a nawet trochę dłużej. Tym razem była znacznie milszym gościem niż zazwyczaj, Ania bowiem umiejętnie podtrzymywała jej dobry humor. Zostały prawdziwymi przyjaciółkami.

Na odjezdnym panna Barry powiedziała do Ani: „Moje drogie dziecko, pamiętaj, że kiedy przyjedziesz do miasta, koniecznie musisz mnie odwiedzić. Obiecuję, że przenocuję cię w najlepszym łóżku dla gości, jakie tylko uda mi się znaleźć w domu".

— Panna Barry okazała się jednak w końcu bratnią duszą — wyznała Ania Maryli. — Z początku wcale na to nie wyglądała, a jednak to prawda. Może nie jest taka jak Mateusz, ale gdy pozna się ją lepiej, nie można mieć wątpliwości. Bratnie dusze nie są więc aż taką rzadkością, jak kiedyś myślałam. To cudowne, że jest ich aż tyle na świecie.

DO CZEGO PROWADZI NADMIERNIE WYBUJAŁA WYOBRAŹNIA

Wiosna znowu zawitała na Zielone Wzgórze — była to piękna, lecz kapryśna kanadyjska wiosna, nadchodząca wolno, jakby z oporami. Przyjemne, tchnące świeżością kwietniowe i majowe dni wciąż były dosyć chłodne. Słońce zachodziło w różowej poświacie i po raz kolejny następował cud budzenia się do życia i wzrostu. Klony rosnące wzdłuż Alei Zakochanych miały czerwone pączki, a wokół Źródła Nimf wyłaniały się z ziemi młode, pozwijane liście paproci. Daleko na nieużytkach, które ciągnęły się za posiadłością Silasa Sloane'a, zakwitły zawilce; ich białe i różowe kwiatki, podobne do gwiazdek, wyglądały spomiędzy listków. Któregoś złotego popołudnia wszyscy uczniowie wybrali się na majówkę, aby je zrywać. O zmierzchu, gdy w czystym, rześkim powietrzu odzywało się echo, dzieci wróciły do domów, niosąc całe naręcza i pełne koszyczki zdobycznego kwiecia.

— Żal mi ludzi, którzy mieszkają w okolicach, gdzie nie rosną zawilce — powiedziała Ania. — Diana mówi, że może u nich kwitną ładniejsze kwiaty, ale co może być ładniejszego od zawilców, prawda, Marylo? Diana twierdzi też, że skoro ci ludzie nigdy zawilców nie widzieli, to wcale za nimi nie tęsknią. Ale ja uważam, że to właśnie jest najsmutniejsze. To po prostu tragiczne — nie wiedzieć, jak zawilce wyglądają, i za nimi nie tęsknić. Wiesz, co sobie czasem myślę, Marylo? Zdaje mi się, że te zawilce to dusze kwiatów obumarłych poprzedniego lata, a tutaj właśnie, na tych łąkach, jest ich raj. Ależ dzisiaj był udany dzień, Marylo. Zabraliśmy ze sobą jedzenie i poszliśmy do kotlinki; jest tam takie romantyczne miejsce w pobliżu starej studni, całe wyścielone mchem i ukryte pomiędzy dwoma niewielkimi pagórkami. Karol Sloane podpuścił Arty'ego Gillisa, aby przeskoczył z jednego brzegu parowu na drugi, ponad cembrowiną studni, i Arty oczywiście się zgodził, nie trzeba go było dwa razy prosić. Każdy na jego miejscu podjąłby to wyzwanie, bo popisywanie się różnymi wyczynami zrobiło się ostatnio w szkole bardzo modne. Pan Phillips ofiarował Prissy Andrews wszystkie zebrane przez siebie zawilce i dodał przy tym: „Piękno przyciąga piękno"*. Jestem pewna, że przeczytał to w jakiejś książce, ale i tak swoim zachowaniem udowodnił, że ma jednak trochę wyobraźni. Ja także zostałam obdarowana kwiatami, ale odrzuciłam je ze wzgardą. Nie mogę ci zdradzić, kto mi je ofiarował, bo przysięgłam sobie, że moje usta nigdy nie splamią się wypowiedzeniem tego imienia. Potem zbieraliśmy różne polne kwiatki i robiliśmy z nich wianki, którymi przystroiliśmy kapelusze. Kiedy trzeba już było wracać do domu, ustawiliśmy się parami i pomaszerowaliśmy drogą, śpiewając piosenkę *Mój dom na wzgórzu*. Na głowach mieliśmy nasze wianki, a w rękach bukiety kwiatów. To było naprawdę niesamowite przeżycie, Marylo, mówię ci. Cała rodzina pana Silasa Sloane'a wybiegła na gościniec,

* Cytat z *Hamleta* Szekspira. Słowa te odnosiły się do Ofelii (przyp. tłum.).

żeby nas zobaczyć, no i w ogóle każdy, kogo spotykaliśmy po drodze, zatrzymywał się i przyglądał naszej gromadzie. Wzbudzaliśmy prawdziwą sensację.

— I nic w tym dziwnego, skoro robiliście wokół siebie tyle szumu! — skomentowała Maryla.

Po zawilcach przyszła kolej na fiołki, które wypełniły kolorem Dolinę Fiołków. Przecinając ją w drodze do szkoły, Ania starała się iść ostrożnie i przyglądała się wszystkiemu z nabożną czcią, jak gdyby stąpała po świętej ziemi.

— Gdy tędy przechodzę — mówiła Dianie — jakoś zupełnie przestaje mnie obchodzić, czy Gil... lub ktokolwiek inny jest ode mnie lepszy w nauce, czy nie. Kiedy jednak jestem już w szkole, cała ta chęć rywalizacji powraca i znowu zaczyna mi zależeć. Mieszkają we mnie zupełnie różne Anie, i co gorsza, jest ich przynajmniej kilka. Czasami myślę sobie, że właśnie dlatego sprawiam tyle kłopotów. Gdyby była we mnie tylko jedna Ania, wszystko stałoby się łatwiejsze, tyle że o wiele mniej ciekawe.

W pewien piękny czerwcowy wieczór, kiedy sady znowu zaróżowiły się kwieciem, żaby na mokradłach w pobliżu Jeziora Lśniących Wód wyśpiewywały swoją tęskną piosenkę, a w powietrzu unosił się zapach koniczyny i balsamicznych żywic jodłowego lasu, Ania siedziała przy oknie w swoim pokoiku na poddaszu. Przygotowywała się do szkoły, ale wkrótce zrobiło się zbyt ciemno, żeby czytać, i dziewczynka popadła w głęboką zadumę. Szeroko rozwartymi oczami wpatrywała się gdzieś w dal, a jej wzrok przechodził obojętnie obok obsypanych kwiatami gałązek Królowej Śniegu.

Wygląd pokoiku na poddaszu w zasadzie nie uległ większym zmianom. Ściany nadal były białe, poduszeczka na szpilki tak samo twarda, a niezmiennie żółte krzesła równie niewygodne jak przedtem. Pomimo to pokoik nabrał zupełnie innego charakteru. Widać było, że nowa mieszkanka odcisnęła na nim piętno swojej osobowości — była przecież tak pełna życia i promieniująca energią. Nie chodziło nawet o to, że w pokoiku pojawiły się podręczniki szkolne, sukienki i wstążki, czy o to, że w wyszczerbionym niebieskim dzbanku stały kwitnące gałązki jabłoni. Odnosiło się wrażenie, że wszystkie marzenia Ani, te senne i te na jawie, przybrały realny, choć nie namacalny kształt i przystroiły ściany wspaniałymi zwiewnymi materiami utkanymi z tęczy i blasku księżyca. Teraz do pokoiku wkroczyła Maryla, niosąc świeżo wyprasowane szkolne fartuszki Ani. Przewiesiła je przez krzesło i usiadła na chwilę, wydając krótkie westchnienie. Całe popołudnie męczyła ją migrena i chociaż ból trochę zelżał, czuła się tak osłabiona, że „ledwo trzymała się na nogach" — jak się wyraziła.

Ania popatrzyła na nią ze współczuciem.

— Bardzo bym chciała, żeby ten ból głowy przeszedł na mnie, Marylo. Znosiłabym go z radością, bylebyś tylko ty nie musiała tak cierpieć.

— Myślę, że już mi wystarczająco pomogłaś, wywiązując się ze swoich domowych obowiązków, dzięki czemu mogłam trochę odpocząć — powiedziała Maryla. — Widzę, że coraz lepiej sobie radzisz i popełniasz o wiele mniej błędów. No, może trochę niepotrzebnie wykrochmaliłaś chusteczki do nosa, których używa Mateusz, a jeżeli chodzi o przygrzewanie obiadu, to większość ludzi wyciąga danie z pieca, gdy jest ciepłe, a nie czeka, aż wszystko spali się na węgiel. Myślę jednak, że ty ciągle jesteś innego zdania na ten temat.

Ból głowy zawsze powodował, że uwagi Maryli stawały się odrobinę kąśliwe.

— Ojej, przepraszam, że tak się źle spisałam — powiedziała ze skruchą Ania. — Zupełnie zapomniałam, że włożyłam do piekarnika tę zapiekankę. Przypomniałam sobie o niej dopiero teraz, chociaż w czasie obiadu przez cały czas nie mogłam oprzeć się wrażeniu, że na stole czegoś brakuje. Kiedy rano zostawiłaś wszystko pod moim nadzorem, postanowiłam sobie twardo, że nie będę puszczać wodzy fantazji, tylko mocno stąpać po ziemi. Szło mi nawet całkiem dobrze, do czasu kiedy zajęłam się tą zapiekanką i włożyłam ją do piekarnika. Naszła mnie wówczas nieodparta pokusa, by zacząć sobie wyobrażać, iż jestem zaczarowaną księżniczką zamkniętą w wieży i na ratunek spieszy mi przystojny rycerz, dosiadający czarnego jak węgiel rumaka. To dlatego wszystko inne wyleciało mi z głowy. Nie mam pojęcia, jak to się stało, że wykrochmaliłam chusteczki. Przez cały czas, kiedy byłam zajęta prasowaniem, zastanawiałam się, jak by tu nazwać taką małą wysepkę, którą ja i Diana odkryłyśmy w górze strumienia. To naprawdę zachwycające miejsce, Marylo. Strumień opływa wysepkę dookoła i rosną na niej dwa klony. Wreszcie przyszło mi do głowy, że najlepiej byłoby ją nazwać Wyspą Królowej Wiktorii, na pamiątkę tego, że odkryłyśmy ją właśnie w dzień jej urodzin. Obie z Dianą popieramy królową. Przykro mi jednak z powodu tej zapiekanki i chusteczek. Bardzo mi zależało, aby dzisiaj wszystko się udało, bo to przecież rocznica. Pamiętasz, Marylo, co się stało dokładnie rok temu?

— Nie, nie pamiętam niczego szczególnego.

— Ojej, Marylo, przecież wtedy właśnie przyjechałam na Zielone Wzgórze. Nigdy tamtej chwili nie zapomnę. To był moment zwrotny w moim życiu. Oczywiście, że dla ciebie ten dzień nie mógł być aż tak ważny. Mieszkam u was od roku i jestem tu taka szczęśliwa. Miewałam wprawdzie różne kłopoty, ale z czasem można przecież o nich zapomnieć. Żałujesz, że zdecydowałaś się mnie przygarnąć, Marylo?

— Nie, na pewno nie mogłabym powiedzieć, że żałuję tamtej decyzji — odparła Maryla, która czasami zastanawiała się, jak wyglądało jej życie, zanim dziewczynka pojawiła się w ich domu. — Nie, nie żałuję. Jeżeli skończyłaś już odrabiać lekcje, Aniu, to idź do pani Barry i poproś ją, aby pożyczyła mi wykrój fartuszka Diany.

— Ale, ale... przecież jest już ciemno — zaprotestowała Ania.

— Ciemno? Jak to, przecież dopiero co zapadł zmierzch. A poza tym ileż to razy biegałaś do Diany o zmroku.

— Polecę tam jutro z samego rana — zapewniła gorliwie Ania. — Wstanę o świcie i pójdę, Marylo.

— Ależ Aniu, co też ci znowu przyszło do głowy? Ten wykrój jest mi potrzebny do uszycia twojego fartuszka. Chciałam się tym zająć dzisiaj wieczorem. Biegnijże prędko i postaraj się szybko wrócić.

— W takim razie będę musiała iść głównym traktem — powiedziała z rezygnacją Ania i zabrała swój kapelusz.

— Iść drogą i stracić przez to pół godziny? Też mi pomysł.

— Nie mogę iść przez Las Duchów! — krzyknęła zdesperowana Ania.

Maryla wlepiła w nią zdziwiony wzrok.

— Las Duchów! Zwariowałaś? A cóż to znowu takiego, ten twój Las Duchów?

— To ten świerkowy zagajnik nad strumieniem — powiedziała Ania szeptem.

— Trele-morele, cóż ty za głupstwa opowiadasz. W lasach nie ma żadnych duchów. Kto ci nagadał takich bzdur?

— Nikt — wyznała Ania. — Diana i ja po prostu wyobraziłyśmy sobie, że w tym lesie mieszkają duchy. Wszystko inne dookoła jest... jest takie z w y c z a j n e. Wymyśliłyśmy te duchy dla zabawy. Zaczęłyśmy się w to bawić w kwietniu. Las Duchów to coś naprawdę niesamowicie romantycznego, Marylo. Wybrałyśmy świerkowy zagajnik, bo jest taki ciemny i ponury. Wyobrażałyśmy sobie najokropniejsze rzeczy, od których jeży się włos na głowie. O tej porze przechadza się obok strumienia biała dama, która załamuje ręce, okropnie jęczy i lamentuje. Ukazuje się człowiekowi zawsze wtedy, gdy ma mu umrzeć któryś z członków rodziny. Nieopodal Krainy Beztroski jest takie miejsce, które nawiedza duch zamordowanego dziecka. Skrada się chyłkiem, podchodzi z tyłu i dotyka zimnymi palcami dłoni przechodzących tamtędy osób, właśnie tak, Marylo. Na samą myśl o tym ciarki przebiegają mi po plecach. Ukazuje się tam również człowiek bez głowy, który przechadza się dumnym krokiem tam i z powrotem po ścieżce, a spomiędzy gałęzi gniewne spojrzenia rzucają kościotrupy. Och, Marylo, za żadne skarby nie poszłabym teraz do tego lasu. Bałabym się, że jakieś białe stwory wypełzną zza drzew i mnie pochwycą.

— No wiecie państwo, czy ktoś kiedyś słyszał podobne rzeczy! — wykrzyknęła Maryla, która prawie oniemiała ze zdziwienia, słuchając wywodów Ani. — Dziecko, czy chcesz mi powiedzieć, że wierzysz w te wszystkie bzdury, które podsuwa ci wyobraźnia?

— Nie mogę powiedzieć, że w nie wierzę — tłumaczyła się trochę niepewnie Ania. — Za dnia łatwiej jest sobie wszystko wytłumaczyć. Ale gdy zapada zmrok, sprawy mają się zupełnie inaczej. To przecież pora, kiedy wychodzą duchy.

— Duchy nie istnieją, Aniu.

— Ależ istnieją — zawołała z pełnym przekonaniem dziewczynka. — Sama znam ludzi, którym ukazały się duchy, a są to powszechnie szanowane osoby. Karol Sloane opowiadał, że jego babcia widziała, jak dziadek pędzi krowy z pastwiska do domu — w tym czasie dziadek nie żył już od roku. Wiesz przecież, Marylo, że babcia Karola Sloane'a nie zmyślałaby podobnych historii, bo to bardzo religijna osoba. A ojca pani Thomas goniła którejś nocy bezgłowa owca. Płonęła żywym ogniem, a odcięta głowa zwisała jej na skrawku skóry. Ojciec pani Thomas twierdził, że to na pewno duch jego zmarłego brata wcielił się w owcę i przesłał mu ostrzeżenie, że w ciągu dziewięciu dni czeka go śmierć. Wtedy co prawda nie umarł, ale stało się to dwa lata później, tak więc przepowiednia w zasadzie się spełniła. A Ruby Gillis znowu mówi...

— Dosyć tego, Aniu — przerwała stanowczym głosem Maryla. — Nie chcę, abyś kiedykolwiek snuła jeszcze podobne historie. Ta twoja wybujała wyobraźnia zawsze mnie niepokoiła, ale jeżeli takie mają być jej skutki, to nie będę tego dłużej tolerować. Natychmiast idź do Barrych, i to przez ten świerkowy zagajnik. Chcę, abyś miała nauczkę i wyciągnęła odpowiednie wnioski. I żebym więcej nie słyszała o żadnych duchach straszących w lesie.

Ania mogła błagać i płakać do woli — i rzeczywiście to robiła, bo naprawdę bardzo się bała. Wyobraźnia wymknęła się dziewczynce spod kontroli i nocą świerkowy zagajnik zamieniał się w miejsce, skąd wiało prawdziwą grozą. Maryla pozostała jednak nieubłagana. Odprowadziła przerażoną Anię do strumienia i kazała jej iść prosto przez mostek, a następnie przejść obok wszystkich ciemnych miejsc, w których mogła czyhać na nią jęcząca biała dama lub bezgłowa zjawa.

— Och, Marylo, jak możesz być aż tak okrutna? — płakała Ania. — Jak byś się potem czuła, gdyby jakaś biała postać rzeczywiście mnie pochwyciła i powlokła gdzieś za sobą?

— Jestem gotowa podjąć to ryzyko — odpowiedziała niewzruszona Maryla. — Przecież wiesz, że ze mną nie ma żartów. Już ja cię wyleczę z zasiedlania lasów duchami. A teraz marsz, prosto do Barrych.

No i Ania pomaszerowała. Należałoby może powiedzieć, że bardzo niepewnym krokiem przeszła przez most i drżąc ze strachu, skręciła w ciemną, ponurą ścieżkę biegnącą przez zagajnik. Była to dla niej pamiętna wyprawa. Gorzko żałowała, że tak bardzo dała się ponieść fantazji. Wydawało jej się bowiem, że w każdym ciemnym zakamarku czają się jakieś podejrzane zjawy, wytwory jej własnej wyobraźni, które wyciągają przed siebie lodowate bezcielesne ręce, aby pochwycić nimi małą, wylęknioną dziewczynkę. Niewielki kawałek kory brzozowej, który wiatr przyniósł tu z kotliny, wzlatywał ciągle w górę, błyskając bielą ponad zbrązowiałą od opadłych igieł dróżką. Widok ten tak Anię przestraszył, że serce na moment w niej zamarło. Przeciągły, żałosny jęk spowodowany ocieraniem się o siebie dwóch wielkich starych konarów sprawił, że na czoło dziewczynki wystąpiły ogromne krople potu. Nietoperze pikujące w ciemnościach ponad głową Ani zdawały się jakimiś nieziemskimi skrzydlatymi istotami. Gdy wyszła wreszcie z lasu na pole Wilhelma Bella, przebiegła przez nie tak prędko, jakby goniła ją cała armia biało odzianych upiorów, i stanęła u drzwi domu Barrych zupełnie bez tchu. Ledwo mogła wykrztusić, że przyszła po wykrój fartuszka. Diany akurat nie było, więc Ania nie miała pretekstu, aby odsapnąć chociaż przez chwilę. Znowu musiała zebrać się na odwagę i pokonać koszmarną drogę powrotną do domu. Szła z zamkniętymi oczami, wolała bowiem rozbić sobie głowę o jakiś wystający konar, niż zobaczyć bielejącą w mroku zjawę. Kiedy w końcu, potykając się, przebiegła przez drewniany most — odetchnęła z ulgą.

— No i co, nikt cię nie porwał? — odezwała się Maryla, nie okazując ani śladu współczucia.

— Och, Mmm... Marylo — szczękała zębami Ania. — Pppo... tttym wszystkim zupełnie mi wystarczy ppp...rzebywanie w zupełnie zwyczajnych mmm...iejscach.

PRZEŁOM W SZTUCE PRZYPRAWIANIA CIAST

— Mój Boże, nasze życie to wciąż tylko spotkania i rozstania, jak mawia pani Linde — poskarżyła się płaczliwie Ania, kładąc na stole w kuchni swoją tabliczkę, podręczniki szkolne i przecierając zaczerwienione od płaczu oczy bardzo już mokrą chusteczką. Był to ostatni dzień czerwca. — Jak dobrze, że zabrałam dzisiaj do szkoły zapasową chusteczkę, Marylo. Miałam przeczucie, że mi się przyda.

— Nigdy bym cię nie posądzała o taką sympatię dla pana Phillipsa, że będziesz potrzebowała aż dwóch chusteczek po to, by osuszyć łzy wylane na jego pożegnanie — powiedziała Maryla.

— Tak naprawdę to płakałam wcale nie dlatego, że go tak bardzo lubiłam — głośno zastanawiała się Ania. — Rozpłakałam się, bo wszyscy inni też to zrobili. Zaczęło się od Ruby Gillis. Ona zawsze twierdziła, że nie znosi pana Phillipsa, gdy jednak wstał, żeby wygłosić swoją mowę pożegnalną, wybuchnęła płaczem. Potem dołączyły do niej wszystkie inne dziewczynki, jedna po drugiej. Próbowałam się powstrzymywać, Marylo. Starałam się przypomnieć sobie, jak to było, gdy pan Phillips kazał mi siedzieć w ławce razem z Gil... to znaczy z chłopakiem, a także to, jak za karę napisał na tablicy moje nazwisko i nazwał mnie Shirleyówną. Przypomniało mi się również, jak powiedział, że jeszcze nigdy nie widział, żeby ktoś był równie tępy z geometrii, a także jak naśmiewał się z moich błędów ortograficznych. Pamiętałam, jaki potrafił być złośliwy i nieprzyjemny, ale i tak niewiele to pomogło. Po prostu musiałam się rozpłakać, tak jak koleżanki. Jane Andrews od miesiąca się zarzekała, iż nie uroniłaby po nim żadnej łzy i że byłaby niezmiernie szczęśliwa, gdyby wreszcie odszedł ze szkoły. No więc Jane płakała z nas wszystkich najbardziej i w końcu musiała pożyczyć chusteczkę od brata — jako że chłopcy oczywiście nie płakali — bo nie zabrała z domu swojej własnej, nie przypuszczając, że będzie jej potrzebna. Och, Marylo, jakie to było rozdzierające przeżycie. Pan Phillips rozpoczął swoją mowę pożegnalną takimi chwytającymi za serce słowami: „Nadszedł dla nas smutny czas rozstania". To było bardzo wzruszające wystąpienie. On też miał w oczach łzy, Marylo. Nagle zrobiło mi się tak strasznie przykro, aż poczułam wyrzuty sumienia, że tyle razy gadałam i nie uważałam na lekcjach, gryzmoliłam na tabliczce jego karykatury i żartowałam sobie z niego oraz Prissy. Uwierz mi, Marylo, bardzo zaczęłam żałować, że nie zostałam taką wzorową uczennicą jak Minnie Andrews. Ona nie ma niczego na sumieniu. Wszystkie dziewczynki płakały przez całą drogę powrotną ze szkoły. Karolka Sloane co kilka minut powtarzała słowa pana Phillipsa: „Nadszedł dla nas smutny czas rozstania" — w ten sposób niezwykle skutecznie broniła nas przed niepożądaną zmianą nastroju na lepszy, bo jak na zawołanie zaczynałyśmy znowu płakać niczym bobry. Naprawdę jest mi bardzo smutno, Marylo. Jednak, gdy ma się przed sobą dwa miesiące wakacji, to nie można przez cały czas pozostawać na samym dnie rozpaczy, prawda, Marylo? A poza tym po drodze widziałyśmy, jak nowy pastor i jego żona jechali właśnie ze stacji. Przecież bez względu na to, jak bardzo było mi przykro z powodu wyjazdu pana Phillipsa, nie mogłam tak zupełnie nie zwrócić uwagi na nowego pastora, prawda? Jego żona jest bardzo ładna. Może nie wygląda całkiem jak królowa, ale to nawet dobrze, bo przecież nie uchodzi, żeby pastor miał oszołamiająco piękną żonę — mogłoby to budzić zgorszenie. Pani Linde mówi, że żona pastora z Nowych Mostów wywołuje zgorszenie, bo nosi się strasznie modnie. Żona naszego nowego pastora miała na sobie błękitną muślinową sukienkę z pięknymi bufiastymi rękawami, a na głowie kapelusz przybrany różami. Jane Andrews powiedziała, że te rękawy są chyba zbyt ekstrawaganckie jak na żonę pastora, ja jednak powstrzymałam się od takich nieżyczliwych uwag, bo wiem, co to znaczy marzyć o bufiastych rękawach. A poza tym ta pani jest przecież żoną pastora od niedawna, więc należałoby okazać jej wyrozumiałość. Dopóki plebania nie zostanie wyremontowana, będą mieszkać u pani Linde.

Jeżeli za wieczorną wizytą Maryli u pani Linde kryło się coś innego niż tylko szczera chęć zwrócenia pożyczonej jeszcze poprzedniej zimy drewnianej ramy do pikowania tkanin, to podobną potrzebę poczuła większość mieszkańców Avonlea. Tego wieczoru niejedna rzecz pożyczona niegdyś od pani Linde, na której zwrot właścicielka nawet już nie liczyła, w cudowny sposób odnalazła drogę do domu. Nowy pastor — a już tym bardziej żonaty pastor — stawał się, co zupełnie zrozumiałe, obiektem wielkiego zainteresowania w spokojnej wiejskiej osadzie, gdzie życie nie obfitowało raczej w sensacyjne wydarzenia.

Stary pan Bentley, o którym Ania zawsze mówiła, że brakuje mu wyobraźni, pracował w Avonlea jako pastor przez osiemnaście lat. Był wdowcem, kiedy przybył do osady, wdowcem też pozostał do końca, mimo że miejscowe plotkarki rok w rok swatały go to z tą, to z inną damą. W lutym poprzedniego roku pan Bentley zrezygnował z pracy duszpasterskiej i wyjechał z Avonlea, ku ogólnemu żalowi mieszkańców, którzy w większości zdążyli się bardzo zżyć ze swoim starym, dobrym pastorem i wybaczyli mu, że nie potrafił głosić porywających kazań. Od tego czasu wspólnota w Avonlea wystawiana była na rozmaite próby. Wciąż bowiem przybywali nowi kandydaci na pastora, a także rozmaici „tymczasowi zastępcy", którzy co niedziela mieli okazję popisać się sztuką wygłaszania kazań. Te „próbne kazania" były później oceniane, dobrze lub źle, przez członków wspólnoty parafialnej; ale mała rudowłosa dziewczynka, która siedziała sobie cichutko na skraju ławki Cuthbertów, także miała własne zdanie na temat wszystkich kandydatów i „tymczasowych zastępców". Ania dużo i chętnie o nich dyskutowała, w czym uczestniczył Mateusz, natomiast Maryla zawsze odżegnywała się od jakiejkolwiek krytyki pod adresem pastorów.

— Nie sądzę, Mateuszu, aby pan Smith się nadawał — podsumowała ostatecznie Ania. — Pani Linde mówi, że on nie potrafi odpowiednio operować głosem, moim zdaniem jednak, podobnie jak w przypadku pana Bentleya, jego największą wadą jest brak wyobraźni. Za to pan Terry ma jej aż w nadmiarze. Pozwala się jej ponieść nie wiadomo dokąd, tak jak to było ze mną, gdy wymyśliłam sobie zabawę w Las Duchów. Oprócz tego pani Linde uważa, że pan Terry ma braki w przygotowaniu teologicznym. Pan Gresham z kolei to bardzo dobry i bardzo religijny człowiek, ale zbyt często opowiada różne zabawne historie, przez co rozśmiesza ludzi w kościele. Jemu brakuje dostojeństwa, a przecież dobry pastor powinien zachowywać się godnie i z powagą, no nie? Myślałam, że najlepszy z nich byłby pan Marshall, ale pani Linde mówi, że on nie jest ani żonaty, ani nawet zaręczony, specjalnie się o to dowiadywała. Jej zdaniem nieżonaty pastor to nie najlepszy wybór dla mieszkańców Avonlea, bo gdyby ożenił się z kimś z naszej wspólnoty parafialnej, to mogłyby wyniknąć z tego same kłopoty. Pani Linde jest bardzo przewidującą osobą, prawda, Mateuszu? Bardzo się cieszę, że wybrali pana Allana. Podobał mi się, bo mówił ciekawie i modlił się szczerze, a nie tylko z przyzwyczajenia. Pani Linde mówi, że może nie jest idealny, ale przecież nie można się spodziewać, że za siedemset pięćdziesiąt dolarów rocznie uda nam się przyciągnąć do Avonlea idealnego pastora. Jest też nieźle przygotowany pod względem teologicznym — pani Linde odbyła z nim szczegółową rozmowę, w której poruszyła rozmaite kwestie doktrynalne. Zna też rodzinę jego żony i wie, że są to powszechnie szanowani ludzie, a co więcej, kobiety z tej rodziny słyną z tego, że są doskonałymi gospodyniami. Pani Linde twierdzi, że gdy mężczyzna jest dobrze obeznany z doktryną, a kobieta potrafi świetnie prowadzić dom, to można być pewnym, że założą wzorową rodzinę, taką jaką powinien mieć każdy pastor.

Nowy pastor i jego żona byli ludźmi młodymi, o miłej powierzchowności, krótko po ślubie. Mieli też mnóstwo entuzjazmu dla pracy, której pragnęli się poświęcić. Mieszkańcy Avonlea przyjęli ich od samego początku bardzo życzliwie. Starzy i młodzi jednakowo polubili otwartego, pogodnego człowieka o wzniosłych ideałach, a także jego serdeczną i łagodną filigranową żonę, która odtąd miała pełnić honory pani domu na plebanii. Ania natychmiast pokochała panią Allan całym sercem. Odkryła w niej kolejną bratnią duszę.

— Pani Allan jest naprawdę cudowna — oświadczyła Ania któregoś niedzielnego popołudnia. — Przejęła naszą klasę i jest doskonałą nauczycielką. Od razu oświadczyła nam, że prawo do stawiania pytań mają wszyscy, a nie tylko nauczyciel; Marylo, ja zawsze byłam zupełnie tego samego zdania. Pani Allan obiecała, że postara się rozproszyć wszystkie nasze wątpliwości, i ja rzeczywiście zarzuciłam ją pytaniami, a wiesz, że potrafię zadawać ich bardzo wiele.

— Zdziwiłabym się, gdyby było inaczej — stwierdziła dobitnie Maryla.

— Nikt oprócz mnie o nic nie pytał, z wyjątkiem Ruby Gillis, która chciała się dowiedzieć, czy tego lata również zostanie zorganizowany piknik dla dzieci ze szkółki niedzielnej. Nie sądzę, aby to pytanie było zadane stosownie do okoliczności, bo nie miało żadnego związku z lekcją, która mówiła o pobycie Daniela w jaskini lwów. Pani Allan jednak wcale nie rozgniewała się na Ruby — uśmiechnęła się tylko i oznajmiła, że piknik najprawdopodobniej się odbędzie. Pani Allan ma przepiękny uśmiech; gdy się śmieje, to w jej policzkach robią się śliczne dołeczki. Szkoda, że ja nie mam takich cudownych dołeczków, Marylo. Nie jestem już tak bardzo chuda, jak wtedy, gdy do was przyjechałam, ale dołeczki jeszcze mi się nie pokazały. Gdyby tak się stało, może udałoby mi się wywierać dobry wpływ na ludzi. Pani Allan powtarza, że zawsze powinniśmy się starać mieć dobry wpływ na innych ludzi. Ona tak ładnie o wszystkim opowiada. Nigdy wcześniej nie przypuszczałam, że religia może być czymś radosnym. Zawsze sądziłam, że nastraja raczej melancholijnie. Pani Allan jest jednak bardzo pogodną osobą i naprawdę chętnie zostałabym prawdziwą chrześcijanką, gdybym tylko mogła być do niej podobna. Nie chciałabym natomiast przypominać pana Bella, przełożonego naszej szkółki niedzielnej.

— To bardzo nieładnie z twojej strony, że mówisz źle o panu Bellu — powiedziała Maryla poważnym głosem. — Pan Bell to naprawdę bardzo dobry człowiek.

— Oczywiście, że tak — zgodziła się Ania. — Tylko że on nie czerpie z tego żadnej radości. Gdybym sama potrafiła być dobra, ze szczęścia tańczyłabym i śpiewała przez cały dzień. Myślę, że pani Allan nie może sobie na to pozwolić, bo jest już dorosła, a poza tym nie wypada, żeby żona pastora, która powinna nosić się z godnością, zachowywała się w ten sposób. Ja jednak czuję, że ona cieszy się z tego, że jest chrześcijanką, i pewnie chciałaby nią być nawet wtedy, gdyby mogła dostać się do nieba w inny sposób.

— Sądzę, że powinniśmy kiedyś zaprosić państwa Allan na herbatę — powiedziała w zadumie Maryla. — Byli już prawie u wszystkich. Muszę się zastanowić. Następna środa byłaby chyba najodpowiedniejszym dniem. Chciałabym cię jednak prosić, Aniu, aby Mateusz nie dowiedział się o tej wizycie przedwcześnie, bo inaczej na pewno znajdzie sobie jakiś powód, żeby się gdzieś ulotnić. Mateusz tak bardzo przyzwyczaił się do pana Bentleya, że wybaczał mu wszystkie niedociągnięcia. Trudno będzie mu przywyknąć do nowego pastora, nie wspominając już o jego żonie, z którą na pewno będzie się bał zaznajomić.

— Będę milczeć jak grób — obiecała Ania. — Mam jednak prośbę, czy mogłabym upiec z tej okazji tort? Chciałabym zrobić coś dla pani Allan, a pieczenie tortów wychodzi mi już całkiem nieźle.

— Możesz zrobić tort przekładany — zgodziła się Maryla.

W poniedziałek i wtorek na Zielonym Wzgórzu trwały gorączkowe przygotowania. Wizyta pastora i jego żony była ważnym wydarzeniem i wymagała sporego nakładu pracy, jako że Maryla nie chciała zostać przyćmiona przez żadną z gospodyń w Avonlea. Ania była pełna entuzjazmu i nie mogła doczekać się odwiedzin. Rozmawiała o tym z Dianą we wtorek wieczorem, kiedy o zmierzchu siedziały na dużych czerwonych kamieniach przy Źródle Nimf i za pomocą patyczków umoczonych w żywicy jodły wyczarowywały na wodzie małe tęcze.

— Wiesz, Diano, wszystko jest już gotowe, z wyjątkiem mojego tortu, który mam przygotować wcześnie rano, oraz herbatników, które Maryla upiecze tuż przed podwieczorkiem. Mówię ci, jak musiałyśmy się z Marylą uwijać przez te ostatnie dwa dni. To jednak wielka odpowiedzialność — należycie przyjąć takich gości. Nigdy jeszcze nie widziałam tylu przygotowań. Powinnaś zobaczyć naszą spiżarnię. Jakie tam frykasy, aż przyjemnie spojrzeć. Będzie kurczak w galarecie i ozór na zimno. Oprócz tego dwa rodzaje galaretek: czerwona i żółta, a do tego jeszcze bita śmietana, dwa placki: cytrynowy i wiśniowy, a także trzy rodzaje ciasteczek, keks i słynne konfitury renklodowe Maryli, które przeznaczone są na specjalne okazje, biszkopt i przekładany tort, złożony z kilku warstw, no i herbatniki, o których mówiłam już wcześniej; chleb prosto z pieca i z poprzedniego wypieku, na wypadek, gdyby pastor miał słaby żołądek. Pani Linde mówi, że większość pastorów cierpi na niestrawność, nie sądzę jednak, aby to się tyczyło akurat pana Allana, który nie jest przecież pastorem na tyle długo, żeby zdążyło to wpłynąć na stan jego zdrowia. Robi mi się zimno na samą myśl o tym moim kilkuwarstwowym torcie. Jejku, Diano, co to będzie, jak ten tort mi nie wyjdzie! Zeszłej nocy śniło mi się, że gonił mnie taki straszny karzeł, z wielkim tortem zamiast głowy.

— Nie martw się, tort na pewno uda się wspaniale — zapewniła Anię Diana, która zawsze była gotowa pocieszyć przyjaciółkę. — Uważam, że ten kawałek tortu twojej roboty, który jadłyśmy dwa tygodnie temu, gdy bawiłyśmy się w Krainie Beztroski, był naprawdę pyszny i prezentował się pięknie.

— Może i tak, torty jednak mają to do siebie, że często się nie udają akurat wtedy, kiedy najbardziej nam na nich zależy — westchnęła Ania, kładąc na wodzie gałązkę szczególnie dobrze nasączoną balsamicznym olejkiem. — Myślę, że będę po prostu musiała zaufać Opatrzności i nie zapomnieć o dodaniu mąki. Popatrz, Diano, jaka piękna tęcza! Jak myślisz, czy kiedy już stąd odejdziemy, wyjdzie z ukrycia nimfa i zrobi sobie z niej paradny szal?

— Przecież wiesz, że tak naprawdę żadne nimfy nie istnieją — powiedziała Diana. Mama Diany dowiedziała się o Lesie Duchów i bardzo była o to zła. Dlatego Diana starała się trzymać swoją wyobraźnię na wodzy i uważała, że kultywowanie tego typu wierzeń, nawet jeżeli w grę wchodziły tylko nieszkodliwe nimfy, jest mało roztropne.

— A jednak tak łatwo można sobie wyobrazić, że nimfa naprawdę tu mieszka. Każdej nocy przed zaśnięciem wyglądam przez okno i zastanawiam się, czy nimfa siedzi przy źródle, czesze swe długie loki i przegląda się w wodzie jak w lusterku. Czasami rano sprawdzam, czy wśród porannej rosy nie kryją się ślady jej stóp. Proszę cię, Diano, nie przestawaj wierzyć, że mieszka tu nimfa!

Nadszedł wreszcie środowy poranek. Ania obudziła się o wschodzie słońca, ponieważ była zbyt podekscytowana, żeby spać. Wstała mocno zakatarzona, jako że poprzedniego wieczoru, gdy siedziała przy źródle, taplała się w wodzie. Jednakże tego ranka nic poza ciężkim zapaleniem płuc nie mogło osłabić jej kulinarnych zapędów. Zaraz po śniadaniu zabrała się do robienia tortu. Kiedy wreszcie zatrzasnęła drzwiczki piekarnika, odetchnęła głęboko.

— Jestem pewna, Marylo, że tym razem o niczym nie zapomniałam. Jak myślisz — wyrośnie? A jeżeli proszek do pieczenia był stary? Wzięłam go z tej nowej puszki. Pani Linde mówi, że w dzisiejszych czasach, kiedy wszystko jest podrabiane, nigdy nie można być pewnym, jaki proszek się kupi. Ona twierdzi, że rząd powinien zająć się sprawą tych fałszerstw, ale dodaje też, że póki konserwatyści pozostają u władzy, to nie mamy na co liczyć. Marylo, a co będzie, gdy ciasto nie wyrośnie?

— I bez tortu jest co postawić na stole — powiedziała beznamiętnym głosem Maryla.

Ciasto wyrosło na szczęście wspaniale, było lekkie i puszyste jak złocista pianka. Ania, zarumieniona ze szczęścia, przełożyła je kilkoma warstwami galaretki o pięknym rubinowym kolorze i oczyma wyobraźni widziała już, jak pani Allan z apetytem zajada tort i prosi o dokładkę!

— Marylo, postawisz chyba ten najlepszy serwis do herbaty, prawda? — zapytała Ania. — Czy mogłabym przystroić stół listkami paproci i kwiatami dzikiej róży?

— A na co komu takie głupstwa — obruszyła się Maryla. — Ważne, żeby jedzenie było smaczne, a te bezsensowne ozdóbki uważam za zbędne.

— Pani Barry n i e z a p o m n i a ł a o odpowiednim udekorowaniu stołu — sprytnie broniła swoich racji Ania, której natura nie poskąpiła pewnej przebiegłości. — Pastor obdarzył panią Barry miłym komplementem, mówiąc, że dzięki jej staraniom była to uczta nie tylko dla podniebienia, ale i dla oka.

— No dobrze, skoro tak ci na tym zależy — powiedziała Maryla, która za żadne skarby nie chciała okazać się gorsza od pani Barry czy innych osób, które gościły u siebie pastora. — Tylko pamiętaj, żebyś zostawiła wystarczająco dużo miejsca na talerze.

Ania z zapałem zabrała się do dekorowania stołu, a styl i zręczność, z jaką to robiła, nie dawały pani Barry najmniejszych szans. Obfitość róż i paproci, a także artystyczny smak autorki sprawiły, że kompozycja Ani prezentowała się bardzo pięknie — co pastor i jego żona od razu zauważyli, chwaląc niemalże chórem elegancję i urodę stołu.

— To wszystko robota Ani — stwierdziła raczej ponuro Maryla, natomiast Ania poczuła, że przychylny uśmiech pani Allan napełnia ją zupełnie nieziemską radością.

Mateusz również wziął udział w przyjęciu, chociaż tylko Bogu i Ani było wiadomo, w jaki sposób udało się go tam zwabić. Nim zjawili się goście, Mateusz chodził po domu tak onieśmielony i zdenerwowany, że Maryla straciła już wszelką nadzieję na jego obecność przy podwieczorku. Ania pokierowała nim jednak na tyle umiejętnie, że siedział teraz razem ze wszystkimi przy stole, na sobie miał swoje najlepsze wizytowe ubranie, przy szyi biały kołnierzyk i prowadził z pastorem całkiem zajmującą rozmowę. Do pani Allan nie odezwał się ani słowem, ale chyba nikt na to naprawdę nie liczył.

Wizyta przebiegała w miłej atmosferze i wszystko szło gładko, dopóki na stole nie pojawił się tort Ani. Pani Allan, która próbowała już niezliczonej ilości smakołyków, podziękowała grzecznie za tort. Maryla, widząc rozczarowanie malujące się na buzi Ani, powiedziała z uśmiechem:

— Koniecznie musi pani spróbować chociaż kawałeczek. Ania robiła go specjalnie z myślą o pani.

— W takim razie nie mogę odmówić — roześmiała się pani Allan, nakładając sobie na talerzyk całkiem sporą porcję. Podobnie zrobili pastor i Maryla.

Pani Allan wzięła do ust kawałeczek tortu i na jej twarzy pojawił się dziwny grymas. Nic nie powiedziała, ale widać było, że przełyka ciasto z wielkim trudem. Maryla spostrzegła reakcję pani Allan i natychmiast skosztowała wypieku Ani.

— Dziecko drogie, na miłość boską, cóżeś dodała do tego tortu?

— Nic, tylko to, co było w przepisie — krzyknęła przerażona dziewczynka. — A co, nie smakuje?

— Nie smakuje? Jest po prostu straszny. Pani Allan, niech pani się nie zmusza, żeby go jeść. Aniu, sama spróbuj. Jakich aromatów używałaś?

— Wanilii — odparła czerwona ze wstydu dziewczynka, po skosztowaniu kawałka tortu. — Dodałam tylko wanilię. Och, Marylo, to na pewno przez ten proszek do pieczenia. Od razu podejrzewałam, że ten pro...

— Proszek? Jaki tam znowu proszek, zupełne głupstwa opowiadasz. Zaraz mi tu przynieś tę wanilię, o której mówiłaś.

Ania pobiegła do spiżarni i wróciła z buteleczką do połowy wypełnioną brązowym płynem. Do buteleczki przyklejona była pożółkła ze starości etykietka: „Wanilia w najlepszym gatunku".

Maryla wzięła do rąk buteleczkę, odkorkowała ją i powąchała.

— Zlituj się, Aniu, czy wiesz, że nasączyłaś tort środkiem przeciwbólowym? W zeszłym tygodniu pękła mi fiolka, w której trzymałam lekarstwo, i przelałam całą zawartość do starej buteleczki po wanilii. Myślę więc, że sama nie jestem tu także bez winy — mogłam ci przecież o tym powiedzieć. Tylko dlaczego, u licha, nie powąchałaś, co wlewasz do ciasta?

Ania zalała się łzami z rozżalenia.

— Nie mogłam, miałam okropny katar! — Z tymi słowy wstała od stołu i pobiegła do swojego pokoiku, zanosząc się płaczem.

Po chwili rozległy się kroki na schodach i ktoś wszedł do pokoju.

— Och, Marylo — łkała Ania, nie podnosząc głowy. — Jestem skompromitowana na zawsze. Nigdy się z tego nie otrząsnę. To z pewnością wyjdzie na jaw — w Avonlea prędzej czy później ludzie dowiadują się o wszystkim. Diana na pewno mnie zapyta, jak udał się mój tort, i będę musiała powiedzieć jej prawdę. Zawsze już będą wytykać mnie palcami i mówić, że to ta, która przyprawiła tort środkiem przeciwbólowym. Gil... wszyscy chłopcy ze szkoły nigdy nie przestaną się ze mnie naśmiewać. Proszę cię, Marylo, tylko mi nie każ teraz schodzić na dół, żeby zmywać naczynia. Okaż mi trochę chrześcijańskiego miłosierdzia. Pozmywam, gdy pastor i jego żona już sobie pójdą, nigdy jednak nie będę mogła spojrzeć pani Allan w oczy. Jeszcze gotowa sobie pomyśleć, że chciałam ją otruć. Pani Linde mówi, że słyszała o dziewczynce z sierocińca, która próbowała otruć swoją opiekunkę. Ale to lekarstwo nie może być przecież trujące, bo zażywa się je doustnie — choć na pewno nikt nie zaleca, aby podawać je w torcie. Powiesz o tym pani Allan, dobrze, Marylo?

— A może byś tak wstała i sama jej o tym powiedziała? — odezwał się wesoły głos.

Ania zerwała się i zobaczyła, że koło łóżka stoi pani Allan i przygląda się jej z lekkim rozbawieniem w oczach.

— Kochanie, nie możesz tak strasznie płakać — odezwała się pani Allan, zaniepokojona tragicznym wyrazem twarzy Ani. — Czym tu się martwić, przecież to tylko śmieszna pomyłka, która mogła zdarzyć się każdemu.

— Nieprawda, tylko ja wciąż robię coś inaczej, niż należy — powiedziała Ania niepocieszonym głosem. — Nawet pani nie wie, jak bardzo się starałam, żeby ten tort się udał, robiłam go specjalnie dla pani.

— Wiem, kochanie. Możesz być pewna, że doceniam trud, jaki włożyłaś w przygotowanie tego ciasta, i twoje starania są dla mnie o wiele ważniejsze niż sam tort. A teraz proszę, przestań już płakać i chodź pokazać mi swój kwiatowy ogródek. Panna Cuthbert opowiadała mi, że masz własną grządkę, na której niepodzielnie rządzisz. Chciałabym ją obejrzeć, bo sama bardzo lubię kwiaty.

Ania pozwoliła sprowadzić się na dół, myśląc sobie, iż to na pewno sprawa Opatrzności, że pani Allan okazała się bratnią duszą. Nikt już słowem nie wspomniał ciasta zaprawionego lekarstwem, a gdy goście poszli do domu, Ania uświadomiła sobie nagle, że właściwie wizyta państwa Allan była bardzo udana, pomimo przykrego incydentu z tortem. Niemniej jednak dziewczynka westchnęła głęboko.

— Marylo, czy to nie cudowne, że jutro będzie nowy dzień, i to na dodatek zupełnie wolny od pomyłek?

— Muszę cię ostrzec — na pewno znowu do nich dojdzie — powiedziała Maryla. — Jeżeli idzie bowiem o pomyłki, nie masz sobie równych.

— Rzeczywiście — przytaknęła smutnym głosem Ania. — Nie wiem jednak, Marylo, czy zauważyłaś w tym wszystkim jedną pocieszającą rzecz — nigdy nie popełniam tych samych błędów dwa razy.

— Mam wątpliwości, czy jest się czym cieszyć, skoro zawsze robisz jakieś nowe.

— Och, nie rozumiesz, Marylo? Przecież liczba błędów, które przypadają na jedną osobę, musi być jakoś ograniczona. W końcu zapas pomyłek przeznaczonych dla mnie się wyczerpie i nareszcie będę miała spokój. To bardzo pocieszająca myśl.

— Lepiej już pójdź nakarmić swoim tortem świnie — powiedziała Maryla. — To ciasto nie nadaje się dla ludzi, nie zje go nawet Jerry Buote.

ANIA DOSTAJE ZAPROSZENIE NA PODWIECZOREK

— Cóż ci tak błyszczą oczy, Aniu — stało się coś? — zapytała Maryla, gdy dziewczynka wróciła z poczty i widać było, że całą drogę biegła. — Czyżbyś znowu spotkała jakąś bratnią duszę?

Podekscytowanie Ani było tak wielkie, że trudno go było nie zauważyć — promieniały jej oczy i cała twarz jaśniała radością. Biegnąc do domu, dziewczynka wyglądała jak unoszący się na wietrze mały elf. Słońce otulało wszystko łagodnym blaskiem, na drodze zaś kładły się leniwe cienie sierpniowego popołudnia.

— Tym razem nie, Marylo, ale chciałabym powiedzieć ci coś ważnego. Jestem zaproszona do państwa Allan na podwieczorek, jutro po południu! Pani Allan zostawiła dla mnie wiadomość na poczcie. Popatrz, Marylo: „Panna Ania Shirley, posiadłość Zielone Wzgórze". Po raz pierwszy ktoś użył w stosunku do mnie określenia „panna". Aż mi ciarki przeszły po plecach! Ta chwila na zawsze pozostanie w mej pamięci jako jedno z najmilszych wspomnień.

— Pani Allan powiedziała mi, że chce kolejno zaprosić do siebie wszystkie dzieci ze szkółki niedzielnej — odezwała się Maryla, traktując całe to cudowne wydarzenie bardzo chłodno. — Nie ma powodu aż tak się gorączkować. Naucz się przyjmować wszystko spokojnie, moje dziecko.

Jednakże gdyby Ania chciała podchodzić do wszystkiego spokojnie, musiałaby najpierw zmienić swoją naturę. Ponieważ cała składała się z „ducha, ognia, i rosy"* — wszystkie radości i smutki, które ją spotykały, przeżywała trzy razy mocniej niż inni ludzie. Maryla zdawała sobie z tego sprawę i trochę nad tym bolała, sądziła bowiem, że zmienne koleje losu mogą dotkliwie poranić tę wrażliwą i skłonną do uniesień duszę. Nie do końca rozumiała, że Ania jak nikt inny potrafiła cieszyć się życiem, co pozwalało jej zwycięsko stawiać czoło wszelkim niepowodzeniom. Maryla nabrała przekonania, że musi nauczyć Anię sztuki powściągania emocji. Problem w tym, że tego rodzaju umiejętność zupełnie nie przystawała do osobowości dziewczynki. To tak, jakby ktoś próbował ujarzmić promień słońca tańczący na powierzchni wartko płynącego strumyka. Maryla była świadoma, że jej wysiłki nie przynoszą spodziewanych rezultatów, i napełniało ją to smutkiem. Gdy tylko jakiś plan, co do którego Ania żywiła wielkie nadzieje, zakończył się fiaskiem, dziewczynka natychmiast pogrążała się w „otchłani cierpienia". W razie powodzenia natomiast tryskała szczęściem i radością na niespotykaną skalę. Maryla zaczynała się już poważnie martwić, czy kiedykolwiek uda jej się uformować z tego biednego osieroconego dziecka układną i skromną panienkę o nienagannych manierach. Nie zdawała sobie sprawy z tego, że w rzeczywistości lubi Anię właśnie taką, jaka jest.

Tego wieczoru podopieczna Maryli położyła się do łóżka bardzo przygnębiona, bo Mateusz powiedział jej, że

---

* Cytat z wiersza Roberta Browninga (1812–1889) *Evelyn Hope*. Zob. motto powieści (przyp. tłum.).

wiatr wieje z północnego wschodu i może sprowadzić na drugi dzień deszcz. Szelest topolowych liści także napawał Anię smutkiem, zbyt bowiem przypominał szmer kropli deszczu, a dobiegający od strony zatoki stłumiony odgłos morskich fal uderzających rytmicznie o brzeg, którego przy innych okazjach słuchałaby z przyjemnością, tym razem zdawał się zwiastować burzę. Szalenie martwiło to dziewczynkę, marzącą, aby nazajutrz wstał piękny dzień. Ania nie mogła się doczekać ranka.

Wszystko ma jednak swój kres, nawet noc, po której idzie się na proszony podwieczorek. Wbrew temu, co zapowiadał Mateusz, poranek był pogodny i Ania poczuła, że nastrój poprawia się jej w mgnieniu oka.

— Wiesz co, Marylo, nie mam pojęcia, dlaczego, ale dzisiaj chętnie uściskałabym każdego — radośnie wykrzyknęła Ania, zmywając naczynia po śniadaniu. — Nawet sobie nie wyobrażasz, jak wspaniale się dzisiaj czuję! Czy ten stan nie mógłby trwać wiecznie? Jestem pewna, że byłabym wzorowym dzieckiem, gdyby tylko codziennie ktoś zapraszał mnie na podwieczorek. Oczywiście zdaję sobie sprawę, że ta wizyta ma dosyć uroczysty charakter, dlatego trochę się boję. Co się stanie, jeżeli nie będę umiała się odpowiednio znaleźć? Wiesz przecież, że nigdy wcześniej nie brałam udziału w podwieczorku na plebanii, a poza tym nie jestem pewna, czy znam wystarczająco dobrze etykietę, chociaż regularnie, odkąd tu przyjechałam, czytuję rubrykę „Zasady dobrego zachowania" w „Poradniku rodzinnym". Bardzo się boję, że popełnię jakąś gafę albo zapomnę o czymś ważnym. Czy to będzie dobrze widziane, gdy poproszę o dokładkę, jeżeli coś bardzo mi zasmakuje?

— Myślę, Aniu, że nie powinnaś zbytnio skupiać się na sobie. Spróbuj pomyśleć o pani Allan i o tym, co jej sprawiłoby największą przyjemność — powiedziała Maryla, po raz pierwszy trafiając ze swoją poradą w samo sedno. Ania natychmiast zdała sobie sprawę z jej słuszności.

— Masz całkowitą rację — powiedziała. — Postaram się w ogóle nie myśleć o sobie.

Odwiedziny u państwa Allan najwyraźniej się udały i Ania nie naruszyła zasad dobrego wychowania, bo wróciła do domu zupełnie rozanielona i wesoło opowiadała Maryli o szczegółach wizyty. Był już zmierzch i wysokie niebo przystroiło się w welon z szafranu i różowych obłoków. Ania usiadła na progu kuchni, zrobionym z czerwonego piaskowca, i położyła swą zmęczoną, okoloną lokami głowę na kolanach Maryli, okrytych kraciastą spódnicą.

Chłodny wiatr wiał ponad rozległymi, ciężkimi od dojrzałego zboża polami od porośniętych jodłami zachodnich wzgórz i pogwizdywał w koronach topoli. Wysoko nad sadem świeciła jasno jedna tylko gwiazda, a świetliki unosiły się nad Aleją Zakochanych, latając tam i z powrotem wśród paproci oraz rozkołysanych wiatrem konarów. Ania przyglądała się temu wszystkiemu w trakcie rozmowy z Marylą i nagle poczuła, że wiatr, gwiazdy i świetliki tworzą jakby jedną całość, niewypowiedzianie piękną i czarującą.

— Wiesz, Marylo, to był naprawdę bardzo miły wieczór. Mam poczucie, że nie urodziłam się na próżno i jestem pewna, że zawsze już będę w ten sposób myśleć, nawet jeśli nigdy więcej nie zostanę zaproszona na plebanię. Gdy dotarłam na miejsce, pani Allan powitała mnie w drzwiach. Miała na sobie bardzo ładną sukienkę z bladoróżowej organdyny, z mnóstwem falbanek i rękawami do łokcia — wyglądała prawie jak serafin. Myślę sobie, Marylo, że naprawdę chciałabym zostać żoną pastora, gdy dorosnę. Przecież taki pastor na pewno nie miałby nic przeciwko moim rudym włosom, bo nie myślałby o takich przyziemnych sprawach. Tylko że wówczas musiałabym być dobra, a tego z pewnością nigdy nie uda mi się osiągnąć, więc raczej nie mam o czym marzyć. Niektórzy z natury mają dobry charakter, a inni nie. Ja należę do tej drugiej grupy. Pani Linde mówi, że jestem mocno skażona grzechem pierworodnym. Bez względu na to, jak wielki podejmuję wysiłek, nigdy nie osiągnę takiej doskonałości jak ci, którzy przejawiają naturalną skłonność do czynienia dobra. To trochę tak jak z moją geometrią. Jak myślisz, Marylo, jeżeli ktoś bardzo się stara, ale mu nie wychodzi, czy nie powinno się to mimo wszystko liczyć? Pani Allan jest jedną z takich osób, które są dobre w sposób naturalny. Naprawdę przepadam za nią. Wiesz, Marylo, są tacy ludzie, jak Mateusz czy pani Allan, których się lubi od razu, bez najmniejszego wysiłku. Są też inni, jak pani Linde, których trudno jest tak od razu pokochać. Niby wiadomo, że na to zasługują, bo mają wielką wiedzę i dużo udzielają się w kościele — niestety, żeby ich lubić, trzeba bezustannie przypominać sobie o ich zaletach, inaczej wszystko na nic. Na plebanię przyszła jeszcze jedna dziewczynka, która uczęszcza do szkółki niedzielnej w Białych Piaskach. Nazywa się Lauretta Bradley i jest miła. Może nie całkiem bratnia dusza, ale po prostu bardzo miła. Podwieczorek był niezwykle wytworny; myślę, że wykazałam się znajomością dobrych manier. Na zakończenie pani Allan grała i śpiewała, do czego zachęciła także i nas obie. Pani Allan mówi, że mam dobry głos i że powinnam śpiewać w chórze, który działa przy szkółce niedzielnej. Nawet sobie nie wyobrażasz, jak się ucieszyłam na samą myśl o tym. Od dawna marzyłam, żeby śpiewać w chórze kościelnym, tak jak Diana, zawsze jednak dręczyły mnie obawy, że podobnego zaszczytu nigdy nie dostąpię. Lauretta musiała wcześnie wracać do domu, bo w hotelu w Białych Piaskach odbywa się jakiś duży koncert i jej siostra ma na nim wystąpić.

Lauretta mówi, że Amerykanie, którzy mieszkają w hotelu, co dwa tygodnie organizują koncert na rzecz szpitala w Charlottetown. Z tej okazji zapraszają różne osoby, aby coś recytowały czy śpiewały. Lauretta powiedziała, iż ma nadzieję, że ją też kiedyś zaproszą. Popatrzyłam na nią z podziwem. Gdy już sobie poszła, pani Allan i ja odbyłyśmy szczerą rozmowę. Opowiedziałam jej wszystko od początku — o pani Thomas i o bliźniakach, i o Katie Maurice, i Violetcie, i o tym, jak przyjechałam na Zielone Wzgórze, i o moich kłopotach z geometrią. Nigdy byś nie zgadła, Marylo, czego się dowiedziałam — pani Allan wyjawiła mi, że również była kiepska z geometrii. Nawet nie wiesz, jak to podbudowało moją wiarę w siebie. Pani Linde przyszła na plebanię tuż przed moim wyjściem, no i wiesz co, Marylo? Zarząd szkoły zatrudnił nowego nauczyciela i jest nim... kobieta, niejaka panna Muriel Stacy. Prawda, że nazywa się bardzo romantycznie? Pani Linde mówi, że jak świat światem, w Avonlea nigdy jeszcze nie uczyła kobieta. Ona uważa, że to może być niebezpieczna innowacja. Ja jednak myślę, że cudownie będzie mieć zajęcia z nauczycielką. Sama nie wiem, jak wytrzymam jeszcze dwa tygodnie, które pozostały do rozpoczęcia szkoły, tak bardzo chciałabym poznać pannę Stacy.

ANIA W OPAŁACH Z POWODU SPRAWY HONOROWEJ

Jak się okazało, Ania musiała czekać znacznie dłużej niż dwa tygodnie. Ponieważ od czasu afery z tortem upłynął prawie miesiąc, był już najwyższy czas na następną katastrofę — a przecież nie mogły uchodzić za nią dwie czy trzy niewinne wpadki. Przez cały ten okres Ani udało się jedynie wylać przez roztargnienie garnek serwatki do koszyka z kłębkami przędzy znajdującego się w szafie — zamiast do kubła dla świń — i wpaść do strumyka podczas spaceru po mostku „z głową w chmurach".

Tydzień po podwieczorku na plebanii Diana Barry wydawała przyjęcie.

— Skromne, dla paru osób — zapewniała Marylę Ania. — Będą tylko dziewczęta z naszej klasy.

Przyjęcie udało się znakomicie, co więcej, obyło się bez niefortunnych zdarzeń. Po zakończeniu podwieczorku dziewczęta wyszły do ogrodu, żeby odsapnąć nieco po zabawach. Szybko jednak skusiła je perspektywa nowych psot. Zaczęło się od zabawy w „podpuchy".

„Podpuchy" były w tamtych czasach ulubioną rozrywką dzieciarni z Avonlea. Wymyślili ją chłopcy, ale wkrótce przypadła do gustu także dziewczętom, i osobną książkę można by napisać o niezliczonych wybrykach, jakich dopuścili się tamtego lata młodzi mieszkańcy Avonlea „podpuszczeni" dla zabawy.

Najpierw Karolka Sloane namówiła Ruby Gillis, by ta wdrapała się na znaczną wysokość po pniu dużej, starej wierzby rosnącej przed głównym wejściem. Ruby — choć śmiertelnie przerażona zarówno tłustymi gąsienicami łażącymi po drzewie, jak i reakcją mamy, gdyby nieopatrznie podarła nową muślinową sukienkę — zręcznie wykonała karkołomne zadanie, co najwyraźniej zbiło z tropu Karolkę Sloane.

Potem Josie Pye założyła się z Jane Andrews, że ta nie zdoła okrążyć ogrodu, skacząc na lewej nodze bez zatrzymywania się lub podpierania prawą. Co prawda Jane dzielnie podjęła wyzwanie, ale przy trzecim zakręcie musiała dać za wygraną.

Jako że przeciwniczka Jane obnosiła się ze swym tryumfem bardziej, niżby na to zezwalało dobre wychowanie, Ania założyła się, że Josie nie da rady przejść po ogrodzeniu zamykającym ogród od wschodu. Trzeba przyznać, że chodzenie po parkanie wymaga nie lada zręczności oraz umiejętności zachowania równowagi, z czego może nie zdawać sobie sprawy ktoś, kto nigdy tej sztuki nie próbował. Ale Josie Pye, chociaż być może brakowało jej cech zjednujących powszechną sympatię, niewątpliwie posiadała wrodzony talent do łażenia po płotach i z samozaparciem talent ów rozwijała. Josie przeszła po parkanie państwa Barrych z nonszalancją, co miało pokazać, że taki drobiażdżek nie był nawet wart zakładów. Jej wyczyn spotkał się z tłumionym nieco, ale jednak wyraźnym uznaniem, bo pozostałe dziewczęta poniosły już niejedną porażkę, usiłując sprostać wyzwaniom, jakie stanowiły okoliczne płoty. Josie zeszła z wyżyn parkanu w glorii bohaterstwa i posłała Ani prowokujące spojrzenie.

Ania odrzuciła na plecy rude warkocze.

— Też mi sztuka chodzić po takim płotku — odparła. — Znałam kiedyś pewną dziewczynę z Marysville, która umiała chodzić po dachu, i to po samym jego szczycie.

— Nie wierzę — powiedziała Josie bez emocji. — Nie wierzę, żeby ktokolwiek umiał chodzić po szczycie dachu. A już na pewno nie ty.

— A założysz się? — wykrzyknęła rozgorączkowana Ania.

— No dobra, zakład — rzuciła Josie wyzywająco. — Założę się, że nie wdrapiesz się na dach domu pani Barry i nie przejdziesz po jego szczycie.

Ania zbladła, ale w tym momencie nie miała już wyboru. Ruszyła w kierunku drabiny opartej o ścianę kuchni. Wszystkie dziewczęta z piątej klasy wykrzyknęły tylko „Oooch!", co było wyrazem zarówno podniecenia, jak i przerażenia.

— Nie rób tego, Aniu — błagała Diana. — Spadniesz i się zabijesz. Nie przejmuj się zakładem z Josie. Nie powinna cię podpuszczać do robienia równie niebezpiecznych rzeczy.

— Nie cofnę się. Tu chodzi o mój honor — stwierdziła poważnym głosem Ania. — Przejdę po dachu, Diano, albo marnie zginę, a wtedy tobie przypadnie mój naszyjnik z perełek.

Ania pięła się po drabinie wśród martwej ciszy. W końcu dotarła na szczyt dachu, wyprostowała się i próbując złapać równowagę — ruszyła przed siebie. Dopiero wtedy uzmysłowiła sobie, jak bardzo jest wysoko, i zrozumiała, że w tym wypadku wyobraźnia, nawet najbardziej rozwinięta, na niewiele się zda. Udało się jej postawić kilka kroków, zanim nastąpiła katastrofa. Ania nagle zachwiała się, straciła równowagę, potknęła się i spadła, zsuwając się po rozgrzanym słońcem dachu prosto w plątaninę dzikiego wina.

Stało się to tak szybko, że grono sparaliżowanych strachem obserwatorek nie zdołało nawet krzyknąć z przerażenia.

Gdyby Ania spadła na tę stronę dachu, po której się wcześniej wspinała, Diana prawdopodobnie byłaby już właścicielką naszyjnika z perełek. Na szczęście jednak zsunęła się na drugą stronę, tam gdzie ocieniający werandę dach schodził na tyle blisko ziemi, że upadek z niego nie był aż tak niebezpieczny. W każdym razie, gdy Diana i pozostałe dziewczęta — z wyjątkiem Ruby Gillis, która stanęła nieruchomo, jakby zapuściła korzenie, a na dodatek wpadła w histerię — pośpiesznie obeszły dom wokoło, zastały pobladłą Anię bezwładnie leżącą wśród żałośnie poszarpanych pędów dzikiego wina.

— Aniu, żyjesz? — wrzasnęła Diana, padając na kolana u boku przyjaciółki. — Och, Aniu, kochana Aniu, przemów chociaż słówko i powiedz mi, czy ty naprawdę się zabiłaś?

Niewysłowioną ulgę poczuli wszyscy — a zwłaszcza Josie Pye, która pomimo braku wyobraźni widziała już siebie na zawsze napiętnowaną jako tę, która przyczyniła się do przedwczesnej i tragicznej śmierci Anny Shirley — gdy niedoszła ofiara usiadła z wysiłkiem i łamiącym się głosem zapewniła:

— Nie, Diano, nie zabiłam się, ale chyba jestem nieprzytomna.

— Gdzie? — chlipała Karolka Sloane. — W którym miejscu jesteś nieprzytomna, Aniu?

Zanim Ania zdążyła odpowiedzieć, nadbiegła pani Barry. Widząc ją, dziewczynka spróbowała stanąć na nogi, ale natychmiast opadła na ziemię z głośnym okrzykiem bólu.

— Co się stało? Gdzie cię boli? — dopytywała się pani Barry.

— Moja kostka — wysapała Ania. — Och, Diano, poproś swojego tatę, żeby mnie zaniósł do domu. Sama tam nie dojdę, a na jednej nodze nie będę próbowała skakać, bo to przecież za daleko, skoro Jane nie mogła nawet okrążyć ogrodu.

Maryla zrywała właśnie w sadzie dorodne letnie jabłka, gdy zobaczyła pana Barry'ego, który minął drewniany mostek i szedł w górę zbocza z panią Barry u boku oraz całą procesją dziewczynek sunącą w ślad za nimi. Na rękach niósł Anię, której głowa bezwładnie opadała mu na ramię. W tym momencie Maryla dostąpiła łaski poznania prawdy. Gdy strach przeszył jej serce, raptem zdała sobie sprawę, jak wiele znaczy dla niej Ania. Do tej pory skłonna była twierdzić, że ją lubi, a może nawet darzy szczególnym uczuciem. Teraz jednak, zbiegając z szaleńczą prędkością po zboczu, nabrała przekonania, że mały rudzielec jest dla niej kimś najdroższym pod słońcem.

— Pani Barry, co jej się stało? — wyrzuciła z siebie, ledwie łapiąc powietrze, a świat jeszcze nie widział tej zwykle opanowanej i kierującej się zdrowym rozsądkiem kobiety w stanie takiego poruszenia.

Ania sama odpowiedziała, unosząc głowę.

— Nie bądź taka przerażona, Marylo. Po prostu chodziłam po dachu i spadłam. Chyba zwichnęłam sobie tylko kostkę, a przecież mogłam skręcić kark. Trzeba zawsze dostrzegać jasną stronę życia.

— Mogłam się spodziewać, że jak już puszczę cię na ten podwieczorek, to zaraz wpłączesz się w niezłą kabałę — odrzekła Maryla, która wraz ze spokojem odzyskała swoją uszczypliwość. — Niech ją pan tu wniesie, panie Barry, i ułoży na sofie. Na miłość boską, ona zemdlała.

Rzeczywiście, z powodu bólu kostki spełniło się jeszcze jedno wielkie marzenie Ani — zemdlała jak prawdziwa dama.

Na wieść o wypadku Mateusz porzucił pracę w polu i natychmiast udał się po doktora, który zaraz po przybyciu stwierdził, że skutki wybryku Ani są poważniejsze, niż wszyscy myśleli. Dziewczynka złamała nogę w kostce.

Wieczorem, gdy Maryla weszła do pokoiku na poddaszu, powitał ją boleściwy głosik małej rekonwalescentki.

— Nie żal ci mnie, Marylo?

— Przecież sama jesteś sobie winna — powiedziała Maryla, zasłaniając okno i zapalając światło.

— No i właśnie dlatego powinnaś mnie żałować — odrzekła Ania — bo na samą myśl, że to wszystko wyłącznie moja wina, robi mi się strasznie ciężko na sercu. Gdybym tak mogła zrzucić na kogoś odpowiedzialność, zaraz poczułabym ulgę. Ale co ty byś zrobiła na moim miejscu, gdyby ktoś się zakładał, że nie przejdziesz po dachu?

— Dalej stałabym twardo na ziemi, a temu, który by mnie podpuszczał, kazałabym, żeby sam sobie łaził po dachu. To przecież czysta głupota! — rzuciła Maryla.

Ania westchnęła.

— Tylko że ty potrafisz zachować trzeźwość umysłu, a ja nie. Aż się we mnie zagotowało, gdy Josie Pye zaczęła sobie podkpiwać. Dokuczałaby mi do końca życia. A teraz to już spotkała mnie taka kara, że wcale się nie musisz na mnie gniewać, Marylo. Dowiedziałam się również, że zemdleć to żadna przyjemność. A poza tym tak strasznie mnie bolało, kiedy doktor nastawiał mi kostkę. Teraz nie będę mogła chodzić przez sześć lub siedem tygodni, więc ominie mnie spotkanie z naszą nową nauczycielką. Kiedy wreszcie się wykuruję do szkoły, to ona wcale już nie będzie nowa. W dodatku Gil... to znaczy cała klasa — bardzo mnie wyprzedzi w lekcjach. Och, ja nieszczęsna! Ale spróbuję to wszystko dzielnie wytrzymać, bylebyś ty się na mnie nie gniewała, Marylo.

— No już dobrze, dobrze. Wcale się nie gniewam — powiedziała Maryla. — Rzeczywiście masz pecha, a teraz sama będziesz musiała to odcierpieć. Może zdołasz zjeść kolację?

— Ale czy to nie jest szczęśliwy traf, że mam tak bujną wyobraźnię? — ożywiła się Ania. — Myślę, że ona bardzo mi pomoże przejść przez to wszystko. Jak myślisz, co robią ludzie bez wyobraźni, kiedy połamią sobie kości?

Rzeczywiście w czasie nudnych siedmiu tygodni w domu wyobraźnia była dla Ani prawdziwym błogosławieństwem. Ale nie tylko na nią mogła liczyć. Przychodziło wielu gości i nie było dnia bez odwiedzin przynajmniej jednej koleżanki. Przynosiły jej kwiaty, książki i najświeższe wiadomości ze szkolnego światka Avonlea.

— Wszyscy są dla mnie tacy dobrzy, Marylo — westchnęła Ania w dniu, gdy mogła wreszcie zacząć kuśtykać po pokoju. — Wcale nie jest miło leżeć w łóżku, ale ma to także swoje jasne strony. Można się na przykład przekonać, ilu ma się prawdziwych przyjaciół. No bo popatrz, nawet pan Bell mnie odwiedził i muszę przyznać, że całkiem sympatyczny z niego człowiek. Co prawda nie bratnia dusza, ale i tak go lubię, i strasznie mi głupio, że tak sobie żartowałam z jego modlitw. Teraz widzę, że one są szczere, tylko pan Bell nie potrafi tego uzewnętrznić. Gdyby się trochę postarał, na pewno poszłoby mu dużo lepiej. Dałam mu to do zrozumienia. Po prostu wyznałam, ile trudu było trzeba, aby moje własne modlitwy zyskały trochę polotu. A on z kolei opowiedział mi, jak sam skręcił kostkę, gdy był jeszcze chłopcem. Wiesz, trudno sobie wyobrazić, że pan Bell w ogóle mógł kiedyś być chłopcem. Przynajmniej moja wyobraźnia jest tu zupełnie bezradna. Kiedy próbuję przedstawić go sobie jako chłopca, zawsze widzę go z siwymi wąsiskami i w okularach, jakby żywcem wyjętego ze szkółki niedzielnej, tyle że mniejszego. Bo na przykład taką panią Allan to łatwo sobie wyobrazić jako dziewczynkę.

A wiesz, że ona odwiedziła mnie czternaście razy? Chyba mogę być z tego dumna, Marylo, co? Tym bardziej że żona pastora ma tyle obowiązków! A mimo wszystko jest taka kochana i znajduje dla mnie czas. Nigdy też nie mówi, iż to wszystko moja wina i że należała mi się nauczka. Pani Linde zawsze mi to powtarzała, ilekroć tu przychodziła, a robiła to w taki sposób, jakby była przekonana, że co prawda mogłabym się poprawić, ale na pewno nie będzie mi się chciało. Nawet Josie Pye kiedyś do mnie wpadła. Starałam się być dla niej bardzo miła, bo widziałam, jak jej było głupio, że mnie podpuściła z tym chodzeniem po dachu. Gdybym się zabiła, do końca życia dręczyłyby ją wyrzuty sumienia. No a Diana okazała się naprawdę wierną przyjaciółką. Każdego dnia przychodziła pocieszać mnie w chorobie i samotności. Ale tak bym już chciała pójść do szkoły, bo dowiedziałam się tylu ciekawych rzeczy na temat naszej nowej pani. Wszystkie dziewczyny uważają, że jest bardzo kochana. Diana mówi, że ma najcudowniejsze blond loki i pełne uroku oczy. Ubiera się pięknie, a rękawy ma najbardziej bufiaste w całym Avonlea. W co drugi piątek po południu urządza recytacje i każdy może powiedzieć wiersz albo wziąć udział w inscenizacji. Och, już na samą myśl o tym ogarnia mnie wspaniały nastrój. Co prawda Josie Pye mówi, że te recytacje są okropne, ale to dlatego, że brakuje jej wyobraźni. A Diana, Ruby Gillis i Jane Andrews przygotowują na następny piątek inscenizację pod tytułem *Wizyta o poranku*. A w piątki po południu, kiedy skończą już recytacje, panna Stacy zabiera wszystkich uczniów do lasu na „zajęcia w terenie" i mogą sobie oglądać paprocie i ptaki, i kwiaty. Oprócz tego codziennie rano i po południu mają gimnastykę. Pani Linde mówi, że jeszcze o czymś takim nie słyszała, jak żyje, i w ogóle tak to już jest, jak kobieta bierze się za pracę pedagogiczną. Ale ja jestem przekonana, że te lekcje są wspaniałe, i myślę, że panna Stacy okaże się kolejną bratnią duszą.

— A najciekawsze w tym wszystkim jest to, że upadek z dachu, droga Aniu, nie spowodował u ciebie żadnych obrażeń języka — zauważyła Maryla.

PANNA STACY I JEJ UCZNIOWIE ORGANIZUJĄ KONCERT

Gdy Ania mogła wreszcie wrócić do szkoły, był już październik — cudowny miesiąc skąpany w czerwieni i złocie, którego urocze poranki osnute były zwiewnymi mgiełkami wyglądającymi tak, jakby duch jesieni porozwieszał je w dolinach, by sobie schły na słońcu, a one mieniły się różnymi odcieniami ametystu, pereł, srebra, różu i lekko zgaszonego błękitu. Rosy były tak obfite, że pola zdawały się błyszczeć niczym srebrzysta tkanina, a w zagłębieniach wokół korzeni drzew zbierało się tyle zeschłych liści, że idąc przez las, ciągle słyszało się ich szelest. Ścieżka Brzóz rozpostarła swój żółty baldachim, a paprocie, które rosły przy drodze, powiędły już i zbrązowiały. Rześkie jesienne powietrze podziałało niezwykle ożywczo na dziewczynki, każąc im biec raźno do szkoły i nie brać przykładu z leniwych ślimaków. Ania z wielką radością zasiadła na powrót w niewielkiej brązowej ławce szkolnej u boku Diany. Ruby Gillis jak zwykle dawała jej porozumiewawcze znaki, Karolka Sloane przesyłała liściki, a Julia Bell, z ostatniej ławki, częstowała żywicą do żucia. Rozradowana Ania, ostrząc ołówek, zaczerpnęła głęboko powietrza, a potem uporządkowała na ławce swoje przybory. Życie było takie ciekawe.

W nowej nauczycielce Ania rzeczywiście znalazła szczerą i oddaną przyjaciółkę. Panna Stacy była pogodną i miłą osobą, która jak nikt inny potrafiła zjednywać sobie uczniów i doskonale się z nimi porozumiewać, co pozwalało jej wydobyć z wychowanków wszystkie najlepsze cechy i wspaniale rozwinąć ich uzdolnienia. Pod dobroczynnym wpływem nowej nauczycielki Ania rozkwitła jak kwiat. Zauroczony Mateusz oraz krytycznie nastawiona Maryla codziennie musieli wysłuchiwać jej barwnych opowieści z życia szkoły.

— Kocham pannę Stacy całym sercem, Marylo. To prawdziwa dama, a przy tym ma taki przyjemny głos. Zwraca się do mnie zawsze bardzo serdecznie i nazywa Anią, przez myśl jej nie przejdzie, żeby mówić do mnie po nazwisku. Dzisiaj recytowaliśmy fragmenty różnych utworów i żałuj, że nie słyszałaś, jak deklamowałam *Marię, królową Szkotów**. Dałam z siebie wszystko. Ruby Gillis wyznała mi w drodze do domu, że jak mówiłam: „A teraz żegnaj, me kobiece serce, czas po ojcowsku zacząć władać", poczuła, że jej własne serce przestaje bić z wrażenia.

— Chciałbym usłyszeć, jak mówisz ten wiersz — wyznał Mateusz. — Może byś kiedyś spróbowała go powiedzieć, gdy będę pracował w stodole?

— Pewnie, że spróbuję — odrzekła pogrążona w zadumie Ania — ale w stodole już mi tak dobrze nie pójdzie. Nie ma to, jak mieć przed sobą całą klasę, która z zapartym tchem chłonie każde twoje słowo! Wiem, że w stodole na pewno nie uda mi się poruszyć cię do tego stopnia, żebyś nagle poczuł, że serce przestaje ci bić z wrażenia.

— Pani Linde opowiadała mi, że serce przestało jej bić, gdy zobaczyła, jak w zeszły piątek chłopcy z waszej szkoły

---

* Henry Glassford Bell (1803–1874) *Mary Queen of Scotts* (przyp. tłum.).

wspinali się w poszukiwaniu wronich gniazd na wierzchołki tych potężnych drzew rosnących koło domu pana Bella — wtrąciła Maryla. — Dziwię się, że panna Stacy wam na to pozwala.

— Ależ te gniazda były potrzebne na lekcję przyrody — wyjaśniła Ania. — Oni się po nie wdrapywali podczas naszych „zajęć w terenie". Te zajęcia są cudowne, Marylo. A panna Stacy wszystko tak doskonale tłumaczy. Potem piszemy wypracowania związane tematycznie z „zajęciami w terenie" i mnie one wychodzą najlepiej z całej szkoły.

— Cóż to za próżność tak się przechwalać! Co innego, gdyby to powiedziała nauczycielka.

— Ależ ona tak właśnie się wyraziła, Marylo. Nie uważam, że jestem próżna, bo jakże mogłabym być, skoro taki ze mnie osioł z geometrii? Chociaż nawet z geometrii coś już zaczynam pojmować. Panna Stacy tak wspaniale wszystko objaśnia. Mimo to wiem, iż nigdy nie będę orłem, i mogę cię zapewnić, że to dla mnie wystarczająca lekcja pokory. Uwielbiam natomiast pisać wypracowania. Najczęściej panna Stacy pozwala nam samodzielnie wybrać temat, ale akurat na przyszły tydzień kazała nam napisać o kimś zasłużonym. Trudno mi wybrać jedną wybitną osobę, żyło ich przecież tak wiele. To by dopiero było — zostać taką powszechnie znaną i podziwianą osobą i wiedzieć, że po mojej śmierci dzieci będą pisały na mój temat wypracowania. Och, tak bym chciała zostać kimś wybitnym. Myślę, że jak dorosnę, to pójdę do szkoły dla pielęgniarek, a potem wyjadę z Czerwonym Krzyżem na jakieś pole bitwy i stanę się aniołem miłosierdzia. To znaczy pod warunkiem, że wcześniej nie udam się na misje. Jakie by to było romantyczne, no ale żeby zostać misjonarzem, trzeba być bardzo dobrym człowiekiem, więc nie wiem, czybym potrafiła. A w ogóle to mamy codziennie gimnastykę. Gimnastyka nie dosyć, że dodaje wdzięku, to jeszcze pomaga w trawieniu.

— Trele-morele — oświadczyła Maryla, głęboko przekonana o bezsensowności podobnych twierdzeń.

Ale nawet „zajęcia w terenie", piątkowe recytacje i lekcje gimnastyki razem wzięte były niczym wobec pomysłu, który panna Stacy przedstawiła któregoś listopadowego dnia. Chodziło mianowicie o to, żeby uczniowie z Avonlea urządzili koncert bożonarodzeniowy, całemu przedsięwzięciu zaś miał przyświecać szczytny cel — zbiórka funduszy na szkolny sztandar. Jako że uczniowie od razu zapalili się do pomysłu panny Stacy, niezwłocznie przystąpiono do jego realizacji. A w gronie wszystkich „przyszłych artystów" najbardziej przeświadczona o swej misji była Ania Shirley, która zaangażowała w koncert całe swoje serce i duszę, pomimo podcinających skrzydła krytycznych uwag Maryli. Bo Maryla oczywiście uważała cały pomysł za czystą głupotę.

— To wam tylko napycha głowy bzdurnymi myślami i zabiera czas, który należałoby poświęcić na naukę — narzekała. — A w ogóle to nie pochwalam pomysłu, aby dzieci organizowały koncerty i ciągle biegały na próby. Przez to tylko włóczycie się bez potrzeby, stajecie się próżni i nadmiernie pewni siebie.

— Ale pomyśl, Marylo, jaki szczytny przyświeca nam cel — broniła się Ania. — Sztandar będzie w nas przecież umacniał ducha patriotyzmu.

— Zupełne głupstwa opowiadasz! Żadne z was nie dba o patriotyzm. Chodzi wam tylko o to, żeby się zabawić.

— Myślę, że takie połączenie patriotyzmu z dobrą zabawą to całkiem chwalebne osiągnięcie, Marylo. To oczywiste, że przyjemnie jest organizować koncert. Mamy w planie sześć utworów chóralnych, a także solowy występ Diany. Ja sama wezmę udział w dwóch inscenizacjach:

*Towarzystwo do walki z plotką** i *Królowa elfów***. Chłopcy będą mieli swoją własną inscenizację. Oprócz tego będę recytować dwa wiersze. Och, Marylo, drżę już na samą myśl o tym występie, na szczęście to dosyć przyjemne drżenie. Na zakończenie przedstawimy żywy obraz pod tytułem *Wiara, Nadzieja i Miłosierdzie*. Diana, Ruby i ja będziemy w nim występować w białych strojach i z rozpuszczonymi włosami. Ja będę Nadzieją — ręce złożę o, tak, a oczy wzniosę ku niebu. Muszę pójść do szopy poćwiczyć te swoje role. Tylko się nie przestrasz, gdy usłyszysz moje jęki. W jednej z ról muszę jęczeć tak rozdzierająco, żeby poruszyć serca publiczności. Muszę ci powiedzieć, Marylo, że jęczeć artystycznie wcale nie jest łatwo. Josie Pye dąsa się, bo nie dostała wymarzonej roli. No pomyśl tylko, ona chciała zostać królową elfów. Przecież to całkiem niedorzeczny pomysł, żeby królową elfów grał ktoś tak otyły jak Josie. Baśniowa królowa musi być przecież smukła. Ostatecznie stanęło na tym, że Jane Andrews zostanie królową, a ja wróżką, jedną z dam dworu. Josie uważa, że rudowłosa wróżka będzie tak samo beznadziejna jak pulchna królowa. Ja jednak nie zwracam uwagi na to, co mówi Josie. Na głowie będę miała wianek z białych róż, a Ruby Gillis pożyczy mi swoje pantofelki, bo przecież nie mam własnych. Zgodzisz się chyba, Marylo, że wróżki powinny chodzić w ładnych bucikach. Trudno sobie wyobrazić wróżkę w ciężkich, niezgrabnych buciorach, i to jeszcze takich z nosami okutymi blachą. Naszą salę udekorujemy gałązkami jodły i świerka. Przystroimy je różyczkami zrobionymi z delikatnej bibułki i podwiesimy pod sufitem. Kiedy publiczność zajmie już miejsca, wejdziemy para za parą

---

* *The Society for the Suppression of Gossip* (przyp. tłum.).

** Bishop Thomas Percy (1729–1811), *The Fairy Queen* (przyp. tłum.).

w takt marsza granego przez Emmę White na organach. Och, Marylo, wiem, że nie podzielasz mojego entuzjazmu, ale mogłabyś chociaż żywić nadzieję, że twoja mała Ania da się poznać z jak najlepszej strony.

— Jedyna nadzieja, jaką żywię, to ta, że się odpowiednio zachowasz. Będę niezmiernie zadowolona, kiedy całe to zamieszanie wreszcie się skończy, a ty powoli dojdziesz do siebie. Bo teraz masz głowę tak nabitą tymi swoimi inscenizacjami, artystycznymi jękami i żywymi obrazami, że do niczego innego już się nie nadajesz. Tylko twój język jest ciągle jakimś cudem zdolny do mielenia.

Ania westchnęła i wyszła przed dom. Niebo po zachodniej stronie przybrało lekko zielonkawy kolor, a przez ogołocone z liści gałęzie topoli prześwitywał księżyc, będący akurat w fazie nowiu. Mateusz zajęty był rąbaniem drewna. Ania przysiadła na pieńku i jeszcze raz opowiedziała o koncercie, mając przynajmniej pewność, że tym razem zwraca się do uważnego i podzielającego jej uczucia słuchacza.

— No, mnie się zdaje, że ten koncert będzie całkiem, całkiem. A ty na pewno spiszesz się na medal — powiedział, spoglądając na nią z uśmiechem. Twarz Ani wyrażała entuzjazm i podekscytowanie. Dziewczynka odwzajemniła uśmiech. Byli wspaniale dobraną parą przyjaciół, a Mateusz nieprzerwanie dziękował swej szczęśliwej gwieździe za to, że nie musiał się kłopotać o wychowanie swej ulubienicy. Był to obowiązek Maryli i dzięki temu on nie musiał się martwić, jak pogodzić porywy swego serca z rolą dobrego wychowawcy. Mógł więc do woli, jak to ujęła Maryla, „psuć Anię". Wbrew pozorom dziewczynce wychodziło to na dobre, bo poczucie, że ktoś nas docenia, nierzadko odnosi lepszy skutek niż nawet najbardziej słuszne i podejmowane z wielkim poświęceniem trudy wychowawcze.

MATEUSZ FUNDUJE ANI BUFIASTE RĘKAWY

To było dość nieprzyjemne dziesięć minut i Mateusz dobrze je zapamiętał. Któregoś zimnego, szarego grudniowego wieczoru, gdy zapadł już zmierzch, wszedł do kuchni i usiadł w rogu, obok skrzyni na drewno, aby zdjąć buty. Nie wiedział, że w dużym pokoju Ania z grupką szkolnych koleżanek przeprowadzała właśnie próbę *Królowej elfów*. Niebawem wszystkie dziewczynki przebiegły korytarz i wpadły gromadą do kuchni, śmiejąc się i rozmawiając wesoło. Nie zauważyły, że w kącie siedzi Mateusz, który powodowany nieśmiałością, schował się w cieniu, za skrzynią na drewno, z butem w jednej ręce i zzuwadłem w drugiej. Przez dziesięć minut, z ukrycia, przyglądał się, jak dziewczynki zakładały czapki, płaszczyki, rozmawiały o swojej inscenizacji i o koncercie. Ania, stojąc pomiędzy nimi, miała tak samo roziskrzone oczy i była równie ożywiona jak inne koleżanki. Nagle jednak Mateusz zauważył, że jego wychowanka różni się pod jakimś względem od rówieśnic. Zmartwił się, bo miał nieodparte wrażenie, że nie jest to różnica na korzyść. A przecież jego Ania miała bardziej promienną twarz, większe i mocniej błyszczące oczy oraz delikatniejsze rysy niż pozostałe dziewczynki. Nawet tak nieśmiały, mało spostrzegawczy obserwator jak Mateusz z łatwością zauważał takie rzeczy. Różnica, która tak bardzo go zaintrygowała, polegała jednak na czymś innym. Ale na czym?

To pytanie ciągle go nurtowało, nawet wtedy, gdy dziewczynki już sobie poszły. Kiedy jedna za drugą zaczęły schodzić po całkowicie zamarzniętej ścieżce prowadzącej w dół zbocza — Ania zasiadła do książek. Mateusz nie mógł przedstawić swoich wątpliwości Maryli, bo nie chciał narazić się na drwiny z jej strony. Już słyszał te uszczypliwe uwagi, iż jedyna różnica między Anią a jej koleżankami polega na tym, że one potrafią czasami zamilknąć, natomiast Ania — nigdy. Takie komentarze, pomyślał Mateusz, na niewiele mu się zdadzą.

Ażeby spokojnie rozwikłać swój problem, sięgnął po fajkę, czym jak zwykle wzbudził obrzydzenie Maryli. Po dwóch godzinach zaciągania się tytoniowym dymem i długim namyśle trafił wreszcie w sedno. Ania jest po prostu inaczej ubrana niż jej rówieśnice!

Im więcej Mateusz zastanawiał się nad tą sprawą, tym mocniejszego nabierał przekonania, że Ania właściwie nigdy — odkąd przybyła na Zielone Wzgórze — nie wyglądała jak jej koleżanki. Maryla ciągle kazała jej nosić takie same sukienki, uszyte na jedną modłę z niewyszukanych, ciemnych materiałów. Mateusz wiedział o modzie tylko tyle, że istnieje. Mimo to zauważył, że rękawy przy sukienkach Ani były zupełnie inne niż te, które miały jej rówieśnice. Przypomniawszy sobie Anię stojącą tamtego wieczoru w otoczeniu koleżanek — wszystkie wyglądały tak wesoło w swoich czerwonych, niebieskich, różowych i białych bluzeczkach — zaczął się zastanawiać, dlaczego właściwie Maryla ubiera Anię w bardzo poważne i w gruncie rzeczy brzydkie stroje.

Oczywiście, jego siostra na pewno postępowała ze wszech miar słusznie. Znała się przecież na tym lepiej niż on, i to ona w końcu wychowywała Anię. Prawdopodobnie miała w tym jakiś nieodgadniony, ale zbożny cel. Z pewnością jednak nie stałoby się nic złego, gdyby jego podopieczna dostała choć jedną ładną sukienkę — podobną do tych, jakie nosiła Diana Barry. Mateusz zdecydował, że sam ją Ani kupi. Oczywiście musiał to zrobić w taki sposób, żeby nie było mu to poczytane za próbę mieszania się do wychowywania Ani. Ponieważ do Bożego Narodzenia pozostały tylko dwa tygodnie, piękna nowa sukienka była jak najbardziej stosownym prezentem. Mateusz westchnął z zadowoleniem, odłożył na bok fajkę i poszedł spać. Maryla zaś pootwierała drzwi na oścież, by wywietrzyć dom.

Następnego dnia, pod wieczór, Mateusz wybrał się do Carmody po sukienkę dla Ani, bo pragnął mieć już najgorsze za sobą. Był pewien, że czeka go niełatwa próba. Wiele rzeczy kupował sam i potrafił nieźle się o nie targować, jednak w kwestii dziewczęcych sukienek był całkowicie zdany na łaskę sprzedawców.

Po dłuższym namyśle zdecydował się pójść do sklepu Samuela Lawsona, a nie jak zwykle do Wilhelma Blaira. Należałoby wspomnieć, że Cuthbertowie od dawien dawna załatwiali sprawunki w sklepie Wilhelma Blaira. Był to zwyczaj uświęcony tradycją, tak samo jak przynależność do kościoła prezbiteriańskiego i głosowanie na konserwatystów. Niestety, w sklepie pana Blaira klientów często obsługiwały jego dwie córki, a Mateusz bał się ich jak ognia. Poradziłby sobie z nimi może nie najgorzej, gdyby wiedział dokładnie, co chce kupić lub gdyby mógł tę rzecz wskazać. Ponieważ jednak sprawa wymagała konsultacji i dłuższych wyjaśnień, wolał, żeby za ladą stał mężczyzna. Dlatego ostatecznie zdecydował się pójść do sklepu Lawsona, gdzie zazwyczaj obsługiwał właściciel lub jego syn.

Niestety, Mateusz nie wiedział, że Samuel rozwinął ostatnio interes i zatrudnił do pomocy młodą ekspedientkę. Była to siostrzenica jego żony, bardzo rzutka młoda dama, z wysoko upiętą fryzurą w modnym stylu pompadour. Miała wielkie brązowe oczy i bardzo szeroki, zniewalający uśmiech. Ubrana była niezwykle elegancko, a na rękach nosiła po kilka bransoletek, które dzwoniły i migotały przy każdym ruchu. Mateusz był ogromnie zaskoczony i zmieszany, gdy zobaczył ją za ladą, a już te pobrzękujące bransoletki zupełnie zbiły go z tropu.

— Czym mogę służyć, panie Cuthbert? — zapytała przymilnie panna Lucilla Harris, uderzając lekko dłońmi o ladę.

— Czy ma pani jakieś... jakieś, no, powiedzmy, jakieś grabie? — wyjąkał Mateusz.

Panna Harris spojrzała na niego lekko zdziwiona, jako że był przecież środek grudnia.

— Chyba zostały ze dwie sztuki — powiedziała — ale muszę iść po nie na górę.

Pod nieobecność panny Harris Mateusz zbierał siły do następnego starcia.

Gdy sprzedawczyni wróciła z grabiami, znowu wesoło zapytała:

— Czy może jeszcze coś, panie Cuthbert?

Mateusz zebrał się na odwagę i powiedział:

— No cóż, skoro pani pyta, to chciałbym jeszcze panią prosić... to znaczy... właściwie przyjrzeć się... kupić nasiona traw.

Panna Harris słyszała co prawda, że Mateusz ma opinię dziwaka, teraz jednak pomyślała sobie, że to zupełny wariat.

— Nasiona traw sprzedajemy tylko na wiosnę — wyjaśniła z poczuciem wyższości. — W tej chwili nie ma ich na składzie.

— No tak, oczywiście, naturalnie, ma pani rację — jąkał się dalej nieszczęśliwy Mateusz.

Chwycił za grabie i ruszył do drzwi. Na progu przypomniał sobie, że przecież nie zapłacił. Niepocieszony zawrócił do sklepu. Gdy panna Harris odliczała resztę, Mateusz postanowił podjąć ostatnią, desperacką próbę.

— No cóż, o ile nie sprawi to pani kłopotu, to chciałbym jeszcze... znaczy się... chciałbym rzucić okiem na... cukier.

— Biały czy brązowy? — ze stoickim spokojem dopytywała się panna Harris.

— No, czy ja wiem... brązowy — odpowiedział słabym głosem.

— O, tam stoi cała beczka — pokazała ręką panna Harris, pobrzękując bransoletkami. — Mamy tylko ten jeden rodzaj.

— No cóż, wezmę... wezmę ze dwadzieścia funtów — wykrztusił Mateusz. Na jego czole pojawiły się krople potu.

Dopiero w połowie drogi powrotnej Mateusz odzyskał równowagę. Zakupy u Lawsona uznał za bardzo przykre doświadczenie, ale doszedł do wniosku, że sam sobie był winien, skoro dopuścił się odstępstwa od przyjętych zwyczajów i poszedł załatwiać sprawunki w obcym sklepie. Gdy dojechał do domu, grabie schował w komórce na narzędzia, ale cukier musiał zanieść siostrze.

— Brązowy cukier! — wykrzyknęła Maryla. — Co cię nagle napadło, żeby kupować aż tyle? Przecież wiesz, że używam go bardzo rzadko, tylko wtedy, gdy szykuję owsiankę dla parobka lub gdy piekę piernik z bakaliami. Jerry skończył już u nas robotę, a piernik też dawno upiekłam. A poza tym to kiepski gatunek cukru — gruby i bardzo ciemny — u Wilhelma Blaira zazwyczaj można dostać dużo lepszy.

— Myślałem, że... że może przyda się na później — oświadczył Mateusz, szukając usprawiedliwienia.

Gdy Mateusz przemyślał wszystko jeszcze raz, doszedł do wniosku, że nie obejdzie się bez pomocy kobiety. Na Marylę jednak nie miał co liczyć — wiedział, że od razu ostudzi jego zapał kubłem zimnej wody i zamiar spełznie na niczym. Cała nadzieja w pani Linde. Żadnej innej kobiety w Avonlea nie ośmieliłby się prosić o radę. Jak pomyślał, tak zrobił — wybrał się do pani Małgorzaty. Zacna kobieta zaraz wzięła sprawy w swoje ręce i uwolniła od nich znękanego sąsiada.

— Pomóc ci wybrać sukienkę dla Ani? Oczywiście, że pomogę. Jutro będę w Carmody i zajmę się tym. Czy mógłbyś opisać dokładniej, o co ci chodzi? Nie? No cóż, w takim razie będę musiała zdać się na własny gust. Myślę, że w pięknym ciemnym brązie będzie Ani bardzo do twarzy. U Wilhelma Blaira widziałam taką delikatną wełenkę z domieszką jedwabiu — naprawdę prześliczna. Czy chciałbyś może, abym również podjęła się szycia? Wiem, w czym rzecz — gdyby Maryla się za to zabrała, Ania na pewno poczułaby zaraz pismo nosem i z niespodzianki nic by nie wyszło. Chętnie się tym zajmę. Nie, to naprawdę drobiazg. Bardzo lubię szyć. Dopasuję sukienkę do sylwetki mojej siostrzenicy, Jenny Gillis, bo ona i Ania są jak dwie krople wody, jeżeli idzie o figurę.

— No cóż, byłbym wielce zobowiązany — odezwał się Mateusz — i... i... sam nie wiem... chciałbym... myślę sobie, że robi się teraz rękawy jakieś inne, niż kiedyś bywało. Jeżeli nie sprawi to zbyt wielkiego kłopotu, to... to chciałbym, aby uszyć je po nowemu.

— Bufki? Żaden problem. Nie musisz się wcale martwić. Wszystko będzie zrobione zgodnie z najnowszą modą — obiecała pani Linde.

Gdy Mateusz poszedł do domu, pomyślała: „No, nareszcie to biedne dziecko będzie przyzwoicie wyglądało. Sposób, w jaki Maryla ją ubiera, jest po prostu nie do przyjęcia, bez dwóch zdań, ot co. Niejeden raz korciło mnie, żeby otwarcie porozmawiać o tym z Marylą. Trzymałam jednak język za zębami, bo ona, jak widzę, nie lubi słuchać niczyich rad i jest przekonana, że lepiej zna się na wychowaniu dzieci niż ja, a przecież to stara panna. Ale tak to już jest. Ludzie, którzy mieli do czynienia z dziećmi, wiedzą, że nie ma jednej, prostej metody, która w dodatku byłaby tak samo skuteczna w stosunku do każdego z nich. Ci, którzy nigdy się dziećmi nie zajmowali, uważają, że wychowywanie jest proste jak dwa razy dwa. Tymczasem natura człowieka jest bardziej złożona od arytmetyki i na tym polega błąd Maryli. Ona pewnie próbuje wychować to dziecko w duchu skromności, ale taki sposób ubierania może wywołać wręcz odwrotną reakcję — poczucie zazdrości i niezadowolenia. Jestem pewna, że Ania doskonale zdaje sobie sprawę z tego, że jej stroje nie są takie jak innych dziewczynek. Ale że Mateusz to zauważył! Ten człowiek dopiero teraz się budzi do życia, po sześćdziesięciu latach uśpienia".

Przez kolejne dwa tygodnie Maryla czuła, że Mateusz coś przed nią ukrywa, ale nie mogła ustalić co. Wszystko wyszło na jaw dopiero w Wigilię, kiedy pani Linde przyszła z nową sukienką. Maryla nie dała po sobie poznać, co naprawdę myśli, i zachowywała się bardzo uprzejmie, chociaż prawie na pewno nie dowierzała wyjaśnieniom pani Linde, iż pomogła uszyć sukienkę tylko dlatego, że Mateusz obawiał się, aby Ania przed czasem nie dowiedziała się o gwiazdkowym prezencie, a tak by się stało, gdyby szyciem zajęła się Maryla.

— A więc to dlatego przez ostatnie dwa tygodnie Mateusz robił takie tajemnicze miny i ciągle uśmiechał się pod nosem — powiedziała uprzejmym, choć nieco oficjalnym tonem Maryla. — Wiedziałam, że wyskoczy z jakimś głupstwem. No cóż, osobiście uważam, że Ania nie potrzebuje nowych ubrań. Dostała ode mnie trzy porządne, ciepłe i praktyczne sukienki na jesieni, a każda kolejna to już czysta ekstrawagancja. Na same rękawy poszło tyle materiału, że dałoby się z nich uszyć bluzkę, jestem tego najzupełniej pewna. Schlebiasz jej próżności, Mateuszu, a ona i tak już chodzi dumna niczym paw. Pozostaje tylko mieć nadzieję, że sukienka się jej spodoba. Wiem, że bardzo marzyła o tych śmiesznych bufiastych rękawach. Wzdychała do nich, odkąd weszły w modę, chociaż tylko raz o nie prosiła. Te bufki szyje się coraz większe, przez co zaczynają wyglądać doprawdy komicznie. Przypominają nadmuchane balony. W następnym roku osiągną już pewnie tak kolosalne rozmiary, że aby przejść przez drzwi, trzeba będzie przeciskać się bokiem.

Rano w dzień Bożego Narodzenia świat wyglądał bardzo pięknie, wszędzie bowiem, jak okiem sięgnąć, królowała biel. Ponieważ grudzień był dosyć ciepły, ludzie pogodzili się już z myślą, że na święta śniegu nie będzie. Aż tu nagle w nocy spadło go wystarczająco dużo, ażeby przeobrazić całe Avonlea. Ania zachwyconym wzrokiem spoglądała przez pokryte szronem okno na poddaszu. Jodły w Lesie Duchów stroszyły swoje obsypane śniegiem gałęzie i wyglądały doprawdy baśniowo, brzozy i czereśnie, których konary otulał biały puch, rzucały perłowy blask, ośnieżone bruzdy na zaoranych polach przypominały rzędy spienionych fal morskich, a czyste, rześkie powietrze przydawało jeszcze wszystkiemu uroku. Ania zbiegła na dół, śpiewając donośnie, a jej głos rozchodził się po całym domu.

— Wesołych świąt, Marylo! Wesołych świąt, Mateuszu! Ależ cudowne Boże Narodzenie! Tak się cieszę, że wszędzie jest biało. Gdy nie pada śnieg, święta tracą swój uroczysty charakter. Nie lubię, gdy nie ma śniegu. Wtedy wszystko wygląda przeraźliwie szaro i smutno. Co to za święta. Ale cóż to takiego, Mateuszu, czy to coś dla mnie? Och, Mateuszu!

Mateusz, nieco zawstydzony, zaczął rozpakowywać prezent, owinięty kilkoma warstwami papieru. Gdy wreszcie wydobył ze środka sukienkę, spojrzał przepraszającym wzrokiem na Marylę, która z obrażoną miną udawała, że całkowicie pochłonięta jest parzeniem herbaty w dzbanku, kątem oka jednak pilnie i z wyraźnym zainteresowaniem obserwowała całą scenę.

Ania wzięła do rąk sukienkę i przyglądała się jej w nabożnym skupieniu. Sukienka była naprawdę prześliczna — miękka, lekka wełenka z domieszką jedwabiu połyskiwała pięknie. Dół zdobiły drobne falbanki i marszczenia, przy talii zrobione były bardzo modne, misterne zakładki, a dekolt wykończony został cieniutką, delikatną koronką. Ale rękawy — to był dopiero prawdziwy majstersztyk! Długie mankiety aż do łokci, przechodzące w dwie piękne bufki, zgrabnie przymarszczone na gumkach i dodatkowo ozdobione kokardami z brązowej jedwabnej wstążki.

— To mój świąteczny prezent dla ciebie — odezwał się nieśmiałym głosem Mateusz. — No i co ty na to, Aniu? Podoba ci się? Co powiesz?

Oczy Ani nagle wypełniły się łzami.

— Czy mi się podoba? Och, Mateuszu! — Ania położyła sukienkę na krześle i zacisnęła dłonie. — Mateuszu, ta sukienka jest po prostu cudowna! Nie wiem, jak ci za nią dziękować. A te rękawy! Wydaje mi się, że to sen.

— No, wystarczy tego dobrego, może byśmy tak zasiedli do śniadania — wtrąciła się Maryla. — Muszę wyznać, Aniu, że nie uważam, aby ta nowa sukienka była ci rzeczywiście potrzebna, ale ponieważ Mateusz ją dla ciebie kupił, pamiętaj, abyś należycie o nią dbała. Pani Linde przyniosła ci również do kompletu brązową wstążkę do włosów. A teraz chodź już tutaj i usiądź do stołu.

— Nie wiem, czy będę w stanie coś przełknąć — zachwyconym głosem odezwała się Ania. — Śniadanie wydaje mi się zupełnie prozaiczną sprawą w takiej radosnej chwili jak ta. Wolałabym raczej nasycić wzrok, przyglądając się sukience. Tak się cieszę, że bufiaste rękawy nadal są modne. Już się bałam, że gdy wreszcie dostanę sukienkę z takimi rękawami, to akurat wyjdą one z mody, a tego bym chyba nie przeżyła. Nie mogłabym się wówczas naprawdę cieszyć. To bardzo ładnie ze strony pani Linde, że pomyślała także o wstążce do włosów. Czuję, że powinnam zacząć się teraz bardzo dobrze sprawować. W takich chwilach jak ta zaczynam żałować, że nie jestem wzorową dziewczynką o nienagannych manierach. Obiecuję sobie wtedy, że w przyszłości to się zmieni. Niestety, trudno jest wywiązać się z obietnic, gdy wokół czyha tyle pokus. Niemniej jednak będę się od dzisiaj bardzo starać, by się udało.

Gdy zupełnie prozaiczna rzecz, czyli śniadanie, dobiegała końca, na zasypanym śniegiem mostku w kotlinie pojawiła się Diana. Z daleka można było dostrzec jej niedużą postać w wesołym czerwonym płaszczyku. Ania, widząc przyjaciółkę, zbiegła ze wzgórza, aby ją powitać.

— Wesołych świąt, Diano! Co za cudowne Boże Narodzenie. Mam ci coś bardzo ładnego do pokazania. Otóż Mateusz podarował mi śliczną sukienkę, z takimi bufiastymi rękawami, no wiesz. Ładniejszej nie umiałabym sobie nawet wyobrazić.

— Ja też mam coś dla ciebie — powiedziała zdyszana Diana. — Tu, w tym pudełku. Ciotka Józefina przysłała nam na święta wielką paczkę z mnóstwem prezentów — między innymi było też pudełko dla ciebie. Przyniosłabym je wczoraj, ale paczkę doręczono dopiero późnym wieczorem, a ja jakoś nie bardzo lubię teraz chodzić o zmroku przez Las Duchów.

Ania otworzyła pudełko i zajrzała do środka. Na wierzchu leżała świąteczna kartka z napisem: „Dla Ani z okazji Bożego Narodzenia". Pod spodem znajdowała się para dziewczęcych pantofelków, zrobionych z delikatnej koźlęcej skórki. Buciki ozdobione były atłasowymi kokardkami, na czubkach miały naszyte koraliki i zapinały się na błyszczące sprzączki.

— Och, Diano, to niemożliwe, ja chyba śnię.

— Powiedziałabym, że to prawdziwe zrządzenie Opatrzności — odezwała się Diana. — Teraz nie będziesz już musiała pożyczać pantofelków od Ruby, no i całe szczęście, bo przecież ona nosi buty o dwa numery większe niż ty, więc jak by to wyglądało, gdyby wróżka szurała nogami. Josie Pye dopiero miałaby używanie. Aha, czy wiesz, że przedwczoraj Robert Wright odprowadził Gertie Pye po próbie do domu? Wyobrażasz sobie coś takiego?

Wszyscy uczniowie w Avonlea byli bardzo zaaferowani tego dnia, ponieważ trzeba było udekorować salę i przeprowadzić próbę generalną.

Koncert odbył się wieczorem i okazał się wielkim sukcesem. Nieduża sala była po brzegi wypełniona ludźmi. Wszyscy uczniowie, którzy występowali na scenie, wypadli nadspodziewanie dobrze, ale Ania została bezapelacyjnie gwiazdą wieczoru, czemu nie ośmieliła się zaprzeczyć nawet zazdrosna Josie Pye.

— Och, powiedz, czy to nie był cudowny wieczór? — westchnęła Ania, gdy było już po wszystkim i obie z Dianą wracały do domu. Na ciemnym tle nieba widać było mrowie gwiazd.

— Wszystko poszło jak należy — trzeźwo oceniła Diana. — Myślę, że udało nam się zebrać przynajmniej dziesięć dolarów. I wiesz co, pan Allan chce napisać krótką notatkę o tym koncercie i wysłać ją do gazet w Charlottetown.

— Naprawdę? Diano, czy to możliwe, że nasze nazwiska ukażą się drukiem? Aż dreszcz mnie przechodzi, gdy o tym pomyślę. Ta twoja partia solowa wypadła doskonale. Byłam chyba bardziej dumna niż ty sama, kiedy poprosili cię o bis. Pomyślałam sobie wtedy: „Wszystkie te brawa przeznaczone są dla mojej drogiej przyjaciółki od serca".

— No a twoja recytacja to dopiero rzuciła salę na kolana, Aniu. Zwłaszcza ten smutny kawałek — wygłosiłaś go wspaniale.

— Wiesz, byłam taka zdenerwowana, Diano. Kiedy pan Allan wywołał mnie na scenę, sama nie wiem, skąd wzięłam siły, żeby wyjść na środek. Czułam, iż wpatrują się we mnie miliony oczu, i pomyślałam, że zaraz przewiercą mnie na wylot. W pewnej chwili przeraziłam się, że w ogóle nie będę w stanie zacząć. Wtedy jednak przypomniałam sobie o moich wspaniałych bufiastych rękawach i zebrałam się na odwagę. Postanowiłam, że muszę udowodnić, iż zasłużyłam na te rękawy. Zaczęłam mówić i wydawało mi się, że mój głos dochodzi jakby gdzieś z oddali. Czułam się tak, jakbym była papugą. To naprawdę sprawa Opatrzności bożej, że tyle razy powtarzałam ten tekst, przesiadując na strychu, inaczej nie byłabym w stanie dobrnąć do końca. Czy dobrze jęczałam?

— Jasne, te jęki były naprawdę doskonałe — zapewniła Diana.

— Gdy usiadłam, zobaczyłam, jak starsza pani Sloane wyciera ukradkiem łzy. Cudownie jest wiedzieć, że się poruszyło czyjeś uczucia. To takie romantyczne wziąć udział w koncercie, no nie? Naprawdę, długo będę pamiętać ten wieczór.

— Inscenizacja chłopców też wypadła nie najgorzej, nie uważasz? — powiedziała Diana. — Gilbert Blythe był po prostu świetny. Wiesz co, Aniu, mnie się wydaje, że ty strasznie niesprawiedliwie traktujesz Gilberta. Pozwól mi skończyć. Gdy zbiegałaś ze sceny po swoim występie, z włosów wypadła ci róża. Widziałam, że Gilbert ją podniósł i włożył sobie do butonierki. Będąc taką romantyczką, powinnaś być zadowolona.

— Jest mi najzupełniej obojętne, co robi ta osoba — wyniosłym tonem oświadczyła Ania. — Po prostu nie zaprzątam sobie nim głowy, Diano.

Tego wieczoru, po powrocie do domu, Maryla i Mateusz, którzy wybrali się na koncert po raz pierwszy od dwudziestu lat, usiedli sobie na chwilę przy kuchennym piecu. Ania położyła się już spać.

— No i co, mnie tam się zdaje, że nasza Ania poradziła sobie równie dobrze jak pozostałe dzieci — oświadczył nie bez dumy Mateusz.

— Tak, rzeczywiście — przytaknęła Maryla. — To naprawdę zdolne dziecko. No i wyglądała bardzo ładnie. Z początku nie byłam zachwycona tym pomysłem, ale teraz myślę, że taki koncert to w końcu nic złego. Tak czy owak, bardzo byłam dzisiaj z Ani dumna, chociaż wcale nie zamierzam jej o tym mówić.

— No cóż, ja też byłem z niej dumny, o czym zdążyłem jej powiedzieć, zanim poszła do siebie na górę — przyznał się Mateusz. — Musimy się któregoś dnia zastanowić, co robić dalej, Marylo. Myślę sobie, że Ania nie może poprzestać na szkole w Avonlea i w przyszłości powinna pójść gdzieś wyżej.

— Jest jeszcze sporo czasu do namysłu — odparła Maryla. — Przecież ona w marcu skończy dopiero trzynaście lat. Chociaż dzisiaj, gdy na nią patrzyłam, uświadomiłam sobie nagle, że to już naprawdę duża dziewczynka. Małgorzata zrobiła jej tę sukienkę odrobinę za długą i przez to Ania wydaje się taka wysoka. Ona szybko się uczy i pewnie za jakiś czas trzeba będzie ją wysłać do Queen's Academy. Myślę jednak, że przez najbliższy rok lub dwa nie należy jej o tym wspominać.

— No cóż, nie zaszkodzi dobrze się zastanowić i wszystko rozważyć — wyraził swoje zdanie Mateusz. — Takie rzeczy zawsze warto porządnie przemyśleć.

POWSTAJE KLUB LITERACKI

Młodym mieszkańcom Avonlea trudno było na powrót przyzwyczaić się do szarej rzeczywistości. Szczególnie Ani wszystko wydawało się nudne, bez wyrazu i wręcz bezsensowne na tle minionych tygodni, kiedy każdy dzień przynosił coraz to nowe wyzwania. Czy w ogóle można było jeszcze powrócić do małych, codziennych przyjemności z czasów poprzedzających koncert? Początkowo Ania szczerze w to wątpiła.

— Jestem całkowicie przekonana, Diano, że nie można cofnąć biegu zdarzeń i wrócić do tamtych dni — powiedziała z taką nostalgią, jakby wspominała zdarzenia sprzed co najmniej pięćdziesięciu lat. — Może kiedyś mi to przejdzie, ale na razie czuję, że koncerty na dobre odzwyczajają nas od codzienności. Chyba dlatego Maryla jest im tak przeciwna. Ona jest bardzo rozsądna. To chyba dobrze, gdy ktoś jest rozsądny, ale z drugiej strony sama nie chciałabym być taka, bo rozsądni ludzie są okropnie nieromantyczni. Pani Linde jest co prawda zdania, że mi to nie grozi, ale przecież nigdy nie wiadomo. Coś takiego mogłoby się zdarzyć i wyrosłabym na pełną zdrowego rozsądku osobę. Obawy te nachodzą mnie chyba ze zmęczenia. Wczoraj nie mogłam zasnąć przez pół nocy. Przewracałam się z boku na bok i ciągle przeżywałam nasz koncert. Chyba najlepszą stroną takich niezwykłych wydarzeń jest to, że można do nich bez końca wracać w myślach.

Wreszcie jednak uczniowie z Avonlea jakoś przywykli do szarej rzeczywistości i zaczęli żyć tym, co dawniej, jakkolwiek koncert przyniósł pewne zmiany. Ruby Gillis i Emma White, które pokłóciły się o miejsce na scenie, nie siedziały już w tej samej ławce, a ich przyjaźń, która od trzech lat tak pięknie się rozwijała, legła w gruzach. Z kolei Josie Pye i Julia Bell nie odzywały się do siebie przez trzy miesiące, bo Josie powiedziała Bessie Wright, że Julia, rozpoczynając swoją recytację, dygnęła jak kura, a Bessie doniosła o tym Julii. Poza tym rodzina Sloane'ów nie chciała mieć nic do czynienia z rodziną Bellów, bo Bellowie rozpowiadali podobno na lewo i prawo, że młodzi Sloane'owie mieli zbyt duży udział w koncercie, natomiast Sloane'owie zarzucali im, że nawet swoich skromnych ról nie potrafili odegrać jak należy, więc o czym tu w ogóle dyskutować. W końcu Karol Sloane i Moody Spurgeon MacPherson wdali się w bójkę, bo Moody oświadczył, że Ania Shirley puszyła się jak paw z powodu swojej recytacji, i tym zasłużył sobie w oczach Karola na tęgie lanie. W rezultacie Ella May, siostra Moody'ego, nie odzywała się do Ani do końca zimy. Jeśli nie liczyć tych drobnych utarczek, życie w królestwie panny Stacy układało się całkiem harmonijnie.

Mijały kolejne tygodnie łagodnej, niezbyt śnieżnej zimy. Sprzyjająca pogoda pozwalała Ani i Dianie chodzić codziennie do szkoły Ścieżką Brzóz. Pewnego dnia, a były to akurat urodziny Ani, dziewczynki szły sobie beztrosko, ale mimo że jak zwykle były zagadane, rozglądały się uważnie dookoła, bo panna Stacy zapowiedziała, że klasa będzie wkrótce pisała wypracowanie pod tytułem *Zimowy spacer w lesie*. To właśnie kazało przyjaciółkom bacznie obserwować otoczenie.

— No widzisz, Diano, mam już trzynaście lat — powiedziała Ania smutnym głosem. — I pomyśleć tylko, że jestem już nastolatką. Obudziłam się dzisiaj z przeświadczeniem, że wszystko musi się teraz zmienić. Ty masz trzynaście lat już od miesiąca, więc dla ciebie to chyba nie jest aż taka atrakcja jak dla mnie. Ja mam wrażenie, że teraz moje życie stanie się o wiele bardziej interesujące. Za dwa lata będę już zupełnie dorosła. Strasznie się cieszę, bo wtedy będę mogła do woli używać wzniosłych słów i nikt nie będzie się ze mnie śmiał.

— A Ruby Gillis mówi, że jak tylko skończy piętnaście lat, to poszuka sobie chłopaka — odezwała się Diana.

— Ruby Gillis tylko to jedno ma w głowie — powiedziała Ania lekceważąco. — Ilekroć ktoś napisze na ścianie jej imię, to Ruby jest zachwycona, chociaż udaje, że się gniewa. Ale chyba robię się zbyt uszczypliwa, a pani Allan zawsze doradza, żeby wystrzegać się uszczypliwości. Tylko że to jakoś tak samo wychodzi. Ja po prostu nie potrafię mówić o Josie Pye bez uszczypliwości, więc wolę w ogóle o niej nie wspominać. Pewnie to zauważyłaś. Zawsze gdy tylko mogę, staram się brać przykład z pani Allan, bo ona jest po prostu wzorem doskonałości. Jej mąż też tak sądzi. Natomiast pani Linde uważa, że pan Allan jest przesadnie zapatrzony w żonę, a pastorowi nie wypada tak zatracać się w uwielbieniu dla śmiertelnej istoty. No, ale nawet duchowni miewają swoje słabostki, jak każdy z nas. Zeszłej niedzieli odbyłam z panią Allan ciekawą rozmowę na temat ludzkich słabości. To jeden z tych nielicznych tematów, który nadaje się na niedzielną rozmowę. Moją słabością jest to, że nie umiem zapanować nad swoją wyobraźnią i ciągle się zapominam. Bardzo się staram poprawić i może teraz, gdy mam już trzynaście lat, pójdzie mi lepiej.

— Za cztery lata będziemy mogły się czesać jak dorosłe kobiety — zauważyła Diana. — Co prawda Marysia Bell ma dopiero szesnaście lat, a już zaczęła upinać włosy do góry, ale to chyba przesada. Ja tam zaczekam, aż będę miała siedemnaście.

— Gdybym miała taki krogulczy nos jak Marysia — powiedziała Ania pewnym siebie głosem — nie robiłabym... ale nie, nic już nie powiem, bo znowu wyszłoby mi coś bardzo uszczypliwego. Poza tym zaczęłam sobie porównywać jej nos z moim, a to już zwykła próżność. W ogóle chyba za dużo myślę o swoim nosie, a wszystko przez ten komplement, który usłyszałam dawno temu. Tylko że to naprawdę sprawia mi taką wielką przyjemność. Och, Diano, popatrz — królik. To nam się przyda do wypracowania o zimowym spacerze po lesie. Uważam, że o tej porze roku las jest równie piękny jak w lecie. Tak tu biało i cicho, jakby drzewa zapadły w sen i śniły o czymś pięknym.

— Z przyjemnością napiszę to wypracowanie — oświadczyła Diana. — O lesie mogę pisać, ale to opowiadanie na poniedziałek jest okropne. Jak można napisać coś „z głowy", bez określonego przez pannę Stacy tematu!

— Ależ to proste jak drut — powiedziała Ania.

— Dla ciebie proste, bo masz bujną wyobraźnię — broniła się Diana — ale co byś zrobiła, jakbyś nie miała? Pewnie już zdążyłaś je napisać, co?

Ania skinęła głową, starając się nie okazywać zadowolenia z siebie, co zresztą nie bardzo jej się udało.

— Napisałam już w ubiegły poniedziałek. Ma tytuł *Rywalki, czyli śmierć nas nie rozdzieli*. Czytałam Maryli i powiedziała, że to same bzdury. Ale gdy Mateusz usłyszał moje opowiadanie, powiedział, że jest całkiem dobre. Takiego recenzenta lubię. A opowiadanie jest smutne, o miłości. Płakałam rzewnymi łzami, gdy je pisałam. Moje dwie piękne bohaterki zwą się Kordelia Montmorency i Geraldine Seymour. Mieszkają w tej samej wiosce i darzą się szczerą przyjaźnią. Kordelia jest cudną brunetką z burzą kruczoczarnych włosów i skrzącymi się oczyma. Natomiast Geraldine prześliczną blondynką o włosach jak złote runo i aksamitnych, liliowych oczach.

— Jeszcze nie słyszałam, żeby ktoś miał liliowe oczy — wyraziła swe powątpiewanie Diana.

— Ja też nie. Po prostu sobie to wyobraziłam. Chciałam, żeby moja bohaterka była niepowtarzalna. Geraldine ma też alabastrowe czoło. Wiem już, co to znaczy. Człowiek jest o tyle mądrzejszy, kiedy ma trzynaście lat. W tym wieku ma się już sporą wiedzę.

— No i co z tą Kordelią i Geraldine? — zapytała Diana, którą opowieść koleżanki zaczęła najwyraźniej wciągać.

— Aż do szesnastego roku życia dorastały razem, a ich uroda świeciła coraz jaśniejszym blaskiem. Aż tu nagle do wioski przybył niejaki Bertram DeVere, no i zakochał się na zabój w jasnowłosej Geraldine. I pewnego razu uratował życie swojej ukochanej, kiedy koń w jej zaprzęgu się spłoszył. Gdy było już po wszystkim, ona omdlała w jego ramionach, więc musiał ją nieść na rękach przez trzy mile aż do domu, bo rozumiesz, ten jej powóz był już do niczego po wypadku. Trudno mi było wyobrazić sobie oświadczyny, bo nie mam jeszcze w tych sprawach doświadczenia. Zasięgnęłam więc porady Ruby Gillis, bo wydawało mi się, że ktoś, kto ma tyle zamężnych sióstr, powinien się na tym dobrze znać. No i Ruby zdradziła mi, że schowała się w wielkiej szafie w holu, gdy Malcolm Andrews oświadczał się jej siostrze Zuzannie. Ruby twierdzi, że Malcolm powiedział po prostu, że ojciec przepisał na niego farmę, po czym zapytał: „No i co, kochanie, może byśmy się tak pobrali tej jesieni?" A Zuzanna odpowiedziała: „Tak... to znaczy nie... to znaczy muszę się zastanowić...", i już było po oświadczynach. Ale wydaje mi się, że nie były to takie prawdziwie romantyczne oświadczyny, więc w końcu i tak musiałam polegać na swojej wyobraźni. No i u mnie wszystko jest bardziej kwieciste i poetyckie, dlatego Bertram pada na kolana, chociaż Ruby się zarzeka, że dziś już się tego nie robi. Geraldine przyjęła oświadczyny i wygłosiła przy tym mowę długą na całą stronę. Muszę ci się przyznać, że ta przemowa sprawiła mi niemało kłopotów. Chyba z pięć razy ją przerabiałam, ale myślę, że wyszło z tego prawdziwe arcydzieło. Bertram podarował ukochanej pierścionek z diamentem i rubinowy naszyjnik, a na dodatek obiecał jej podróż poślubną do Europy, bo był również niesamowicie bogaty. Ale, niestety, w tym momencie nad głowami kochanków zaczęły się gromadzić czarne chmury. Otóż Kordelia też skrycie się podkochiwała w Bertramie i gdy Geraldine opowiedziała jej o zaręczynach, czarnowłosa piękność po prostu wpadła we wściekłość, zwłaszcza że zauważyła naszyjnik i pierścionek z brylantem. Cała jej miłość do Geraldine przerodziła się w zapiekłą nienawiść i Kordelia poprzysięgła sobie, że jej rywalka nie wyjdzie za Bertrama. Ale w dalszym ciągu udawała, jakby nigdy nic, że jest oddaną przyjaciółką Geraldine. Pewnego wieczoru obie stały sobie na mostku nad wartkim strumieniem i Kordelia, myśląc, że nikt ich nie widzi, zepchnęła rywalkę w kipiącą toń, śmiejąc się przy tym tryumfalnie i szyderczo: „cha, cha, cha". Na szczęście Bertram wszystko widział i bez namysłu rzucił się na ratunek z okrzykiem: „Pomoc nadchodzi, moja ty najdroższa". Niestety, z tego wszystkiego zapomniał, że nie umie pływać, i oboje utonęli, trzymając się w objęciach. Woda wkrótce wyrzuciła na brzeg ich martwe ciała. Pochowano ich w jednym grobie, a pogrzeb był po prostu wspaniały. Wiesz, Diano, wydaje mi się, że pogrzeb jest bardziej romantycznym zakończeniem niż ślub. A Kordelię wyrzuty sumienia doprowadziły do szaleństwa i skończyła w przytułku dla obłąkanych. Myślę, że to stanowi takie symboliczne odkupienie jej win.

— Wspaniała historia! — westchnęła Diana, która jako krytyk literacki najwyraźniej należała do tej samej szkoły co Mateusz. — Zupełnie nie rozumiem, jak możesz z głowy pisać tak niesamowite opowiadania, Aniu. Szkoda, że nie mam takiej wyobraźni jak ty.

— Miałabyś, gdybyś choć trochę częściej ją ćwiczyła — odparła Ania z uśmiechem. — Mam pomysł, Diano. Załóżmy razem Klub Literacki i szlifujmy swoje talenty, pisząc opowiadania. Będę ci pomagała, aż nauczysz się pisać samodzielnie. Mówię ci, powinnaś ćwiczyć wyobraźnię. Panna Stacy też tak mówi. Tylko że trzeba rozwijać wyobraźnię w dobrym kierunku. Opowiedziałam jej o Lesie Duchów i wytłumaczyła mi, że w tamtym wypadku poszłyśmy w zupełnie niewłaściwą stronę.

I tak oto Klub Literacki rozpoczął swoją działalność. Z początku należały do niego tylko Diana i Ania, ale wkrótce przystąpiła też Jane Andrews, a potem Ruby Gillis i jeszcze kilka koleżanek, które również były zdania, że wyobraźnię należy ćwiczyć. Chłopców nie dopuszczono do Klubu, wbrew opinii Ruby Gillis, że ich obecność zwiększyłaby atrakcyjność całego przedsięwzięcia. Każda z dziewcząt zobowiązana była pisać jedno opowiadanie na tydzień.

— To wspaniała zabawa — wyznała Ania Maryli. — Czytamy swoje opowiadania na głos, a potem nad nimi dyskutujemy. Postanowiłyśmy pieczołowicie przechowywać nasze dzieła dla potomności. Każda z nas ma swój pseudonim literacki. Ja kryję się pod imieniem i nazwiskiem Rosamond

Montmorency. Wszystkim dziewczynom idzie całkiem nieźle, tylko Ruby Gillis jest trochę zbyt sentymentalna. W jej opowiadaniach jest za dużo czułości, a nadmiar jest w tym wypadku gorszy od niedoboru. Z kolei Jane w ogóle wystrzega się wątków miłosnych, bo mówi, że gdyby tego nie robiła, to potem wstydziłaby się czytać swoje dzieła. No i z jej utworów aż krzyczy zdrowy rozsądek. Natomiast u Diany jest za dużo morderstw. Ciągle powtarza, że jak nie wie, co zrobić z bohaterami, to ich po kolei uśmierca. Ja muszę wszystkim dziewczynom podpowiadać tematy opowiadań, ale wcale nie sprawia mi to trudności, bo mam miliony pomysłów.

— Myślę, że ten wasz Klub Literacki jest najgłupszym z nich wszystkich — fuknęła Maryla. — Zamiast się uczyć, tracicie czas na głupstwa i napychacie sobie głowy byle czym. Już czytać takie bzdury to potworna strata czasu, a co dopiero pisać.

— Ale my się staramy, żeby to były opowiadania z morałem, Marylo — wyjaśniła Ania. — Uważam, że to konieczne. Wszyscy dobrzy ludzie są nagradzani przez los, a złych spotyka zasłużona kara. Jestem przekonana, że to może mieć dobroczynny wpływ na czytelnika. Taki morał to wspaniała rzecz. Nasz pastor też tak mówi. Czytałam jedno z moich opowiadań państwu Allan i oboje zgodzili się, że morał był znakomity. Szkoda tylko, że się śmiali nie tam, gdzie trzeba. Ja wolę, gdy ludzie płaczą. Jane i Ruby prawie zawsze płaczą, kiedy czytam co bardziej dramatyczne fragmenty. A Diana opisała nasz Klub w liście do swojej ciotki Józefiny i ciotka poprosiła, żeby jej przesłać nasze opowiadania. No więc przepisałyśmy cztery najlepsze i posłałyśmy jej. Panna Barry odpisała, że jeszcze w życiu nie czytała czegoś tak zabawnego. To nas trochę zdziwiło, bo te opowiadania były akurat bardzo smutne i prawie wszyscy bohaterowie poumierali. Ale i tak się cieszę, że spodobały się pannie Barry. To dowodzi, że nasz Klub czyni świat lepszym. Pani Allan mówi, że taki powinien być ostateczny cel wszystkiego, co robimy. Ja naprawdę się staram, ale czasem o tym zapominam, kiedy się bardzo wciągnę w zabawę. Chciałabym być choć trochę podobna do pani Allan, kiedy dorosnę. Myślisz, że mi się uda, Marylo?

— Nie bardzo w to wierzę — te słowa były całą zachętą, jaką Ania usłyszała z ust Maryli. — Jestem przekonana, że pani Allan nigdy nie była taką niesforną, zapominalską dziewczynką jak ty.

— Pewnie, że nie, ale przecież nie była też od razu tak dobrym człowiekiem, jakim jest dziś — rzekła Ania z poważną miną. — Sama mi to powiedziała, to znaczy przyznała się, że była okropnym urwisem i zawsze wpadała w tarapaty. Bardzo mnie to podniosło na duchu. To chyba głupio z mojej strony, Marylo, że czuję się podniesiona na duchu, kiedy słyszę, że inni też kiedyś byli niegrzeczni i psotni. A pani Linde twierdzi, że zawsze przeżywa wstrząs, słysząc takie wyznania, bez względu na to, w jakim wieku ktoś był łobuziakiem. I jeszcze mówi, że słyszała kiedyś o pastorze, który nieopatrznie wyznał, że jako dziecko ukradł swojej ciotce ciastko z truskawkami, i pani Linde na dobre straciła do niego zaufanie z powodu tego wyznania. No, a ja widzę to zgoła inaczej. Według mnie to musiał być naprawdę szlachetny człowiek, skoro stać go było na przyznanie się do winy, a w dodatku wszyscy chłopcy, którzy dziś broją bez opamiętania, a potem tego żałują, na pewno czuliby się lepiej, wiedząc, że mimo wszystko kiedyś mogą wyrosnąć na pastorów. Takie jest moje zdanie, Marylo.

— A moje zdanie, Aniu, jest takie, że najwyższy czas skończyć wreszcie zmywać naczynia. Już pół godziny temu wszystko byłoby gotowe, gdyby nie twoja ciągła paplanina. Naucz się najpierw robić, a potem gadać.

PRÓŻNOŚĆ I ZBOLAŁA DUSZA

Pewnego kwietniowego wieczoru, wracając ze spotkania Koła Pomocy, Maryla poczuła nagle, że zima odeszła już na dobre, i ogarnęła ją radość, która wiosną udziela się wszystkim — zarówno starym i zgnębionym, jak i młodym, pełnym chęci do życia. Maryla nigdy nie poddawała swoich myśli i wrażeń jakimś dogłębnym analizom. I tym razem zdawało jej się pewnie, że myśli o skarbonce na datki dla misji lub o nowym dywanie do zakrystii, ale tak naprawdę ogarnęło ją nie do końca uświadomione odczucie harmonii w naturze — liliowych mgieł unoszących się o zachodzie słońca nad rdzawoczerwonymi polami, wysmukłych cieni rzucanych przez jodły rosnące nad potokiem, czerwonawych pąków pęczniejących na klonach, które przycupnęły nad przypominającym zwierciadło śródleśnym jeziorkiem, całego tego wiosennego przebudzenia pulsującego pod osłoną resztek zimy. Wiosna po prostu unosiła się w powietrzu, a Maryla, oddychając nią, czuła się jakby lżejsza i radośniejsza, można by powiedzieć, wbrew swemu wiekowi i zdroworozsądkowemu usposobieniu.

Tkliwym spojrzeniem ogarniała rodzinny dom kryjący się w gęstwinie drzew i rozsiewający refleksy promieni słonecznych odbitych w szybach okien. Gdy szła rozmokłą ścieżką, cieszyła się, że odkąd Ania zamieszkała na Zielonym Wzgórzu, czeka tam na nią wesoło trzaskający ogień i stół nakryty do kolacji, i że nie musi już wracać z zebrań parafialnych do chłodnego i pustego domu.

Kiedy więc zastała w kuchni wystygły piec, poczuła uzasadnione rozczarowanie i zdenerwowanie, zwłaszcza że po Ani nie było nawet śladu, choć miała przecież przygotować kolację na piątą. Maryli nie pozostało nic innego, jak w pośpiechu zdjąć swoją „prawie najlepszą sukienkę" i zabrać się do przygotowania posiłku, tak aby zdążyć, zanim Mateusz wróci z pola.

— Oj, dostanie ta pannica za swoje, jak wróci do domu — mruczała pod nosem Maryla, łupiąc tasakiem drewno na podpałkę, przejęta całą sprawą bardziej, niżby należało. Mateusz już przyszedł i potulnie czekał w kąciku na posiłek. — Znowu się gdzieś włóczy z Dianą, pisze te swoje opowiadania, a może ćwiczy jakąś rolę albo zajmuje się jeszcze innymi głupstwami i nie myśli wcale o obowiązkach. Trzeba jej to wybić z głowy, raz, a dobrze. I nic mnie nie obchodzi, że pani Allan uważa ją za najzdolniejszą i najmilszą dziewczynkę, jaką spotkała w swoim życiu. Może i jest zdolna, ale ma pstro w głowie i nigdy nie wiadomo, jakie kłopoty z tego wynikną. Jak jej tylko przejdzie jedno szaleństwo, zaraz sobie wynajduje inne. Ale właściwie zaczynam już gadać jak Małgorzata Linde, a przecież dopiero co byłam o to na nią wściekła podczas zebrania Akcji. Ucieszyłam się, kiedy pani Allan wzięła Anię w obronę, bo gdyby tego nie zrobiła, tobym pewnie nie wytrzymała i przy wszystkich zebranych powiedziała Małgorzacie coś niemiłego. Bóg mi świadkiem, że Ania nie jest niewiniątkiem, ale to ja ją wychowuję, a nie Małgorzata. Ta by się doszukała grzechów u samego archanioła Gabriela, gdyby tylko miała go pod bokiem, tu w Avonlea. Ale mimo wszystko Ania nie powinna tak sobie znikać z domu, zwłaszcza że miała wyznaczone konkretne obowiązki na dziś. Do tej pory, choć różnie to bywało z jej zachowaniem, nie przyłapałam jej nigdy na nieposłuszeństwie czy niedotrzymywaniu słowa. Tym bardziej mi przykro, że dzisiaj tak się stało.

— No cóż, sam nie wiem — bąknął krótko Mateusz, gdyż był nie tylko cierpliwy i mądry, ale nade wszystko głodny i dlatego wolał nie przeszkadzać Maryli w wylewaniu żalów, wiedząc, że skoro już zaczęła, to nie spocznie, aż skończy, i lepiej jej nie przerywać. — Może ją za szybko osądzasz, Marylo. Nie mów, że nie dotrzymała słowa, zanim nie dowiemy się całej prawdy. Może to się da jakoś wszystko wytłumaczyć — Ania potrafi się usprawiedliwiać jak nikt inny.

— Nie ma jej w domu, chociaż kazałam jej nie wychodzić — odparła Maryla. — Coś mi się zdaje, że tym razem przede mną nie zdoła się wytłumaczyć. Oczywiście ty będziesz po jej stronie, ale to ja ją wychowuję, nie ty.

Było już ciemno, gdy zasiedli do kolacji, a dziewczynki ciągle nie było widać ani na mostku, ani w Alei Zakochanych, choć powinna się już pojawić, zziajana i pełna skruchy z powodu zaniedbanych obowiązków. Rozgniewana Maryla pozmywała naczynia i schowała je. Następnie w poszukiwaniu świecy, która potrzebna jej była, aby oświetlić drogę do piwnicy, poszła na górę, gdyż w pokoju Ani zawsze na stoliku stała świeczka. Kiedy ją zapaliła, ku swemu zdziwieniu spostrzegła Anię leżącą na łóżku z twarzą wtuloną w poduszki.

— Na miłość boską, ty śpisz? — zapytała Maryla.

— Nie — padła stłumiona odpowiedź.

— To może jesteś chora? — dopytywała się zniecierpliwiona Maryla, podchodząc do łóżka.

Ania wtuliła się jeszcze głębiej w pościel, jakby chciała na zawsze ukryć się przed światem.

— Nie. Ale proszę cię, Marylo, idź i nawet na mnie nie patrz. Jestem na samym dnie rozpaczy i nie zależy mi już na tym, kto będzie prymusem w szkole ani kto napisze najlepsze wypracowanie, ani kto wystąpi w chórze szkółki niedzielnej. Takie drobiazgi już mnie zupełnie nie obchodzą, bo myślę, że i tak nigdy nie wyjdę z tego pokoju. Jestem skończona, dlatego proszę cię, Marylo, idź i nawet na mnie nie patrz.

— No kto to słyszał! — nie mogła się nadziwić Maryla. — Moja panno, co się z tobą dzieje? Coś ty znowu przeskrobała? Wstawaj natychmiast i mów. W tej chwili. No, mówże, o co chodzi!

Ania posłusznie wstała z łóżka.

— Popatrz na moje włosy, Marylo — wyszeptała.

Słysząc to, Maryla uniosła świecę i dokładnie przyjrzała się włosom Ani, które ciężko opadały na plecy. Rzeczywiście, wyglądały jakoś dziwnie.

— Aniu, coś ty zrobiła z włosami? Dlaczego one są zielone?

Można było ten kolor od biedy nazwać zielenią, ale właściwie był jakiś zupełnie nieziemski. Dziwaczna ciemna zieleń wpadająca w brąz, tu i ówdzie urozmaicona nietkniętymi rudymi pasemkami, robiła niesamowite wrażenie. Nigdy w życiu Maryla nie widziała czegoś tak przedziwnego jak włosy Ani w tamtej chwili.

— Tak, są zielone — jęknęła dziewczynka. — Wydawało mi się, że jak się ma rude włosy, to nie może być już gorzej. A teraz widzę, że zielone włosy to jest dopiero tragedia. Ach, Marylo, nawet nie wiesz, jaka jestem nieszczęśliwa.

— Nie mam pojęcia, jak to się mogło stać, ale zaraz się dowiem — powiedziała Maryla. — Chodź ze mną do kuchni, bo tu jest za zimno, i opowiedz mi wszystko od początku. Już od pewnego czasu spodziewałam się czegoś niezwykłego. Od ponad dwóch miesięcy nie wdałaś się w żadną kabałę i wiadomo było, że coś się musi wreszcie stać. No to mów, coś ty narobiła z tymi włosami?

— Ufarbowałam.

— Masz ci los, ufarbowała! Aniu, czyś ty nie wiedziała, że tego się nie robi?

— Wiedziałam, że to chyba nie wypada — przyznała Ania. — Ale pomyślałam, że warto trochę zgrzeszyć, żeby się w końcu pozbyć rudych włosów. Liczyłam się z konsekwencjami, Marylo, ale pomyślałam, że jak w innych sprawach będę bez zarzutu, to jakoś się wszystko wyrówna.

— Z pewnością — stwierdziła sarkastycznie Maryla. — Gdybym ja była na twoim miejscu i brałabym się za takie rzeczy, to przynajmniej zdecydowałabym się na jakiś lepszy kolor. Na pewno nie farbowałabym włosów na zielono.

— Ale ja wcale nie chciałam farbować ich na zielono — broniła się bardzo przygnębiona Ania. — Bo jak już decydować się na przewinienie, to chociaż tak, żeby coś z tego mieć. A on mówił, że będę miała kruczoczarne włosy, zarzekał się, że tak będzie. No i jak mu miałam nie wierzyć, Marylo? Wiem, jak to jest, gdy ludzie nie wierzą w to, co mówię. A pani Allan zawsze nas uczy, że nie należy nikogo nawet podejrzewać o kłamstwo, chyba że ma się dowód, czarno na białym. Teraz mam dowód — zielone włosy. Ale wtedy nie miałam, więc mu wierzyłam w każde słowo, tym bardziej że mówił dużo i niezbyt zrozumiale.

— Ale kto mówił? O kogo ci właściwie chodzi?

— No ten handlarz, który był u nas dziś po południu. Od niego kupiłam farbę.

— Aniu, a tyle razy ci mówiłam, żebyś mi nie wpuszczała do domu tych Włochów. Oni jak się raz uczepią, to już nie dadzą spokoju.

— Ależ ja go nie wpuściłam do domu. Doskonale pamiętałam, co mówiłaś. Wyszłam, dokładnie zamknęłam drzwi i oglądałam jego towary na schodach. A poza tym on wcale nie był Włochem, tylko niemieckim Żydem. Miał duże pudło pełne ciekawych rzeczy i mówił, że ciężko pracuje, żeby mieć za co sprowadzić z Niemiec żonę i dzieci. Tak o nich czule opowiadał, że aż mnie chwyciło za serce. Chciałam coś kupić, żeby mu pomóc osiągnąć taki dobry cel. I raptem zauważyłam butelkę farby do włosów. Handlarz powiedział, że ona każde włosy zafarbuje na piękną, kruczą czerń i nigdy się nie zmyje. Dawał gwarancję. Zaraz sobie wyobraziłam piękne pukle kruczoczarnych włosów, no i pokusa była silniejsza ode mnie. Ale butelka kosztowała siedemdziesiąt pięć centów, a mnie zostało tylko pięćdziesiąt z tych pieniędzy za kurczaki. Myślę jednak, że on miał bardzo dobre serce, bo powiedział, że jak dla mnie, to może być za pięćdziesiąt centów, choć wtedy nic na tym nie zarobi. No więc kupiłam i zaraz poszłam nakładać farbę starą szczotką do włosów, zgodnie ze wskazówkami. Zużyłam całą butelkę, a jak zobaczyłam ten okropny kolor, to zaraz zaczęłam tak strasznie żałować, że się zdecydowałam na ten grzech, mówię ci. I żałuję do tej pory.

— I masz za co żałować — powiedziała surowym głosem Maryla — a poza tym sama widzisz, dokąd cię zaprowadziła twoja próżność. Bóg jeden raczy wiedzieć, co tu teraz począć. Myślę, że najpierw trzeba porządnie umyć głowę i zobaczyć, czy to coś da.

I Ania zabrała się do mycia włosów. Nie żałowała ani mydła, ani wody, ale efekt był taki, jakby chciała zmyć swoją naturalną rudą barwę. Widać handlarz nie kłamał, obiecując, że farba się nigdy nie zmyje, choć pod innymi względami jego prawdomówność można by łatwo podważyć.

— No i co teraz, Marylo? — zapytała Ania ze łzami w oczach. — Ja chyba tego nie przeżyję. Wszyscy jakoś zapomnieli moje poprzednie wpadki — to jak przyprawiłam tort lekarstwem, jak upiłam Dianę i jak uniosłam się wobec pani Linde. Ale tego nie zapomną nigdy. Zupełnie przestaną mnie poważać. Och, Marylo, sprawdzają się słowa poety: „Sami nie wiemy, co przędziemy, gdy pierwszy raz oszukujemy"*. A Josie Pye to chyba umrze ze śmiechu! Nie, ja tego nie zniosę. W tej chwili na całej Wyspie Księcia Edwarda nie ma bardziej nieszczęśliwej dziewczyny niż ja.

Nieszczęście trwało dokładnie tydzień. Przez ten czas Ania nie ruszała się z domu na krok i codziennie starannie myła głowę. Poza domownikami tylko Diana znała smutną tajemnicę, ale obiecała nigdy i nikomu jej nie zdradzić. I trzeba przyznać, że dotrzymała słowa. Pod koniec tygodnia Maryla powiedziała głosem nie cierpiącym sprzeciwu:

— To nie ma sensu, Aniu. Jeszcze takiej trwałej farby nie widziałam. Nie ma innej rady — włosy trzeba obciąć. Nie możesz tak pójść do ludzi.

Ani zadrżały usta, ale musiała się pogodzić z gorzką prawdą. Wzdychając ciężko, poszła po nożyczki.

— Proszę cię, Marylo, tnij szybko, chcę to wreszcie mieć za sobą. Chyba mi zaraz serce pęknie. Co za nieromantyczne zrządzenie losu! Dziewczęta w książkach tracą włosy w ciężkiej chorobie albo je sprzedają, żeby zarobić na jakiś zbożny cel, i gdybym ja też miała utracić włosy w takich okolicznościach, to nawet bym tak bardzo nie żałowała. Ale czym się tu pocieszać, jak się traci włosy z powodu nieudanego farbowania? Będę płakała bez przer-

---

* Walter Scott (1771–1832) *Marmion* (przyp. tłum.).

wy podczas ścinania, mam nadzieję, że ci to nie przeszkodzi w pracy. Cóż za tragiczna sytuacja.

Oj, napłakała się Ania co niemiara, a gdy po skończonych postrzyżynach poszła na górę i spojrzała w lustro, zupełnie zaniemówiła z rozpaczy. Maryla nie miała innego wyjścia, jak tylko przyłożyć się do roboty i ciąć krótko, rezultat zaś, delikatnie rzecz ujmując, nie był zachwycający. Ania szybko odwróciła lustro do ściany.

— Nigdy, przenigdy nie spojrzę w lustro, dopóki nie odrosną mi włosy — krzyknęła w uniesieniu.

Ale po chwili powiesiła lustro jak należy.

— Albo nie, właśnie że będę się przyglądała. Taki grzech trzeba odpokutować. Codziennie będę na siebie patrzyła, wchodząc do pokoju, żeby nie zapomnieć, jak się sama oszpeciłam. I nie będę sobie wyobrażała, że jest lepiej. Nigdy nie podejrzewałam siebie o próżne myśli na temat swoich włosów, ale teraz dopiero sobie zdaję sprawę z tego, że byłam z nich dumna. W końcu, chociaż rude, były gęste, długie i kręcone. Niebawem pewnie coś niedobrego stanie się z moim nosem.

Fryzura Ani wzbudziła w szkole wielką sensację, ale nikt nie domyślił się, jaka była prawdziwa przyczyna tej zmiany, nawet Josie Pye, a to sprawiło nieszczęsnej dziewczynce prawdziwą ulgę. Jednakże Josie nie przegapiła okazji do złośliwej uwagi i oświadczyła, że Ania wygląda jak prawdziwy strach na wróble.

— Nic się na to nie odezwałam — wyznała tamtego wieczoru Maryli, odpoczywającej na kanapie po ataku migreny — bo przyjęłam to jako część mojej kary i postanowiłam zdobyć się na cierpliwość. Niełatwo jest milczeć, kiedy ktoś robi takie docinki, i miałam wielką ochotę jej coś powiedzieć. Ale się nie odezwałam. Rzuciłam tylko jedno pogardliwe spojrzenie, a potem zaraz jej wybaczyłam.

Jak się komuś wybaczy, to człowiek czuje się lepszy, prawda? Po tym wszystkim postanowiłam skupić całe swoje siły na tym, żeby być dobrą, a nigdy już nie będę się starała być piękną. Zawsze lepiej być dobrym. Ale czasem trudno jest się z czymś pogodzić, nawet gdy się to wie z całą pewnością. Naprawdę chcę być dobra, tak jak ty, Marylo, jak pani Allan czy panna Stacy, i jeszcze chciałabym, żebyś mogła być ze mnie dumna, jak będę duża. Diana uważa, że kiedy włosy już mi trochę odrosną, to powinnam je sobie przewiązywać czarną tasiemką i robić kokardę na boku. Twierdzi, że w takim uczesaniu będzie mi do twarzy. Jej chyba chodzi o czarną aksamitkę — o ileż bardziej romantycznie to brzmi, prawda? Tylko czy ja nie za dużo mówię, Marylo? Nie boli cię od tego głowa?

— Głowa już mi mniej dokucza, ale po południu było okropnie. Te moje migreny stają się po prostu nie do wytrzymania. Będę musiała pójść do doktora. A co do twojego trajkotania, to wcale mi nie szkodzi — już się do niego przyzwyczaiłam.

W taki to sobie właściwy sposób Maryla próbowała wyrazić, że tak naprawdę bardzo lubi szczebiot Ani.

NIESZCZĘSNE DZIEWCZĘ

— Aniu, dla mnie jest zupełnie oczywiste, że to ty powinnaś zagrać Elaine* — powiedziała Diana. — Ja za nic w świecie nie odważyłabym się wypłynąć na jezioro.

— Ani ja — dodała Ruby Gillis, a gdy to mówiła, wstrząsnął nią dreszcz. — Nie boję się płynąć, jak jesteśmy w łódce we dwie albo trzy i możemy siedzieć. Wtedy to jest nawet niezła zabawa. Ale położyć się na dnie i udawać nieżywą? Nie, ja bym nie mogła. Jeszcze bym tam naprawdę umarła ze strachu.

— Jasne, że to byłoby romantyczne — przyznała Jane Andrews. — Ale ja jestem całkowicie pewna, że nie dałabym rady tak leżeć bez ruchu. Co chwilę podnosiłabym głowę, żeby sprawdzić, gdzie jestem i czy łódka nie popłynęła zbyt daleko. I uwierz mi, Aniu, to by całkiem zepsuło efekt.

— Tylko że Elaine nie może mieć rudych włosów — dorzuciła smutno Ania. — Zrozumcie, ja wcale się nie boję

---

* Postać z poematu Alfreda Lorda Tennysona (1809–1892) *Lancelot and Elaine*, z *Idylls of the King* — cyklu utworów poświęconych królowi Arturowi, jego rycerzom i damom z ich otoczenia. Z poematu tego pochodzą także wszystkie cytaty w niniejszym rozdziale (przyp. tłum.).

leżeć w dryfującej łódce, a na dodatek bardzo chciałabym zagrać Elaine. Ale mimo wszystko się nie nadaję. To Ruby powinna zagrać tę rolę, bo jest blondynką i ma takie śliczne, długie, złociste włosy, a Elaine miała przecież „kaskady jasnych włosów spływające na ramiona", same pamiętacie. W dodatku Elaine była niczym lilia biała. Jak rudowłosa aktorka może zagrać bladolice i płowowłose dziewczę?

— Cerę masz tak samo ładną jak Ruby — powiedziała szczerze Diana — a włosy ci wyraźnie pociemniały od czasu, gdy je ścięłaś.

— Naprawdę tak myślisz? — wykrzyknęła Ania, dostając wypieków z radości. — Wydawało mi się, że ściemniały, ale bałam się was zapytać, bo moglibyście zaprzeczyć. Czy uważasz, że teraz można by już powiedzieć, że są kasztanowe, Diano?

— Pewnie, że tak, i są naprawdę ładne — powiedziała Diana, spoglądając z podziwem na krótkie, miękkie loki okalające głowę Ani, przyozdobione filuternie czarną aksamitką z kokardą.

Dziewczynki stały na brzegu Jeziora Lśniących Wód, niedaleko domu Barrych, w miejscu gdzie mały cypel okolony brzozami wcinał się w jego toń. Na samym końcu cypla zbudowano niewielki drewniany pomost dla rybaków i myśliwych polujących na kaczki. Ruby i Jane spędzały to letnie popołudnie z Dianą, nieco później zaś dołączyła do nich Ania.

Tamtego lata Ania i Diana bawiły się przeważnie nad jeziorem. Czasy Krainy Beztroski przeminęły już bezpowrotnie, bo wiosną pan Bell bezlitośnie wyciął kępę drzew znajdującą się na jego pastwisku. Ania siadła wtedy pośród pni i płakała, przy czym przez cały czas miała świadomość tego, jak romantyczna była to sceneria. Wkrótce jednak doznała pocieszenia, bo obie z Dianą doszły do wniosku, że jako duże, trzynastoletnie, ba, prawie czternastoletnie dziewczyny są już zbyt dorosłe, aby urządzać sobie domek do zabawy, zwłaszcza że pobliskie jezioro stwarzało o wiele ciekawsze możliwości spędzania wolnego czasu. Można w nim było łowić pstrągi, stojąc na mostku, a na dodatek dziewczęta nauczyły się pływać płaskodenną łódką, której pan Barry używał do polowania na kaczki.

Ania wpadła też na pomysł zrobienia inscenizacji do poematu Tennysona o Lancelocie i Elaine, który przerabiali w szkole ubiegłej zimy. Utwór ten został wpisany przez Radę do spraw Szkolnictwa do kanonu lektur opracowywanych we wszystkich szkołach na Wyspie Księcia Edwarda. Uczniowie analizowali treść i formę dzieła, rozbierając je na czynniki pierwsze, i aż dziw, że po tych wszystkich zabiegach byli jeszcze w stanie dopatrzyć się w nim jakichś uroków. W rezultacie tych lekcji postaci z wiersza, takie jak jasnowłosa Elaine, Lancelot, Ginewra i król Artur, stały się dla uczniów osobami z krwi i kości, a Ania nie mogła wprost przeboleć tego, że nie urodziła się w Camelocie. Bo tamte czasy, jak mówiła, były naprawdę romantyczne, nie to co współczesne.

Pomysł urządzenia inscenizacji wszystkim się spodobał. Dziewczęta wcześniej już sprawdziły, że jeżeli odepchnęło się łódkę mocno od pomostu, dryfowała z prądem pod mostkiem, a następnie osiadała na mieliźnie koło drugiego cypla, znajdującego się na łukowato wygiętym brzegu jeziora. Zakosztowały już takich przejażdżek i wydawało się, że dzięki dryfującej łódce można będzie doskonale ożywić scenę z wiersza Tennysona.

— No dobrze, zagram Elaine — powiedziała Ania, ustępując niechętnie, bo chociaż skrycie pragnęła wcielić się w główną bohaterkę, to jednak sumienie artystyczne podpowiadało jej, że ze względu na swój wygląd nie powinna podejmować się tego zadania. — Ruby, ty będziesz królem Arturem, Jane Ginewrą, a Diana musi zagrać Lancelota. A we wcześniejszej scenie będziecie grać braci i ojca Elaine. Oczywiście, w naszym przedstawieniu nie będzie starego, głuchego giermka, bo jak położę się na dnie łódki, to już nikt się obok mnie nie zmieści. Do wyścielenia łodzi potrzebny nam będzie brokatowy kir. Myślę, Diano, że ten stary czarny szal twojej mamy znakomicie się do tego nada.

Kiedy Diana przyniosła szal, Ania rozpostarła go na dnie łódki i położyła się na nim, zamykając oczy, a ręce złożyła na piersiach.

— Patrzcie, ona naprawdę wygląda jak nieżywa — wyszeptała przestraszona Ruby Gillis, wpatrując się w nieruchome, blade oblicze Ani, po którym przesuwały się rozedrgane cienie brzóz. — Dziewczyny, ja się boję. Jesteście pewne, że możemy zagrać tę scenę? Pani Linde twierdzi, że aktorstwo to wielki i odrażający grzech.

— Ruby, nie wspominaj teraz o pani Linde — skarciła ją surowo Ania. — To zupełnie psuje nastrój, bo odtwarzamy przecież scenę, która wydarzyła się setki lat przed narodzeniem pani Linde. Jane, ty zajmiesz się teraz aranżacją. Trochę głupio, żeby martwa Elaine przez cały czas coś mówiła.

Jane stanęła na wysokości zadania. Co prawda nie udało jej się znaleźć złocistej narzuty, znakomicie zastąpiła ją jednak żółta chusta z japońskiej krepy. Równie nieosiągalna była biała lilia, ale niebieski irys zatknięty między złożone ręce Ani okazał się wystarczająco dobrym rekwizytem.

— No, teraz wygląda jak należy — ucieszyła się Jane. — Musimy jeszcze złożyć pocałunek na jej gładkim czole, a ty, Diano, powiesz: „Żegnaj nam, siostro, na wieki", po czym Ruby doda: „Żegnaj, siostro droga", ale obie musicie starać się przemawiać tak żałobnie, jak tylko potraficie. Aniu, na miłość boską, uśmiechnij się choć trochę. Pamiętasz przecież, że Elaine „leżała uśmiechnięta". No, już lepiej. A teraz odepchnijcie łódkę.

Czółno odbiło od brzegu, ocierając się o ukrytą w wodzie pozostałość starej podpory pomostu. Diana, Jane i Ruby zaczekały, aż łódź zacznie dryfować z prądem w kierunku mostka, a wtedy ruszyły biegiem przez lasek, przecięły drogę i skierowały się ku cyplowi, na którym już w roli Lancelota, Ginewry i króla Artura miały oczekiwać przybycia krypy z płowowłosym dziewczęciem.

Przez kilka minut Ania leżała w płynącej wolno łódce i rozkoszowała się do woli romantyczną scenerią. Jednak wkrótce stało się coś, co nie miało z romantyzmem nic wspólnego: czółno zaczęło przeciekać. Po paru chwilach Elaine musiała wstać. Uniosła swoją złocistą narzutę, a także czarny kir i spoglądała na pokaźną wyrwę w dnie, przez którą woda szerokim strumieniem wdzierała się do środka. Najwidoczniej stary pal, o który łódka otarła się na początku podróży, oderwał łatę przybitą gwoździami do dna, gdy naprawiano łódź. Ania, jakkolwiek na początku tego nie zauważyła, teraz zdała sobie sprawę z powagi sytuacji. Było oczywiste, że wdzierająca się z taką szybkością woda zatopi łódź o wiele wcześniej, niż prąd zdoła znieść ją na mieliznę. A gdzie są wiosła? Niestety, zostały na pomoście!

Ania wydała krótki okrzyk przerażenia, którego nikt nie usłyszał; zrobiła się śmiertelnie blada, ale nie straciła zimnej krwi. Pozostał tylko jeden sposób, żeby się wyratować.

— Okropnie się bałam — opowiadała pani Allan następnego dnia. — Wydawało mi się, że minęły całe lata, zanim łódka dopłynęła do mostka, z każdą chwilą nabierając coraz więcej wody. Modliłam się, pani Allan, ach, jak ja się żarliwie modliłam, ale nie zamykałam oczu, bo wiedziałam, że Bóg może mnie uratować tylko w jeden sposób. Należało mianowicie uchwycić się jednego z filarów pod mostkiem, gdy łódka podpłynie dostatecznie blisko, i po nim wspiąć się na górę. Wie pani, te filary pod mostkiem to po prostu trzy z grubsza ociosane stare pnie z dużą liczbą sęków i sterczących, niedokładnie przyciętych konarów. Oczywiście, że należało się modlić, ale musiałam też sama postarać się coś zrobić. Powtarzałam bez końca: „Dobry Boże, podprowadź łódkę blisko tych słupów, a ja zajmę się resztą". W takich chwilach nie ma czasu na kwieciste zdania. Mimo to moja modlitwa została wysłuchana, bo łódka dobiła do jednego z filarów i na jakiś czas się przy nim zatrzymała. Dzięki temu zdążyłam zarzucić na ramię chustę oraz szal i wdrapać się na wystający konar. Uchwyciłam się z całych sił tego oślizłego pnia, ale nie mogłam przesunąć się ani w górę, ani w dół. Nie było w tym nic romantycznego, ale wówczas o tym nie myślałam. Kiedy człowiek otrze się o śmierć w wodnej topieli, to romantyczne myśli szybko ulatują z głowy. Zaraz odmówiłam modlitwę dziękczynną, a potem starałam się już tylko trzymać tego słupa ze wszystkich sił, bo wiedziałam, że muszę dotrwać do czasu, aż ktoś mi pomoże wydostać się na suchy ląd.

Łódka przepłynęła pod mostem, a potem szybko poszła na dno, dokładnie na środku jeziora. Ruby, Jane i Diana, oczekujące już na cyplu, zauważyły moment zatonięcia i sądziły, że Ania także zginęła w odmętach. Przez chwilę stały jak wryte, trupio blade, jakby porażone tragedią, a potem, krzycząc przeraźliwie, rzuciły się pędem z powrotem. Bez zatrzymywania dobiegły do drogi, a potem skierowały się w stronę mostka. Kurczowo trzymająca się filaru Ania usłyszała wrzaski i dostrzegła zbliżające się sylwetki koleżanek. Wierzyła, że pomoc wkrótce nadejdzie, lecz na razie znajdowała się w bardzo trudnym położeniu.

Minuty mijały, a każda dłużyła się nieszczęsnemu dziewczęciu jak godzina. Dlaczego nikt nie nadchodził? Gdzie się podziały koleżanki? A jeżeli wszystkie zemdlały? A jeśli w ogóle nikt nie przyjdzie? Co pocznie, gdy ze zmęczenia nie będzie mogła dłużej utrzymać się na słupie? Ania zadrżała, spoglądając w okrutną, zielonkawą toń, na której powierzchni falowały rozmazane cienie. Galopująca wyobraźnia zaczęła jej podsuwać rozmaite makabryczne obrazy.

W chwili gdy pomyślała, że dłużej już nie zniesie bólu ramion i nadgarstków, zobaczyła Gilberta Blythe'a! Zbliżał się do mostka małą rybacką łódką, należącą do Harmona Andrewsa.

Gilbert spojrzał w górę i ku swojemu zdziwieniu dostrzegł bladą twarzyczkę spoglądającą na niego wielkimi, przerażonymi, ale i pełnymi pogardy szarymi oczami.

— Ania Shirley! Jakżeś, u licha, się tam dostała!? — wykrzyknął.

Nie czekając na odpowiedź, podpłynął do pala i wyciągnął rękę. Nie było innego wyjścia; Ania, trzymając się kurczowo dłoni Gilberta, wgramoliła się do łódki i usiadła wściekła na rufie, cała mokra i brudna od szlamu, a przy tym owinięta w przemoczony szal oraz chustę. Niezwykle trudno jej było zachować godność w takich okolicznościach!

— Co się stało, Aniu? — zapytał Gilbert, chwytając za wiosła.

— Chciałyśmy odegrać scenę z udziałem Elaine — odpowiedziała chłodno Ania, nie patrząc nawet na swego wybawiciela — i ja leżałam na dnie krypy... to znaczy łódki i płynęłam unoszona prądem do Camelotu. Ale stare czółno zaczęło nabierać wody, więc wspięłam się na ten pień. Dziewczęta pobiegły po pomoc. Czy byłbyś tak uprzejmy i zawiózł mnie na pomost?

Gilbert posłusznie przybił do pomostu, Ania zaś, odtrącając z lekceważeniem pomocną dłoń, sama zgrabnie wyskoczyła na brzeg.

— Jestem wielce zobowiązana — powiedziała wyniośle, odwracając się plecami, ale Gilbert również wyskoczył z łódki i położył na dłuższą chwilę dłoń na jej ramieniu.

— Aniu — powiedział szybko — posłuchaj. Czy nie moglibyśmy zostać przyjaciółmi? Strasznie mi przykro, że naśmiewałem się wtedy z twoich włosów. Nie chciałem cię rozdrażnić, to miał być tylko żart. A poza tym to już było tak dawno temu. Myślę, że masz teraz niesamowicie ładne włosy, mówię szczerze. Zostańmy przyjaciółmi.

Przez krótką chwilę Ania zawahała się. Po raz pierwszy, wbrew swej urażonej dumie, odniosła dziwne wrażenie, że miło jest widzieć w oczach Gilberta ten błysk nieśmiałości pomieszanej z niecierpliwym oczekiwaniem. Jej serce przez moment jakoś żywiej zabiło. Ale wkrótce doszedł do głosu dawny zapiekły żal. Wspomnienie tamtego wydarzenia sprzed dwóch lat odżyło, jakby dopiero wczoraj Gilbert nazwał ją „Marchewą" i w ten sposób upokorzył przed całą klasą. Uraza, jaką żywiła, a która starszym mogłaby się wydać śmieszna z powodu swej błahej przyczyny, najwyraźniej mimo upływu czasu nie osłabła ani na jotę. Ania nienawidziła Gilberta! Nie miała najmniejszego zamiaru mu przebaczyć!

— Nie — odpowiedziała chłodno — nigdy nie zostanę twoją przyjaciółką, Gilbercie Blythe, po prostu tego nie chcę!

— Ach tak? Więc niech tak będzie! — Gilbert wskoczył do łódki, a policzki poczerwieniały mu z gniewu. — Nigdy więcej nie poproszę cię, żebyśmy zostali przyjaciółmi. I wcale mi już na tym nie zależy!

Odbił pospiesznie od brzegu, ze złością uderzając wiosłami o wodę, Ania zaś poszła pod górę wąską ścieżką, przy której rosły klony i paprocie. Dumnie unosiła głowę, ale na dnie serca skrywała dziwne poczucie żalu. Nieomal żałowała, że nie odpowiedziała Gilbertowi inaczej. Oczywiście, że śmiertelnie ją obraził, ale jednak...! W końcu uznała, że prawdziwą ulgę poczułaby dopiero wtedy, gdyby mogła spokojnie gdzieś usiąść i wypłakać się. Po długich chwilach napięcia nerwowego i wysiłku Ania była całkiem wytrącona z równowagi.

W połowie drogi natknęła się na Jane i Dianę, które biegły z powrotem nad jezioro, przerażone i rozgorączkowane. Nie zastały nikogo na Jabłoniowym Wzgórzu, gdyż państwo Barry gdzieś wyjechali. Ruby Gillis wpadła wtedy w histerię i koleżanki zostawiły ją, by doszła trochę do siebie, a same pobiegły przez Las Duchów na Zielone Wzgórze. Jednakże i tam nie zastały nikogo, bo Maryla wyjechała do Carmody, a Mateusz zajęty był sianokosami na łące za domem.

— Och, Aniu — dyszała ciężko zasapana Diana, nieomal wpadając na swoją przyjaciółkę od serca i płacząc z powodu doznanej ulgi i ze szczęścia. — Och, Aniu... A myśmy myślały... że ty się... utopiłaś, i czułyśmy się zupełnie jak... morderczynie, bo to myśmy cię... namówiły, żebyś zagrała Elaine. A Ruby wpadła w histerię... och, Aniu, jak ci się udało uratować?

— Uczepiłam się jednego ze słupów podpierających most — wyjaśniła z trudem Ania — i wtedy Gilbert Blythe przypłynął łódką pana Andrewsa, pomógł mi się wydostać i wysadził mnie na brzegu.

— Och, Aniu, jak on wspaniale się zachował! Jakie to romantyczne! — powiedziała Jane, która wreszcie zdołała złapać oddech i mogła normalnie mówić. — Teraz pewnie zaczniesz się do niego odzywać.

— Ależ skąd — w Ani natychmiast odżyła uraza. — I jeszcze jedno, Jane. Nie chcę już nigdy słyszeć słowa „romantyczny". Strasznie mi przykro, że przeze mnie najadłyście się strachu. To moja wina. Teraz jestem już pewna, że nie urodziłam się pod szczęśliwą gwiazdą. Wszystko, co robię, wpędza mnie lub najdroższe mi osoby w kłopoty. Zatopiłyśmy łódkę twojego taty, Diano, i coś mi się zdaje, że już nigdy więcej nie będzie nam wolno wiosłować po jeziorze.

Przeczucie Ani sprawdziło się w zupełności, co nie tak znowu często się zdarza. W rodzinach Barrych i Cuthbertów zapanowała konsternacja, gdy wyszły na jaw wydarzenia tamtego popołudnia.

— Czy ty w ogóle kiedykolwiek zmądrzejesz, Aniu? — jęknęła Maryla.

— Jestem o tym przekonana, Marylo — odparła podniesiona nieco na duchu Ania. Zdążyła się już bowiem wypłakać za wszystkie czasy w zaciszu swego pokoiku na poddaszu i w ten sposób odzyskała zwykły, radosny nastrój. — Myślę, że po tym wszystkim nadzieja na to, że w końcu zmądrzeję, jest większa niż kiedykolwiek przedtem.

— A to niby dlaczego? — powątpiewała Maryla.

— No bo — wyjaśniła Ania — czegoś się dzisiaj nauczyłam. Odkąd zamieszkałam na Zielonym Wzgórzu, ciągle robię błędy, ale każdy błąd pozwala mi pozbyć się jakiejś wady. Przygoda z ametystową broszką oduczyła mnie dotykania cudzych rzeczy. Przeżycia związane z Lasem Duchów oduczyły mnie zbytniego popuszczania wodzy fantazji. Dzięki wpadce z pieczeniem tortu nauczyłam się, że gdy robię coś w kuchni, to nie mogę się rozpraszać. Nieudane farbowanie włosów wyleczyło mnie z próżności. Od tamtej pory nie myślę już o swoim nosie ani o włosach, a jeżeli myślę, to bardzo rzadko. A dzisiejszy wypadek uleczy mnie z nadmiernej skłonności do romantycznych uniesień. Doszłam do wniosku, że w Avonlea po prostu nie da się być romantycznym. Pewnie za murami Camelotu, setki lat temu, nie było to takie trudne, ale dziś romantyzm wyszedł już z mody. Jestem przekonana, Marylo, że pod tym względem już wkrótce zobaczysz u mnie duże zmiany na lepsze.

— Chciałabym w to wierzyć — powiedziała Maryla sceptycznie.

Za to Mateusz, który siedział bez słowa w swoim kąciku, położył rękę na ramieniu Ani, jak tylko Maryla wyszła.

— Nie wyzbywaj się tak zupełnie swoich romantycznych upodobań, Aniu — szepnął nieśmiało. — Odrobina romantyzmu jeszcze nikomu nie zaszkodziła... rozumie się, że trzeba się trochę miarkować... ale pozostań choć trochę romantyczna, chociaż trochę.

POCZĄTEK NOWEJ EPOKI W ŻYCIU ANI

Ania pędziła krowy z odległego pastwiska. Szła Aleją Zakochanych; zapadał wrześniowy wieczór i wszystkie prześwity pomiędzy drzewami oraz leśne polany skąpane były w ciemnych czerwieniach zachodu. Gdzieniegdzie również Aleję Zakochanych rozświetlały promienie zachodzącego słońca, większa część drogi kryła się jednak w cieniu klonów, a przestrzeń pod jodłami wypełniał fioletowopurpurowy mrok, podobny kolorem do wina. Wierzchołki drzew poruszały się na wietrze, a w całym świecie nie ma chyba piękniejszej muzyki niż ta, którą w koronach jodeł wygrywa wieczorny wiatr.

Krowy szły sobie wolno, Ania zaś podążała za nimi zatopiona w marzeniach, powtarzając głośno słowa pieśni bitewnej z *Marmiona**. Utwór ten przerabiany był na lekcjach języka angielskiego poprzedniej zimy, a panna Stacy kazała nauczyć się go na pamięć. Z niekłamaną przyjemnością Ania przypominała sobie pełne napięcia słowa i obrazy bitwy; wydawało jej się nawet, że słyszy szczęk broni. Gdy doszła do linijek:

---

* Walter Scott, *Marmion: A Tale of Flodden Field,* pieśń szósta, część XXXIV (przekł. tłum.).

Dzielni rycerze włócznie wznieśli wraz,
Tworząc wokół króla nieprzebyty las,

zatrzymała się i w ekstazie przymknęła oczy, po to żeby lepiej móc wyobrazić sobie ów bitewny zgiełk. Gdy ponownie je otworzyła, zobaczyła Dianę stojącą przy furtce, przez którą wychodziło się na pole Barrych. Przyjaciółka miała tak poważną minę, że Ania od razu domyśliła się, iż Diana niesie jakąś ważną wiadomość. Nie chciała się jednak zdradzić z tym, że jest bardzo ciekawa nowiny.

— Czy ten wieczór nie jest cudny niczym lawendowy sen, Diano? W takich chwilach naprawdę cieszę się, że żyję. Rano zawsze mi się zdaje, że najprzyjemniejsze są poranki, ale pod koniec dnia dochodzę do wniosku, że właśnie wieczór jest najpiękniejszą porą.

— Rzeczywiście, jest bardzo ładnie — powiedziała Diana. — Ale wiesz co, mam dla ciebie niezwykłą wiadomość. Spróbuj zgadnąć, jaką. Do trzech razy sztuka.

— Charlotte Gillis weźmie jednak ślub w kościele, a pani Allan chce, abyśmy go odpowiednio udekorowały na tę okazję — zawołała Ania.

— Nie. Narzeczony Charlotte nigdy się na to nie zgodzi, bo nikt jeszcze nie brał ślubu w kościele* i on uważa, że taka uroczystość bardziej przypominałaby pogrzeb. Szkoda, bo taki ślub to by dopiero było coś. Zgaduj jeszcze raz.

— Mama Jane pozwoliła jej urządzić urodziny?

Diana pokręciła głową, jej czarne oczy promieniały radością.

— Nic mi nie przychodzi na myśl — powiedziała zrozpaczona Ania — no, chyba że wczoraj wieczorem Moody

---

* Kościół prezbiteriański uznaje tylko dwa sakramenty: chrzest i komunię. Małżeństwo nie jest sakramentem (przyp. tłum.).

Spurgeon MacPherson odprowadził cię po spotkaniu modlitewnym do domu. Czy o to chodzi?

— Ależ skąd! — wykrzyknęła z oburzeniem Diana. — A gdyby nawet tak się stało, to nie chwaliłabym się tym przed tobą, przecież on jest po prostu okropny! Wiedziałam, że nie zgadniesz. Mama dostała list od ciotki Józefiny i ona zaprasza nas obie do siebie na wielką wystawę. Pisze, żeby przyjechać do niej w przyszły wtorek. I co ty na to?

— Och, Diano — wyszeptała Ania, która nagle poczuła, że koniecznie musi oprzeć się o pień klonu. — Nie żartujesz sobie? Boję się, że Maryla i tak mnie nie puści. Na pewno powie, iż nie ma powodu, abym się gdzieś włóczyła bez potrzeby. Tak właśnie powiedziała w zeszłym tygodniu, gdy Jane zaprosiła mnie, żebym razem z nimi zabrała się ich powozem na ten amerykański koncert do hotelu w Białych Piaskach. Bardzo mi zależało, by tam pojechać, ale Maryla uznała, że lepiej będzie, jak zostanę w domu i zabiorę się do lekcji, i że to samo powinna zrobić Jane. Doznałam wielkiego rozczarowania, Diano. Byłam tak przygnębiona, że nie chciało mi się nawet pomodlić przed snem. Potem jednak tego żałowałam, obudziłam się w środku nocy i odmówiłam modlitwę.

— Coś ci powiem — powiedziała Diana. — Poprosimy mamę, żeby porozmawiała z Marylą. Może wtedy będzie bardziej skłonna do ustępstw. A jeżeli się zgodzi, to czeka nas przygoda naszego życia, Aniu. Nigdy jeszcze nie byłam na wystawie w Charlottetown, a przykro jest słuchać, jak inne dziewczynki opowiadają o swoich wycieczkach. Jane i Ruby były już na wystawie dwa razy i w tym roku znów się wybierają.

— Nie będę wcale o tym myśleć, dopóki nie dowiem się, czy mogę jechać, czy nie — oświadczyła stanowczym głosem Ania. — Gdybym zaczęła się cieszyć, a potem okazałoby się, że jednak nie mogę pojechać — chybabym tego nie zniosła. Jeżeli dostanę zgodę Maryli, to będę oczywiście bardzo zadowolona, bo do czasu wyjazdu mój nowy płaszcz na pewno będzie już gotowy. Maryla była przeciwna temu, żeby szyć dla mnie nowy płaszcz. Powiedziała, że ten stary jest jeszcze całkiem dobry i mogę w nim chodzić przez kolejną zimę, a poza tym powinnam się cieszyć z tego, że mam nową sukienkę. Ona jest rzeczywiście bardzo ładna, Diano — granatowa i uszyta niezwykle modnie. Maryla teraz już ciągle szyje dla mnie modne sukienki, bo jak mówi — nie chce, aby Mateusz biegał do pani Linde z prośbą o pomoc. Bardzo się z tego cieszę. O wiele łatwiej być dobrym, gdy ma się na sobie modne ubranie. Przynajmniej mnie jest wtedy łatwiej. Myślę, że gdy ktoś jest dobry z natury, nie ma to dla niego większego znaczenia. Jednak Mateusz uznał, że przydałoby mi się nowe okrycie, więc Maryla kupiła bardzo ładny, niebieski wełniany materiał i zawiozła go specjalnie aż do krawca w Carmody. Płaszcz ma być gotowy na sobotę. Staram się nie myśleć o tym, jak to będzie, gdy przejdę główną nawą kościoła wystrojona w nowy płaszczyk i czapkę, bo uważam, iż nie wypada wyobrażać sobie takich rzeczy. Nie mogę jednak się powstrzymać i ten obraz ciągle staje mi przed oczami. Moja nowa czapka jest taka ładna. Mateusz kupił mi ją, gdy pojechaliśmy razem do Carmody. Takie czapeczki są teraz w modzie. Uszyta jest z niebieskiego aksamitu i ozdobiona złotym sznurem z chwastami. Ale muszę powiedzieć, Diano, że twój nowy kapelusz jest szalenie elegancki i bardzo ci w nim do twarzy. Kiedy cię w nim ujrzałam zeszłej niedzieli, serce rosło mi z dumy, że to moja najdroższa przyjaciółka tak ładnie wygląda. Jak myślisz, czy to źle, że aż tyle uwagi poświęcamy strojom? Maryla mówi, że to grzech. Ale ubrania to taki ciekawy temat, nie uważasz?

Maryla ostatecznie zgodziła się, by Ania wybrała się do miasta. Pan Barry podjął się odwieźć obie dziewczynki w następny wtorek. Ponieważ Charlottetown było oddalone o trzydzieści mil, a pan Barry planował wrócić tego samego dnia, trzeba było wyruszyć bardzo wcześnie rano. Ania tak bardzo cieszyła się na wyjazd, że nie miała nic przeciwko rannemu wstawaniu i we wtorek była na nogach już przed wschodem słońca. Jeden rzut oka przez okno wystarczył, aby upewnić się, że dzień będzie ładny, bo niebo na wschodzie za jodłowym Lasem Duchów srebrzyło się i było całkiem bezchmurne. W prześwicie pomiędzy drzewami widać było Jabłoniowe Wzgórze i zapalone światło w pokoiku na poddaszu — oczywisty znak, że Diana również nie śpi.

Zanim Mateusz zdążył napalić w piecu, Ania ubrała się i zaczęła szykować śniadanie. Gdy Maryla zeszła na dół, wszystko było już gotowe, tyle że Ania była zbyt podekscytowana, żeby jeść. Wreszcie nałożyła swą nową czapeczkę, w której wyglądała dosyć zawadiacko, narzuciła płaszcz i czym prędzej pobiegła przez most na strumieniu i w górę przez jodłowy zagajnik w stronę Jabłoniowego Wzgórza. Pan Barry i Diana czekali już na nią i wkrótce wszyscy wyruszyli w drogę.

Podróż była co prawda długa, ale dziewczynki cieszyły się każdą chwilą. Wspaniale było wsłuchiwać się w stukot kół na wilgotnych od porannej rosy drogach, mknąć w promieniach czerwonego porannego słońca, wolno wylewającego się na okoliczne pola, z których sprzątnięto już zboże. Powietrze było świeże i rześkie, w dolinach ścieliły się delikatne, niebieskawe mgły, które unosiły się w górę i rozpraszały ponad wzgórzami. Czasami droga wiodła przez lasy, gdzie klony zaczynały rozwijać swoje czerwone sztandary, innym razem trzeba było przeciąć rzekę i przejechać po moście, co jak dawniej napełniało Anię mieszanymi uczuciami radości i strachu. Miejscami droga dochodziła do zatoki i wijąc się, przebiegała obok skupiska rybackich chat, poszarzałych od ciągłej walki z niesprzyjającą pogodą. Potem znowu pięła się w górę, skąd widać było pofałdowany, spowity błękitną mgłą wyżynny krajobraz. Podróż umilały nie tylko wspaniałe widoki, ale także zajmująca rozmowa, ciekawych tematów bowiem nie brakowało. Było już prawie południe, gdy dojechali do miasta i odnaleźli drogę do Beechwood, dobrze utrzymanej starej rezydencji, położonej z dala od ulicy, w otoczeniu zielonych wiązów i rozłożystych buków. Panna Barry powitała gości u drzwi swego domu, w jej czarnych przenikliwych oczach dojrzeć można było wesołe iskierki.

— A więc przyjechałaś w końcu do mnie, Aniu — powiedziała. — Mój Boże, aleś ty wyrosła! Jesteś już wyższa ode mnie. Bardzo też wyładniałaś, moje dziecko. Myślę jednak, że sama o tym doskonale wiesz.

— Nie, naprawdę, nie wiedziałam — odparła Ania z promiennym uśmiechem. — Wiem, że nie mam już tylu piegów, co kiedyś, i jestem za to wdzięczna losowi, ale nie ośmieliłam się żywić nadziei na to, że także pod innymi względami mój wygląd zmienił się na korzyść. Tak się cieszę, panno Barry, że zauważyła pani we mnie zmiany.

Dom panny Barry urządzony był „bardzo wystawnie", jak opowiadała później Ania Maryli. Dziewczynki, przywykłe do życia na wsi, były trochę oszołomione przepychem, jaki panował w salonie, gdzie panna Barry pozostawiła je na chwilę, żeby zobaczyć, jak idą przygotowania do obiadu.

— Czy tutaj nie wygląda jak w pałacu? — wyszeptała Diana. — Nigdy wcześniej nie byłam w domu ciotki Józefiny i nie miałam pojęcia, że jest aż taki okazały. Szkoda, że Julia Bell nie może go zobaczyć — zawsze tak się przechwala salonem swojej matki.

— Aksamitny dywan — westchnęła Ania z lubością. — I jedwabne zasłony. Zawsze marzyłam o czymś takim, Diano. Teraz jednak myślę sobie, że nie czułabym się tutaj dobrze. W tym pokoju jest bardzo dużo przedmiotów, a wszystkie takie wspaniałe, że zupełnie nie można rozwinąć wyobraźni. Gdy się jest biednym, pocieszające jest to, że mnóstwo rzeczy można sobie po prostu wyobrazić.

Swój pobyt w mieście Ania i Diana wspominały potem latami. Każdy dzień wypełniony był przyjemnościami.

W środę panna Barry zabrała je na wystawę, gdzie spędziły cały dzień.

— Było naprawdę wspaniale — Ania opowiadała później Maryli. — Nigdy, nawet w wyobraźni, nie widziałam czegoś równie interesującego. Trudno mi powiedzieć, co było najciekawsze. Myślę, że najbardziej podobały mi się konie i kwiaty, i ręczne robótki. Josie Pye zdobyła pierwszą nagrodę za koronkę, którą zrobiła na szydełku. Naprawdę się ucieszyłam. Byłam zadowolona również dlatego, że radował mnie jej sukces, bo to oznacza, że staję się lepsza. Pan Harmon Andrews zajął drugie miejsce, dzięki swoim jabłkom odmiany Gravenstein, a pan Bell dostał pierwszą nagrodę za świnię, którą wyhodował. Diana oświadczyła, że to śmieszne, żeby przełożony szkółki niedzielnej odbierał nagrodę za świnię, ja jednak nie widzę w tym nic uwłaczającego. A ty, Marylo? Diana jest przekonana, że teraz, ilekroć spojrzy na pana Bella, przypomną jej się świnie, nawet gdy będzie odprawiał uroczyste modły. Klara Luiza MacPherson została wyróżniona za swoje prace malarskie, a pani Linde zdobyła pierwszą nagrodę za masło i ser domowej roboty. Jak widać, Avonlea zaprezentowało się całkiem nieźle. Na wystawie spotkałam również panią Linde i chyba dopiero wówczas, pośród tych wszystkich obcych twarzy uświadomiłam sobie, jak bardzo ją lubię. Były tam tysiące ludzi, Marylo. Czułam się pośród nich taka zagubiona. Panna Barry poszła też z nami obejrzeć wyścigi konne. Za to pani Linde odmówiła. Powiedziała, że wyścigi budzą w niej odrazę, i jako dobra chrześcijanka uważa za swój święty obowiązek trzymać się od nich z dala, dając w ten sposób przykład innym. Problem w tym, że w wyścigach uczestniczyło tyle osób, iż nie sądzę, aby ktokolwiek zauważył nieobecność pani Linde. Mimo to jestem zdania, że nie powinnam zbyt często przyglądać się gonitwom, bo to rzeczywiście niebezpiecznie wciągające zajęcie. Diana tak była podekscytowana, że chciała się nawet ze mną założyć o dziesięć centów, że wygra taki rudobrązowy koń. Nie wierzyłam, że ten kasztan wygra, ale i tak nie przyjęłam zakładu, bo chciałam o wszystkim opowiedzieć później pani Allan, a byłam pewna, że takiego postępku by nie pochwaliła. Nie powinno się nigdy robić takich rzeczy, o których później wstydzilibyśmy się opowiedzieć żonie pastora. Jeżeli ma się za przyjaciela żonę pastora, to tak jakby się posiadało drugie sumienie. Później zresztą bardzo się ucieszyłam z tego, że się nie założyłam, bo kasztanek, którego obstawiała Diana, rzeczywiście wygrał, więc niepotrzebnie straciłabym dziesięć centów. Jak widać, cnota się opłaca. Widziałyśmy też, jak pewien człowiek leciał balonem. Też bym tak chciała polecieć, to na pewno niesamowite przeżycie. Był tam również jeden pan, który sprzedawał wróżby. Za dziesięć centów taki mały ptaszek wybierał karteczkę z przepowiednią. Panna Barry dała mnie oraz Dianie po dziesięć centów, abyśmy także mogły poznać swoją przyszłość. Dowiedziałam się, że poślubię mężczyznę o śniadej cerze, bardzo bogatego, i będę mieszkać za wodą. Przyglądałam się potem uważnie wszystkim mężczyznom o śniadej cerze, ale żaden nie przypadł mi do gustu, a poza tym chyba jeszcze za wcześnie na rozglądanie się za przyszłym mężem. Och, Marylo, to był naprawdę niezapomniany dzień. Byłam tak zmęczona, że nie mogłam w nocy zasnąć. Panna Barry położyła nas w pokoju dla gości, tak jak obiecała. To naprawdę bardzo elegancki pokój, Marylo, tylko że ja jakoś inaczej wyobrażałam sobie spanie w pokoju gościnnym. To chyba najgorsza strona dorastania i coraz lepiej zaczynam zdawać sobie z tego sprawę. Rzeczy, do których tęskniliśmy jako dzieci, nawet w połowie nie okazują się potem tak interesujące, jak myśleliśmy.

W czwartek dziewczynki udały się na przejażdżkę po parku, a wieczorem panna Barry zabrała je na koncert do Akademii Muzycznej, gdzie występowała słynna primadonna. Ania była zupełnie oczarowana tym wieczorem.

— Och, Marylo, tego nie sposób opisać. Koncert tak bardzo mnie wzruszył, że nie byłam w stanie wyrzec słowa, więc wyobraź sobie, jaki musiał być niezwykły. Patrzyłam na wszystko w niemym zachwycie. Madame Selitsky wyglądała przepięknie, miała na sobie suknię z białego atłasu i do tego jeszcze brylanty. Gdy jednak zaczęła śpiewać, wszystko inne przestało się liczyć. Nie umiem ci powiedzieć, co wtedy myślałam. Wydawało mi się, że od tej pory bycie dobrą przyjdzie mi z łatwością. Czułam się tak samo jak wtedy, gdy spoglądałam na gwiaździste niebo. Łzy napłynęły mi do oczu, były to jednak łzy szczęścia. Bardzo żałowałam, że koncert się skończył, i powiedziałam pannie Barry, że nie wiem, czy będę umiała po tym wszystkim powrócić do zwyczajnego życia. Wtedy ona zaproponowała, żebyśmy poszły do restauracji po drugiej stronie ulicy, bo być może lody wprawią mnie w lepszy humor. Propozycja wydała mi się bardzo przyziemna, ale ku mojemu zaskoczeniu — panna Barry miała rację. Lody były pyszne, a poza tym tak przyjemnie i beztrosko było siedzieć sobie o jedenastej w nocy w restauracji i zajadać lody. Diana powiedziała wtedy, że jest chyba stworzona do życia w mieście. Panna Barry zapytała mnie, jak ja się na to zapatruję, ale odpowiedziałam jej, że najpierw musiałabym to sobie bardzo dokładnie przemyśleć. Tak więc gdy położyłam się do łóżka, zaczęłam się zastanawiać. To chyba najlepszy czas na rozmyślania. No i doszłam do wniosku, Marylo, że ja jednak nie nadaję się do życia w mieście i nawet się z tego cieszę. Miło jest posiedzieć sobie przy lodach w ładnej restauracji o jedenastej w nocy, ale tylko raz na jakiś czas. Tak na co dzień wolałabym o tej porze smacznie spać w swoim pokoju i mieć całkowitą pewność, że za oknem świecą gwiazdy, a po drugiej stronie strumienia w koronach jodeł szumi wiatr. O swoich przemyśleniach opowiedziałam pannie Barry następnego dnia przy śniadaniu, ale ona zaczęła się śmiać. Ona w ogóle ma w zwyczaju śmiać się ze wszystkiego, o czym mówię, nawet gdy poruszam zupełnie poważne tematy. Nie byłam tym zbytnio zachwycona, bo przecież nie chodziło mi o to, żeby kogoś rozśmieszać. Muszę jednak przyznać, że panna Barry była w stosunku do nas bardzo gościnna i przyjęła nas iście po królewsku.

W piątek trzeba już było wracać do domu i pan Barry przyjechał zabrać dziewczynki.

— No cóż, mam nadzieję, że miło spędziłyście czas — powiedziała panna Barry, gdy przyszło do pożegnań.

— Owszem, bardzo przyjemnie — odpowiedziała Diana.

— A tobie, drogie dziecko, jak się tutaj podobało?

— Cieszyłam się dosłownie każdą chwilą — powiedziała Ania i spontanicznie rzuciła się starszej pani na szyję, całując ją w pomarszczony policzek. Diana nigdy nie ośmieliłaby się zrobić czegoś podobnego i trochę się przestraszyła swobodnego zachowania Ani. Na szczęście panna Barry była wyraźnie zadowolona. Stała potem długo na werandzie i patrzyła za znikającym w oddali powozem. Następnie westchnęła ciężko i wróciła do swojego wielkiego domu. Bez dwóch młodych dziewcząt było w nim teraz bardzo pusto. Szczerze powiedziawszy, panna Barry była dość samolubną osobą i przeważnie martwiła się tylko o siebie samą. Inni ludzie stanowili dla niej jakąś wartość jedynie wówczas, gdy byli do czegoś przydatni lub potrafili ją rozśmieszyć. Ania zawsze umiała wprawić ją w dobry humor, dlatego też panna Barry ceniła sobie jej towarzystwo. Starsza dama nie tyle lubiła wysłuchiwać osobliwych wywodów Ani, ile raczej podobał jej się entuzjazm dziewczynki, ujmujący sposób bycia, uczuciowość, a także wdzięczna twarzyczka, ładne usta i oczy.

— Gdy usłyszałam, że Maryla Cuthbert adoptowała dziecko z sierocińca, pomyślałam sobie, że zdziwaczała na starość — odezwała się sama do siebie panna Barry — teraz jednak widzę, że postąpiła słusznie. W towarzystwie takiej dziewczynki jak Ania ja także byłabym lepszą i szczęśliwszą kobietą.

Ania i Diana były tak samo zachwycone drogą powrotną, jak wcześniej podróżą do miasta — cieszyły się nawet bardziej, bo miały świadomość, że czeka na nie przytulny dom. Słońce już zachodziło, gdy powóz minął Białe Piaski i skręcił na drogę prowadzącą wzdłuż wybrzeża. Na horyzoncie pojawiły się ciemne wzgórza Avonlea, wyraźnie rysujące się na tle szafranowego nieba. Za plecami jadących wyłonił się z morskiej toni księżyc, którego blask rozświetlił morze, zupełnie odmieniając jego wygląd. Na powierzchni niewielkich zatoczek, położonych przy biegnącej zakolami drodze, tańczyły maleńkie fale, co wyglądało niezwykle malowniczo. Morze łagodnie uderzało o skały, wydając przy tym cichy szmer, a rześkie powietrze przesycone było jego zapachem.

— Och, jak dobrze jest żyć i wracać do domu — westchnęła Ania.

Gdy przeszła przez drewniany mostek na strumieniu, w kuchni na Zielonym Wzgórzu dostrzegła światełko, które mrugało do niej przyjaźnie na powitanie. Przez uchylone drzwi widać było w palenisku płonące żagwie, których ciepły czerwony blask opromieniał chłodną jesienną noc. Ania wesoło wbiegła na szczyt wzgórza i wpadła prosto do kuchni, gdzie na stole czekała na nią gorąca kolacja.

— A więc wróciłaś — powiedziała Maryla, odkładając na bok robótkę.

— Tak. Och, jak dobrze znowu być w domu! — zawołała wesoło Ania. — Mam ochotę pocałować wszystkie sprzęty, nawet zegar. Marylo, to przecież pieczony kurczak! Chyba nie powiesz mi, że przygotowałaś go specjalnie na mój powrót!

— Owszem — powiedziała Maryla. — Pomyślałam sobie, że na pewno będziesz głodna po takiej długiej podróży i że chętnie zjesz coś smacznego. Szybciutko, rozbierz się i jak tylko Mateusz wróci, zasiądziemy do kolacji. Bardzo się cieszę, że już wróciłaś. Bez ciebie było tutaj przeraźliwie pusto i zaczynało już być smutno. Te cztery dni okropnie mi się dłużyły.

Po kolacji Ania usadowiła się przed kominkiem pomiędzy Marylą a jej bratem, po czym szczegółowo opowiedziała o całej wizycie.

— Naprawdę było świetnie — oznajmiła na koniec. — Czuję się tak, jakby to był początek nowej epoki w moim życiu. Jednak najmilszy był powrót do domu.

PRZYGOTOWANIA DO QUEEN'S ACADEMY

Maryla odłożyła robótkę na kolana i usadowiła się wygodniej na krześle. Oczy odmawiały jej posłuszeństwa, więc pomyślała, że podczas kolejnej wizyty w mieście musi sprawić sobie nowe okulary; wzrok zawodził ją ostatnio coraz częściej.

Było już prawie zupełnie ciemno, gdyż nad Zielonym Wzgórzem zapadł głęboki listopadowy zmierzch, a kuchnię oświetlały jedynie roztańczone czerwone płomienie buchające z pieca.

Ania siedziała po turecku na dywaniku i wpatrywała się w ogień buzujący wesoło w palenisku. Klonowe polana oddawały całe ciepło słoneczne, które zgromadziły na przestrzeni wielu lat. Ania początkowo zajęta była czytaniem, ale po chwili książka wysunęła jej się z rąk i spadła na podłogę. Dziewczynka oddała się marzeniom, a na jej lekko rozchylonych ustach zagościł delikatny uśmiech. Była teraz we własnym, baśniowym świecie, wyobraźnia bowiem wciąż podsuwała jej obrazy utkane z mgły i kolorowej tęczy; podróżując w chmurach, przeżywała wspaniałe, pasjonujące przygody, które zawsze kończyły się szczęśliwie i nigdy nie prowadziły na manowce, w przeciwieństwie do wydarzeń z realnego życia.

Maryla przyglądała się jej z czułością, której nigdy zapewne nie odważyłaby się okazać w pełnym świetle dnia, jakże odmiennym od gry łagodnego blasku ognia i głębokiego cienia. Wyrażanie miłości słowami lub spojrzeniami było sztuką, której Maryla nigdy nie opanowała. Mimo braku wylewności kochała jednak tę szczupłą dziewczynę o szarych oczach, a nie okazywane uczucie było tym głębsze i mocniejsze. Zdając sobie sprawę z jego siły, Maryla obawiała się, czy nie czyni jej ono zanadto pobłażliwą w stosunku do wychowanki. Gnębiło ją pełne niepokoju przeświadczenie, że lokowanie wszystkich uczuć w jednej osobie jest czymś zgoła grzesznym. Być może z tego względu odprawiała nieświadomie rodzaj pokuty, odnosząc się do swojej podopiecznej bardziej surowo i krytycznie, niż należało — pewnie nie zachowywałaby się w ten sposób, gdyby Ania nie była jej aż tak droga. Dziewczynka naturalnie nie zdawała sobie sprawy z potęgi tego macierzyńskiego uczucia. Czasami nawet smuciła się, widząc, jak niezwykle trudno jest Marylę zadowolić oraz zasłużyć na jej współczucie i zrozumienie. Szybko jednak odsuwała od siebie podobne myśli, uświadamiała sobie bowiem, jak wiele swojej opiekunce zawdzięcza.

— Aniu — odezwała się nagle Maryla. — Panna Stacy odwiedziła nas dzisiaj po południu, gdy poszłaś gdzieś z Dianą.

Ania poderwała się i westchnęła. Wyglądała tak, jakby powróciła z innego świata.

— Naprawdę? Jaka szkoda, że akurat wyszłam. Dlaczego mnie nie zawołałaś, Marylo? Byłyśmy całkiem niedaleko, w Lesie Duchów. W lasach jest teraz tak pięknie. Wszystkie nieduże rośliny — paprocie, miesięcznice i wawrzynki — zapadły w zimowy sen, zupełnie jakby ktoś celowo przykrył je kobiercem liści, ażeby mogły doczekać wiosny. Zrobił to pewnie jakiś mały elf ubrany w tęczowy szal, który przyszedł tutaj cichuteńko, na paluszkach, w księżycową noc — i wszystko pieczołowicie poprzykrywał. Diana jednak nie chce prowadzić rozmów o elfach. Nie może zapomnieć, jak mama ją strasznie skrzyczała za wymyślanie historii o duchach. Z powodu tej reprymendy Diana zupełnie straciła chęć do fantazjowania. Jej wyobraźnia jest wypalona. Pani Linde mówi, że Myrtle Bell jest zupełnie wypalona. Zapytałam Ruby Gillis, co to znaczy, a ona mi wytłumaczyła, iż pewnie chodzi o to, że rzucił ją ukochany. Ruby Gillis nie myśli o niczym innym, tylko o chłopcach, a im jest starsza, tym z nią gorzej. Nie mam nic przeciwko młodym mężczyznom, ale uważam, że na ogół można się bez nich obyć. Diana i ja zastanawiamy się całkiem serio, czy przypadkiem nie byłoby lepiej przyrzec sobie, że żadna z nas nigdy nie wyjdzie za mąż. Jako stare panny mieszkałybyśmy sobie razem do końca naszych dni. Diana jeszcze nie całkiem się zdecydowała, ponieważ uważa, że może szlachetniej byłoby poślubić jakiegoś nieokrzesanego młodzieńca, hulakę i nicponia, żeby pomóc mu wrócić na właściwą drogę. Ostatnio rozmawiamy z Dianą o różnych istotnych problemach. Obie doszłyśmy do wniosku, że jesteśmy już na tyle dorosłe, że nie wypada poruszać dziecinnych tematów. To poważna sprawa — mieć prawie czternaście lat. W zeszłą środę panna Stacy zabrała wszystkie dziewczęta w naszym wieku nad strumień i rozmawiałyśmy właśnie o dorastaniu. Panna Stacy powiedziała, że powinnyśmy nie żałować trudu, żeby wyrobić sobie odpowiednie nawyki i przyswoić właściwe ideały, bo gdy skończymy dwudziesty rok życia, nasz charakter będzie już w pełni ukształtowany, i to, co posiądziemy za młodu, będzie stanowiło fundament, na którym zbudujemy całe swoje przyszłe życie. Mówiła także, że jeżeli fundament okaże się kiepski, to nigdy nie uda nam się zbudować na nim niczego wartościowego. Rozmawiałyśmy o tym z Dianą w drodze ze szkoły. To była bardzo znacząca rozmowa, Marylo. Postanowiłyśmy, że naprawdę będziemy się starać wyrobić sobie dobre przyzwyczajenia, pilnie się uczyć, postępować rozsądnie, a wszystko po to, żeby z chwilą osiągnięcia dwudziestego roku życia mieć już odpowiednio ukształtowany charakter. To okropne uczucie — uświadomić sobie, że będzie się kiedyś miało dwadzieścia lat, Marylo. Będę wtedy tak strasznie stara i całkiem dorosła. Ale dlaczego właściwie panna Stacy przyszła do nas z wizytą?

— Właśnie usiłuję ci to powiedzieć, ale nie dajesz mi dojść do głosu. Panna Stacy chciała porozmawiać o tobie.

— O mnie? — Ania wyglądała na przestraszoną. Potem zarumieniła się i krzyknęła: — Wiem, o czym przyszła ci powiedzieć. Ja sama miałam się przyznać, wierz mi, naprawdę chciałam to zrobić, ale zapomniałam. Wczoraj po południu panna Stacy przyłapała mnie na czytaniu *Ben Hura** w czasie przeznaczonym na naukę historii Kanady. Książkę pożyczyła mi Jane Andrews. Czytałam ją w czasie przerwy obiadowej. Dotarłam akurat do momentu, kiedy miał się rozpocząć wyścig rydwanów, a tu trzeba było wracać na zajęcia. Nie mogłam wytrzymać z ciekawości, tak bardzo chciałam się dowiedzieć, jak się ten wyścig zakończył — chociaż i tak byłam pewna, że wygra go Ben Hur, inaczej sprawiedliwości nie stałoby się zadość — tak więc rozłożyłam na ławce książkę do historii, a *Ben Hura* ukryłam na kolanach. Wyglądało na to, że studiuję podręcznik, a ja w tym czasie pochłaniałam *Ben Hura*. Lektura tak bardzo mnie wciągnęła, że nie zauważyłam, kiedy panna Stacy

* Powieść historyczna Lewisa Wallace'a (1827–1905), opublikowana w 1880 roku. Opowiada o początkach chrześcijaństwa (przyp. tłum.).

podeszła do mojego rzędu, aż nagle, gdy podniosłam głowę, zobaczyłam, że stoi nade mną i spogląda z wyrzutem. Nie wyobrażasz sobie, Marylo, jak bardzo się zawstydziłam, szczególnie gdy usłyszałam chichot Josie Pye. Panna Stacy zabrała mi *Ben Hura*, ale nie odezwała się ani słowem, a w czasie przerwy przeprowadziła ze mną rozmowę. Powiedziała, że postąpiłam bardzo źle, i to z dwóch względów. Po pierwsze, traciłam czas, który należało przeznaczyć na naukę, po drugie oszukiwałam swoją nauczycielkę, udając, że uczę się historii, a faktycznie czytałam powieść. Dopiero wtedy uświadomiłam sobie, że to, co zrobiłam, było zwyczajnym oszustwem. Poczułam się naprawdę wstrząśnięta. Rozpłakałam się i poprosiłam pannę Stacy o wybaczenie, obiecałam też, że to się więcej nie powtórzy. Zaproponowałam, że za karę przez tydzień nawet nie spojrzę na *Ben Hura* i nie będę próbowała się dowiedzieć, kto ostatecznie wygrał wyścig. Panna Stacy powiedziała jednak, że aż taka ofiara nie będzie konieczna i że mi wybacza. Dlatego uważam, że postąpiła nieuczciwie, wstępując tutaj, żeby ci o wszystkim powiedzieć.

— Panna Stacy nie wspomniała o tej historii ani słowem, Aniu. To tylko twoje własne sumienie się odezwało. Nie wolno ci zabierać powieści do szkoły. I tak czytasz zbyt wiele. Gdy ja byłam dziewczynką, nie wolno mi było nawet spojrzeć na powieść przygodową.

— Nie powinnaś nazywać *Ben Hura* powieścią przygodową, przecież to książka na wskroś religijna — zaprotestowała Ania. — Może jest trochę zanadto wciągająca i przez to nieodpowiednia na niedzielną lekturę, dlatego czytam ją tylko w dni powszednie. A w ogóle to teraz czytuję wyłącznie takie książki, które panna Stacy lub pani Allan uznają za odpowiednie dla dziewczynki w wieku trzynastu lat i dziewięciu miesięcy. Panna Stacy prosiła mnie, abym złożyła jej taką obietnicę. Kiedyś przyłapała mnie na czytaniu powieści pod tytułem *Potworna tajemnica starego dworu*. Pożyczyła mi ją Ruby Gillis. To była naprawdę niesamowicie ciekawa historia, pożerałam ją z wypiekami na twarzy, a przy niektórych scenach czułam, jak krew po prostu ścina mi się w żyłach. Panna Stacy uznała jednak, że książka jest głupia i szkodliwa, a potem poprosiła mnie, abym nie czytała więcej ani tej, ani do niej podobnych. Posłusznie spełniłam prośbę panny Stacy, ale cierpiałam strasznie, ponieważ musiałam zwrócić powieść, mimo iż nie wiedziałam, jak się skończyła. Moje uwielbienie dla panny Stacy jednak ostatecznie zwyciężyło i nie uległam pokusie. To naprawdę niewiarygodne, Marylo, do czego jesteśmy zdolni, gdy rzeczywiście nam na kimś zależy.

— Zdaje się, że lepiej będzie, jak zapalę lampę i wrócę do swojej robótki — stwierdziła Maryla. — Wyraźnie widzę, że wcale nie masz ochoty dowiedzieć się, po co przyszła panna Stacy. Najbardziej chyba lubisz słuchać samej siebie.

— Och, Marylo, naprawdę chciałabym wiedzieć — zawołała Ania. — Nie odezwę się już ani słówkiem. To oczywiste, że za dużo mówię, ale uwierz mi, że naprawdę staram się z tym walczyć. Gdybyś tylko wiedziała, ile rzeczy chciałabym ci jeszcze opowiedzieć, ale się powstrzymuję, na pewno byś mi wybaczyła. Proszę cię, Marylo, powiedz mi.

— No więc panna Stacy planuje zorganizować dodatkowe zajęcia dla tych uczniów, którzy chcieliby przystąpić do egzaminów wstępnych na Queen's Academy. Grupa ta zostawałaby w szkole godzinę dłużej. Panna Stacy przyszła zapytać, czy Mateusz i ja wyrazimy zgodę, abyś brała udział w tych dodatkowych zajęciach. Chciałabym wiedzieć, co o tym sądzisz, Aniu? Czy chciałabyś zdawać do seminarium, żeby potem zostać nauczycielką?

— Och, Marylo! — Ania przypadła do kolan swojej opiekunki i uściskała ją. — Całe życie o tym marzyłam... to znaczy przez ostatnich sześć miesięcy, odkąd Ruby i Jane zaczęły opowiadać o tych egzaminach wstępnych. Nic nie mówiłam, bo myślałam, że i tak nie mam szans. Bardzo chciałabym zostać nauczycielką. Tylko czy to nie jest czasem koszmarnie drogie? Pan Andrews mówi, że przygotowanie Prissy kosztowało go sto pięćdziesiąt dolarów, a Prissy nie była przecież tępa z geometrii.

— To już nie twoje zmartwienie. Gdy Mateusz i ja zdecydowaliśmy się wziąć cię na wychowanie, postanowiliśmy, że zapewnimy ci wszystko, co najlepsze, także dobre wykształcenie. Uważam, że dziewczyna powinna móc zarobić na swoje utrzymanie, bez względu na to, czy będzie kiedyś musiała pracować, czy nie. Zielone Wzgórze pozostanie twoim domem, dopóki ja i Mateusz będziemy tu mieszkać, nigdy jednak nie wiadomo, co przyniesie życie, dlatego lepiej być przygotowanym na każdą ewentualność. Więc jeśli chcesz, to możesz uczestniczyć w tych dodatkowych lekcjach.

— Och, bardzo ci dziękuję — Ania objęła Marylę, uniosła głowę i spojrzała na swoją opiekunkę poważnym wzrokiem. — Jestem wam obojgu niezwykle wdzięczna. Będę się bardzo przykładała do nauki, abyście mogli być ze mnie dumni. Chciałam wam jednak z góry powiedzieć, że w kwestii geometrii nie należy się po mnie za wiele spodziewać, natomiast z pozostałymi przedmiotami nie powinnam mieć problemów, jeżeli będę pilnie pracowała.

— Przypuszczam, że nieźle dasz sobie radę. Panna Stacy mówi, że jesteś zdolna i pilna. — Za nic na świecie Maryla nie wyjawiłaby wszystkich szczegółów rozmowy, bo komplementy, jakie prawiła panna Stacy, mogły tylko rozbudzić w Ani próżność. — Nie chodzi o to, żebyś popadła w przesadę i ciągle ślęczała nad książkami. Nie ma przecież pośpiechu. Zanim przystąpisz do egzaminów, czeka cię jeszcze półtora roku nauki. Warto jednak pomyśleć o wszystkim zawczasu, po to żeby dobrze utrwalić materiał, jak mówi panna Stacy.

— Myślę, że teraz będę podchodziła do nauki z o wiele większym zainteresowaniem — powiedziała niezmiernie uszczęśliwiona Ania — bo mam jasno wytyczony cel. Pan Allan mówi, że każdy powinien obrać sobie w życiu jakiś cel i do niego wytrwale dążyć, tylko najpierw trzeba się upewnić, czy ten cel jest rzeczywiście szlachetny. Uważam, że pragnienie zostania nauczycielką, tak jak panna Stacy, to wystarczająco szlachetny cel, zgadzasz się ze mną, Marylo? Myślę, że zawód nauczyciela jest naprawdę wspaniały.

Dodatkowe lekcje dla uczniów przygotowujących się do seminarium zostały zorganizowane zgodnie z planem. Uczestniczyli w nich Gilbert Blythe, Ania Shirley, Ruby Gillis, Jane Andrews, Josie Pye, Karol Sloane i Moody Spurgeon MacPherson. Diana Barry nie brała udziału w zajęciach, bo rodzice nie planowali posyłać jej na studia. Dla Ani oznaczało to niemalże katastrofę, ponieważ od czasu kiedy Minnie May zachorowała na krup, obie przyjaciółki nigdy się nie rozstawały. Tego popołudnia, gdy wybrani uczniowie po raz pierwszy zostali po lekcjach, Ania zobaczyła, jak Diana razem z innymi wychodzi wolno ze szkoły, by potem samotnie pójść do domu Ścieżką Brzóz i Doliną Fiołków. Jedyne, co Ania mogła zrobić, to pozostać na swoim miejscu, powstrzymać emocje i nie wybiec za swoją ukochaną koleżanką. Coś ścisnęło ją za gardło i Ania szybko skryła twarz za podręcznikiem do gramatyki łacińskiej, aby nie pokazać łez, które napłynęły jej do oczu. Za żadne skarby nie chciałaby, aby te łzy dostrzegli Gilbert Blythe lub Josie Pye.

— Wiesz, Marylo, nagle uzmysłowiłam sobie, jak gorzka potrafi być śmierć — tak właśnie ujął to pan Allan w ostatnim kazaniu — gdy zobaczyłam Dianę wracającą samotnie do domu — powiedziała przygnębionym głosem Ania podczas wieczornej rozmowy. — Wyobraziłam sobie, że byłoby cudownie, gdyby Diana też przygotowywała się do egzaminów wstępnych i chodziła ze mną na zajęcia. Jednakże nie ma rzeczy idealnych na tym dalekim od doskonałości świecie, jak mawia pani Linde. Ona może nie zawsze nadaje się na pocieszycielkę, ale za to dobrze zna się na życiu. Myślę, że te dodatkowe lekcje przygotowujące nas do Queen's Academy będą naprawdę ciekawe. Jane i Ruby uczą się tylko po to, by móc zostać nauczycielkami. To szczyt ich ambicji. Ruby mówi, że po studiach zamierza pracować w szkole tylko przez dwa lata, a potem wyjdzie za mąż. Jane natomiast zapowiada, że całe swoje życie poświęci pracy nauczycielskiej i za żadne skarby nie chce wychodzić za mąż. Za nauczanie otrzymuje się przynajmniej pensję, a mąż tylko narzeka, gdy się go prosi, aby podzielił się dochodami z farmy. Myślę, że Jane tak mówi, bo ma jakieś przykre doświadczenia. Pani Linde twierdzi, że ojciec Jane to stary zrzęda, a w dodatku skąpiec, jakiego świat nie widział. Josie Pye rozpowiada, że chce zdawać do Queen's Academy, żeby zdobywać wiedzę, bo na życie zarabiać nie musi. Co innego, gdy ktoś jest sierotą i żyje z tego, co dadzą mu inni, taki ktoś musi ciężko pracować. Moody Spurgeon chce zostać pastorem. Pani Linde mówi, że jak się nosi takie imiona, to nie ma rady — jest się po prostu skazanym na bycie pastorem*. Mam nadzieję, że nie

* Dwight Lyman Moody (1837–1899) — słynny amerykański kaznodzieja, w 1889 r. utworzył Instytut Biblijny w Chicago. Charles Haddon Spurgeon (1834–1892) — wybitny angielski kaznodzieja Kościoła baptystów, który zyskał przydomek „Książę kaznodziejów" (przyp. tłum.).

jestem zanadto złośliwa, Marylo, ale na samą myśl o tym, że Moody Spurgeon miałby zostać pastorem, chce mi się śmiać. On tak zabawnie wygląda z tą swoją pucołowatą twarzą, małymi niebieskimi oczkami i wielkimi odstającymi uszami. Może gdy wydorośleje, bardziej będzie przypominał z wyglądu intelektualistę. Karol Sloane opowiadał, że chciałby się zająć polityką i zostać parlamentarzystą, ale pani Linde uważa, że on się do tego nie nadaje, bo rodzina Sloane'ów to uczciwi ludzie, a w dzisiejszych czasach karierę w polityce mogą zrobić tylko łajdacy.

— A kim chce zostać Gilbert Blythe? — zapytała Maryla, widząc, że Ania zaczyna otwierać swojego *Cezara**.

— Nie mam pojęcia, jakie ambicje ma Gilbert Blythe i czy w ogóle ma jakieś — z pogardą oświadczyła Ania.

Między Anią a Gilbertem doszło do otwartej rywalizacji. Wcześniej ich współzawodnictwo miało charakter bardziej jednostronny, teraz jednak nie było już wątpliwości, że Gilbert postanowił zostać najlepszym uczniem w klasie, podobnie jak i Ania. Byli na pewno godnymi siebie przeciwnikami. Pozostali uczniowie w milczeniu uznali wyższość tej pary i nigdy nawet nie marzyli o tym, by nawiązać z nimi równorzędną walkę.

Od pamiętnego dnia, kiedy po przygodzie z łódką Ania pozostała głucha na jego prośby o wybaczenie, Gilbert zażarcie z nią współzawodniczył, a po lekcjach udawał, że w ogóle jej nie dostrzega. Rozmawiał i żartował z innymi dziewczętami, wymieniał się książkami i puzzlami, dyskutował na temat lekcji i rozmaitych planów, czasami którąś z nich odprowadzał do domu po nabożeństwie lub spotkaniu w Klubie Dyskusyjnym. Anię Shirley natomiast po

---

* Chodzi prawdopodobnie o sztukę Szekspira *Juliusz Cezar* (przyp. tłum.).

prostu ignorował, a ona odczuwała dotkliwie, jakie to jest przykre. Nic nie pomagało potrząsanie głową i wmawianie sobie, że to wszystko jej nie obchodzi. W głębi swej niestałej kobiecej duszy czuła, że tak naprawdę bardzo jej na osobie Gilberta zależy i że gdyby tylko scena nad Jeziorem Lśniących Wód mogła się powtórzyć, jej odpowiedź byłaby zupełnie inna. Nagle, ku swemu głęboko skrywanemu przerażeniu, dziewczynka odkryła, że cała uraza, którą od dawna żywiła do Gilberta, niespodziewanie zniknęła, i to akurat wtedy, gdy Ania najbardziej potrzebowała jej pobudzającej do działania mocy. Na próżno usiłowała przypomnieć sobie wszystkie przykrości, których doznała kiedyś w szkole od Gilberta, i bezskutecznie próbowała obudzić w sobie dawny gniew. Tamten dzień nad jeziorem był świadkiem ostatniego porywu jej złości. Ania zdała sobie sprawę z tego, że sama nie wiedząc kiedy, wybaczyła swemu prześladowcy. Było już jednak za późno.

Zależało jej, żeby ani Gilbert, ani nikt inny, nawet Diana, nie domyślił się, jak bardzo jest jej przykro i jak mocno żałuje, że tak okropnie i wyniośle się zachowała! Postanowiła „okryć swe uczucia całunem zapomnienia" i trzeba stwierdzić, że zrobiła to po mistrzowsku, bo nawet Gilbert, który prawdopodobnie nie był aż taki obojętny, za jakiego pragnął uchodzić, nie mógł pokrzepiać się myślą, że Ania cierpi z powodu lekceważenia, jakie jej w odwecie okazywał. Jedyną pociechę znajdował w tym, że równie pogardliwie odnosiła się do Karola Sloane'a, nie znając litości ani umiaru, choć biedny chłopiec wcale sobie na to nie zasłużył.

Zima upłynęła na wypełnianiu ciągle tych samych, choć przyjemnych w gruncie rzeczy obowiązków i na nauce. Kolejne dni roku ustępowały następnym, podobne do złotych paciorków w naszyjniku. Ania była szczęśliwa i pełna zapału, wszystko ją ciekawiło. Czekały na nią lekcje, których trzeba było się nauczyć, i laury, które należało zdobyć; wspaniałe książki do czytania i nowe pieśni do śpiewania w kościelnym chórze, a także przyjemne popołudnia spędzane na plebanii w towarzystwie pani Allan. W końcu, zanim Ania się spostrzegła, na Zielone Wzgórze po raz kolejny przyszła wiosna i cały świat znowu zaczął tonąć w kwiatach.

Wraz z wiosną chęć do nauki nieco osłabła. Gdy inni uczniowie rozpierzchali się po trawiastych alejkach, kipiących zielenią leśnych przesiekach i polnych dróżkach, kandydaci do Queen's Academy wyglądali tęsknym wzrokiem przez okno i dochodzili do wniosku, że łacińskie czasowniki i ćwiczenia francuskie nie budzą już w nich takiego zapału i zainteresowania jak w czasie mroźnych zimowych miesięcy. Nawet Ania i Gilbert zaczęli się trochę opuszczać w nauce i odrobinę na nią zobojętnieli. Zarówno nauczycielka, jak i uczniowie byli tak samo zadowoleni, że semestr dobiegał wreszcie końca i że czekały ich wspaniałe wakacje.

— Muszę przyznać, że w mijającym roku pracowaliście bardzo rzetelnie — powiedziała panna Stacy w czasie ostatnich zajęć. — Należą się wam wakacje na medal. Życzę, żebyście dobrze wypoczęli na świeżym powietrzu i wrócili zdrowi, pełni energii oraz nowych chęci do nauki. Wiecie, że czeka was bardzo ciężki rok — ostatni przed przystąpieniem do egzaminów.

— A czy pani będzie nas uczyć również w przyszłym roku, panno Stacy? — zapytała Josie Pye.

Josie Pye nigdy nie miała skrupułów, jeżeli chodzi o pytania bez ogródek. Tym razem jednak klasa była jej za to bardzo wdzięczna. Nikt inny nie ośmieliłby się postawić podobnego pytania, chociaż wszyscy pragnęli się dowiedzieć, co ich czeka, ponieważ od dłuższego już czasu po szkole chodziły bardzo alarmujące plotki, że panna Stacy w kolejnym roku nie będzie uczyć w Avonlea, bo otrzymała propozycję pracy w szkole podstawowej w swych rodzinnych okolicach i jest zdecydowana ją przyjąć. Uczniowie w napięciu czekali na odpowiedź.

— Myślę, że tak — odparła panna Stacy. — Rozważałam propozycję przejścia do innej szkoły, ale zdecydowałam się pozostać w Avonlea. Jeżeli chcecie znać prawdę, to tak się do was przywiązałam, że nie mogłabym tak nagle odejść. Zostanę więc jeszcze rok i poprowadzę was aż do egzaminów.

— Hurra! — wykrzyknął Moody Spurgeon. Nigdy wcześniej nie dał się tak ponieść uczuciom, toteż rumienił się potem przez tydzień na samo wspomnienie tamtej sceny.

— Tak bardzo się cieszę — powiedziała Ania, posyłając swojej nauczycielce promienne spojrzenie. — Kochana panno Stacy, to byłoby okropne, gdyby pani do nas nie wróciła. Nie wiem, czy miałabym dalej dość zapału, by myśleć o dalszej nauce, jeżeli zacząłby nas uczyć ktoś nowy.

Gdy Ania wróciła wieczorem do domu, wszystkie podręczniki wyniosła na strych i włożyła do starego kufra, po czym zamknęła go, a klucz wrzuciła do pojemnika na pościel.

— W czasie wakacji nawet nie spojrzę na książki — powiedziała Maryli. — Uczyłam się naprawdę solidnie przez cały semestr. Ślęczałam nad geometrią tak długo, aż nauczyłam się na pamięć wszystkich twierdzeń z pierwszego tomu i nawet zmiana oznaczeń mi nie przeszkadza. Nie mam już siły skupiać się na poważnych rzeczach i zamierzam pozwolić swojej wyobraźni na zupełnie swobodną wędrówkę. Nie martw się, Marylo. Będzie wędrować, ale tylko w rozsądnych granicach. W te wakacje chciałabym jednak naprawdę dobrze wypocząć, bo może to już ostatnie lato, podczas którego mogę jeszcze uchodzić za małą dziewczynkę. Pani Linde mówi, że jeżeli znowu wyciągnę się tak jak w tym roku, to powinnam pomyśleć o dłuższych spódnicach. Ona twierdzi, że składam się z samych nóg i oczu. Kiedy założę już taką dłuższą spódnicę, to będę musiała odpowiednio dorośle i godnie się zachowywać. Nie będzie mi nawet wypadało wierzyć w istnienie elfów. Dlatego jeszcze tego lata mam zamiar fantazjować na ich temat do woli. Myślę, że czekają mnie niezapomniane wakacje. Niedługo Ruby Gillis będzie obchodziła urodziny, potem odbędzie się piknik dla uczniów ze szkółki niedzielnej, a w następnym miesiącu koncert wspierający misje. Pan Barry mówi, że któregoś wieczoru zabierze Dianę i mnie do hotelu w Białych Piaskach na obiad. Oni tam podają obiady wieczorem, wiesz, Marylo? Jane Andrews była w tym hotelu zeszłego lata i opowiada, że to niezapomniany widok, bo wszystko zalane było elektrycznym światłem, dookoła znajdowało się mnóstwo kwiatów, a panie miały na sobie najpiękniejsze wieczorowe toalety. Jane mówi, że pierwszy raz zobaczyła z bliska życie wyższych sfer i nie zapomni tego aż do śmierci.

Następnego dnia po południu pani Linde przyszła z wizytą, żeby dowiedzieć się, dlaczego Maryla nie pojawiła się w czwartek na zebraniu kółka charytatywnego. Ilekroć Maryla nie przychodziła na zebranie kółka, wiadomo było, że na Zielonym Wzgórzu działo się coś złego.

— Mateusz miał problemy z sercem — wyjaśniła Maryla. — Nie chciałam go zostawić bez opieki. Teraz już czuje się dość dobrze, ale te kłopoty z sercem występują coraz częściej i bardzo się o niego martwię. Lekarz mówi, że Mateusz powinien na siebie uważać i zbytnio się nie denerwować. To akurat przyjdzie mu z łatwością, bo on przecież zawsze prowadził spokojny tryb życia i nigdy nie szukał emocjonujących sytuacji. Gorzej, że lekarz zabronił mu wykonywać jakiekolwiek ciężkie prace, a przecież bez pracy Mateusz będzie się czuł jak bez powietrza. Wejdź, Małgorzato, do środka i rozgość się. Zostaniesz na herbatę?

— No cóż, skoro nalegasz, to może rzeczywiście zostanę — oświadczyła pani Linde, która w rzeczywistości przybyła z tą jedynie intencją. Obie damy usadowiły się w salonie, natomiast Ania podała herbatę i świeżo upieczone ciasteczka — tak lekkie i pięknie zarumienione, że nawet krytyczna i wymagająca pani Linde nie mogła im nic zarzucić.

— Muszę powiedzieć, że Ania wyrosła na bystrą dziewczynę — oznajmiła pani Małgorzata, gdy Maryla odprowadzała ją o zachodzie słońca do końca ścieżki. — Na pewno jest dla ciebie wielką pomocą.

— Rzeczywiście dużo mi pomaga — powiedziała Maryla. — Bardzo też się wyciszyła i stała się odpowiedzialna. Bałam się, że zawsze będzie miała pstro w głowie, na szczęście jednak wyrosła z tego i mogę na niej całkowicie polegać.

— Gdy zobaczyłam ją pierwszy raz trzy lata temu, nigdy bym nie pomyślała, że wszystko tak wspaniale się ułoży — powiedziała pani Małgorzata. — Dobry Boże, jak sobie przypomnę ten jej napad złości... Gdy wróciłam wtedy do domu, powiedziałam do Tomasza: „Zapamiętaj moje słowa, Tomaszu, Maryla będzie gorzko żałować swego kroku". Na szczęście myliłam się i bardzo się z tego cieszę. Nie należę do osób, które nie potrafią przyznać się do błędu. Dzięki Bogu, takie zachowanie nie leży w mojej naturze. Pomyliłam się w ocenie Ani, ale nie ma w tym nic dziwnego, bo jak świat światem, nikt chyba nie widział dziwniejszego od niej dziecka, bez dwóch zdań, ot co. W stosunku do niej nie poskutkowałyby żadne metody, które sprawdzają się w odniesieniu do innych dzieci. To cudowne, że przez ostatnie trzy lata potrafiła aż tak się zmienić, również jeżeli idzie o wygląd. Wyrosła na rzeczywiście ładną dziewczynę, chociaż sama nie bardzo przepadam za tym typem urody, to znaczy za bladą cerą i wielkimi oczami. Wolę takie bardziej pełnokrwiste dziewczyny z ikrą, jak Diana Barry albo Ruby Gillis. Ruby to naprawdę śliczna panienka. Zupełnie nie rozumiem, jak to się dzieje: Ania nawet w połowie nie dorównuje im urodą — a jednak wyglądają przy niej jakoś pospolicie, trochę jak wielkie pąsowe piwonie przy tych skromnych czerwcowych lilijkach, które Ania zwie narcyzami, ot co.

A CZAS PŁYNIE

Zgodnie z wcześniejszym postanowieniem Ania cieszyła się swoimi wymarzonymi wakacjami. Razem z Dianą spędzały większość czasu na dworze, rozkoszując się urokami Alei Zakochanych, Źródła Nimf, Jeziora Starych Wierzb i Wyspy Wiktorii. Maryla nie miała nic przeciwko takiemu włóczęgowskiemu stylowi bycia. Z początkiem wakacji Ania przypadkowo spotkała u sąsiadów doktora ze Spencervale, którego kiedyś poznała, udzielając pomocy małej Minnie May cierpiącej na krup. Lekarz bacznie się jej przyjrzał, zacisnął usta, pokręcił głową i czym prędzej napisał liścik, który, korzystając z czyjejś uprzejmości, przesłał Maryli. Wiadomość brzmiała:

„Pozwólcie tej swojej rudowłosej dziewczynie spędzać w lecie jak najwięcej czasu na świeżym powietrzu. Niech nie czyta książek, tylko zażywa ruchu".

Liścik przestraszył Marylę nie na żarty. Już sobie wyobraziła, że jeśli się nie zastosuje do zaleceń doktora, Ania niechybnie umrze na gruźlicę. W rezultacie dziewczynka zyskała dużą swobodę w organizowaniu sobie ciekawych zajęć wakacyjnych. Urządzała piesze wycieczki, pływała łódką, chodziła na jagody i oddawała się najskrytszym marzeniom. Gdy nadszedł wrzesień, była tak pełna wigoru, ambitnych planów oraz zapału do pracy, że nawet doktor ze Spencervale nie musiałby się dłużej martwić o jej zdrowie.

— Znowu mam ochotę rzucić się w wir szkolnych obowiązków — oznajmiła, przynosząc ze strychu książki, schowane tam przed wakacjami. — Ach, drodzy moi przyjaciele, jak miło znowu was widzieć — tak, nawet ciebie, geometrio. Moje wymarzone wakacje były naprawdę fantastyczne, Marylo, i teraz czuję się jak sportowiec gotowy do biegu, jak zeszłej niedzieli wyraził się pan Allan. Czy nie uważasz, że kazania pana Allana są wspaniałe? Pani Linde mówi, że on nabiera doświadczenia z każdym dniem i tylko patrzeć, jak jakaś parafia z miasta nam go podkradnie, a my znów będziemy musieli zaczynać od początku z nowym, świeżo upieczonym kaznodzieją. Ale po co się martwić na zapas, no nie? Lepiej się cieszyć panem Allanem, póki jeszcze z nami jest. Gdybym była mężczyzną, to chyba zostałabym pastorem. Bo jeżeli pastor ma solidne przygotowanie teologiczne, to może zdziałać wiele dobrego, a poza tym to musi być zupełnie niesamowite uczucie — tak sobie głosić kazania i poruszać nimi serca parafian. Dlaczego kobiety nie mogą być duchownymi, Marylo? Zadałam to pytanie pani Linde, ale ona tylko się oburzyła, że to by dopiero był skandal. Powiedziała, że może w Stanach kobiety zostają pastorami, natomiast u nas w Kanadzie sprawy na szczęście jeszcze nie zaszły tak daleko i ona ma nadzieję, że nigdy nie zajdą. Ale ja nie rozumiem, o co jej chodzi. Według mnie kobiety byłyby wspaniałymi pastorami. I tak gdy tylko w parafii odbywa się jakieś spotkanie albo trzeba zorganizować festyn czy inną akcję, żeby zebrać fundusze, to muszą się tym zajmować kobiety. Jestem przekonana, że pani Linde potrafi się modlić wcale nie gorzej niż pan Bell, a jakby trochę poćwiczyła, to i kazanie dałaby radę wygłosić.

— Pewnie tak — bez entuzjazmu zgodziła się Maryla. — I tak zdarza jej się głosić sporo kazań. W Avonlea nikt nie zejdzie na złą drogę, dopóki wszyscy znajdujemy się pod czujnym okiem naszej Małgorzaty.

— Marylo — powiedziała Ania poufnie — chcę ci coś wyznać i poprosić o radę. Każdej niedzieli, gdy popołudniami rozmyślam sobie o poważnych sprawach, nurtuje mnie pewien problem. Otóż ja naprawdę chcę być dobra. Gdy jestem z tobą albo z panią Allan, albo z panną Stacy, to chcę tego jeszcze bardziej i zależy mi, żeby wam sprawiać przyjemność i robić tylko to, co pochwalacie. Ale kiedy jestem w towarzystwie pani Linde, to korci mnie, żeby wszystko robić jej na przekór. Nie mogę sobie z tym poradzić. No powiedz, jak myślisz, dlaczego tak jest? Czy uważasz, że po prostu jestem zła i zatwardziała w grzechu?

Maryla przez chwilę miała niezdecydowaną minę, ale zaraz wybuchnęła śmiechem.

— Jeżeli ty jesteś pod tym względem zatwardziałą grzesznicą, to ja tym bardziej, Aniu, bo Małgorzata ma na mnie dokładnie taki sam wpływ, jak to przed chwilą opisałaś. Czasami wydaje mi się nawet, że gdyby ona tak nie nakłaniała ludzi do spełniania dobrych uczynków, to prędzej by się poprawili. Przydałoby się jedenaste przykazanie: „Nie zmuszaj do dobrego". Ale chyba nie powinnam tego wszystkiego mówić. Małgorzata jest przykładną chrześcijanką i ma zawsze dobre intencje, a w całym Avonlea nie znajdziesz nikogo bardziej pracowitego niż ona.

— Cieszę się, że zgadzasz się ze mną — odparła Ania zdecydowanym głosem. — To mi dodaje otuchy. Nie będę się już więcej tym martwiła. Ale pewnie zaraz znajdą się inne powody do zmartwień. Tak już jest, że ciągle pojawiają się jakieś nowe problemy, które mnie potem gnębią. Jak tylko z jednym się uporam, to zaraz pojawia się nowy. Kiedy człowiek dorasta, to jest tyle rzeczy, które trzeba przemyśleć przed podjęciem ważnej decyzji. Z dorastaniem nie ma żartów, prawda, Marylo? Jednakże gdy się ma takich sprawdzonych przyjaciół, jak ty, Mateusz, pani Allan i panna Stacy — to dorastanie nie powinno stanowić problemu, a jak coś mi się nie uda, to chyba tylko z mojej winy. Czuję ciężar odpowiedzialności, bo drugiej takiej szansy już nie dostanę. Jeśli mi coś nie wyjdzie, nie będę przecież mogła cofnąć się w czasie i zacząć wszystkiego od początku. Tego lata urosłam ze dwa cale, wiesz? Pan Gillis mnie zmierzył, kiedy byłam na przyjęciu u Ruby. Cieszę się, że uszyłaś te nowe sukienki nieco na wyrost. Ta ciemnozielona jest taka śliczna, a w dodatku jeszcze zrobiłaś falbanki. Wiem, że falbanki nie należą do rzeczy najpotrzebniejszych, ale są takie modne tej jesieni, a Josie Pye ma je przy wszystkich sukienkach. Jestem pewna, że będzie mi się lepiej uczyło, jak sobie pomyślę o tych moich falbankach. Z pewnością będą mi poprawiały humor.

— W takim razie naprawdę warto było je uszyć — zgodziła się Maryla.

Po powrocie z wakacji panna Stacy zastała swoich uczniów wypoczętych i gotowych do podjęcia szkolnych obowiązków. Szczególnie grupa kandydatów do Queen's Academy była chętna zakasać rękawy i ostro brać się do pracy, jako że wszyscy zdawali sobie sprawę, iż po zakończeniu tego roku szkolnego czeka ich egzamin wstępny. Na samą myśl o tym strach ściskał ich za gardło. No bo gdyby tak ktoś nie zdał! Ta niepewność do tego stopnia prześladowała Anię, że zmagała się z nią codziennie, nawet w niedzielne popołudnia. Inne rozterki, natury moralnej czy teologicznej, zeszły na dalszy plan. W najgorszych snach Ania widziała siebie wpatrzoną w listę przyjętych do Queen's, z tym że oczywiście na pierwszej pozycji znajdowało się nazwisko Gilberta Blythe'a, natomiast swojego nie mogła znaleźć w ogóle.

Zima mijała jednak szybko i wesoło, nawet pomimo nawału pracy. Lekcje były ciekawe, a rywalizacja w klasie tak pasjonująca jak niegdyś. Przed Anią otwierały się nowe perspektywy dla myśli, uczuć i ambicji, a horyzonty wiedzy zdawały się poszerzać w nieskończoność przed jej ciekawymi oczami.

Za każdym wzgórzem kryło się następne,
Alpy zaś nowym Alpom dawały początek.

Była to głównie zasługa panny Stacy, która umiała być dyskretnym, uważnym i mądrym przewodnikiem po krainie wiedzy. Prowadziła swoich wychowanków drogami nieraz odległymi od utartych szlaków, a to wręcz oburzało niektórych członków zarządu szkoły, z panią Linde na czele. Przyglądali się oni raczej nieufnie wszystkim innowacjom w nauczaniu, które do tej pory opierało się na dość tradycyjnych metodach.

Ania nie tylko robiła znaczące postępy w nauce, ale i chętnie brała udział w życiu towarzyskim, bo Maryla, mając w pamięci radę doktora ze Spencervale, nie zgłaszała już sprzeciwu, gdy nadarzała się okazja do uczestniczenia w różnego rodzaju wycieczkach. Klub Dyskusyjny prowadził ożywioną działalność i organizował liczne koncerty. Odbyły się też dwa przyjęcia niemal na miarę imprez dla dorosłych. Poza tym organizowano kuligi i wspólne wyprawy na ślizgawkę.

Ania urosła niepostrzeżenie, po prostu „wystrzeliła w górę" tak nagle, że Maryla nie mogła się wprost nadziwić, gdy pewnego dnia stanęły ramię w ramię i okazało się, że dziewczyna ją przerosła.

— Aniu, aleś ty wyrosła — powiedziała z niedowierzaniem, a zaraz potem westchnęła. Maryla nie mogła się pogodzić z tym, że jej wychowanka tak wydoroślała. To już nie było to dziecko, które kiedyś pokochała, ale piętnastoletnia panna w całej krasie, o poważnym wejrzeniu, inteligentnym wyrazie twarzy i dumnie uniesionej kształtnej głowie. Co prawda Maryla kochała teraz ową pannę tak, jak niegdyś małą niesforną dziewczynkę, ale gdzieś w głębi duszy czuła, że coś odeszło na zawsze. I pewnego wieczoru, kiedy Ania udała się z Dianą na nabożeństwo, a wokół zapadł zimowy zmierzch, Maryla usiadła w samotności i się rozpłakała. Dopiero gdy Mateusz wszedł z lampą i zauważył, że płacze, Maryla najpierw się zmieszała, a potem roześmiała poprzez łzy.

— Myślałam sobie o naszej Ani — zaczęła się usprawiedliwiać. — Taka zrobiła się dorosła i pewnie za rok o tej porze już jej tu nie będzie. Bardzo będę za nią tęsknić.

— Na pewno będzie często odwiedzała dom — pocieszał ją Mateusz, bo dla niego Ania była wciąż tą małą, gadatliwą dziewczynką, którą przywiózł ze stacji pamiętnego czerwcowego wieczoru. — Do tego czasu zdążą zbudować linię kolejową do Carmody.

— Ale to już nie będzie to samo co teraz, kiedy jest z nami przez cały czas — westchnęła smutno Maryla, która najwyraźniej potrzebowała się wyżalić. — No, ale mężczyzna tego nie zrozumie.

Ania zmieniła się nie tylko z wyglądu, zaczęła się również inaczej zachowywać. Przede wszystkim znacznie się wyciszyła. Pewnie marzyła tyle co kiedyś, a rozmyślała nawet jeszcze więcej, za to znacznie mniej mówiła. Nie uszło to uwadze Maryli i któregoś dnia poruszyła ten temat.

— Aniu, zauważyłam, że przestałaś trajkotać bez ustanku, no i nie używasz aż tylu wzniosłych słów. Co ci się stało?

Dziewczyna zarumieniła się, potem lekko się roześmiała, odkładając książkę i spoglądając rozmarzonym wzrokiem przez okno na spęczniałe, czerwonawe pąki pnączy, otwierające się pod wpływem wiosennego słońca.

— Sama nie wiem, jakoś nie mam potrzeby aż tyle mówić — odparła Ania, podpierając palcem podbródek. — Gdy teraz rozmyślam o czymś przyjemnym, to wolę wszystko przechowywać w swoim sercu jak skarb. Nie chcę, żeby ktoś się śmiał z moich przemyśleń lub się im dziwił. Nie czuję też potrzeby używania wzniosłych słów, chociaż może to i szkoda, bo pewnie teraz lepiej umiałabym się nimi posłużyć. Cieszę się, że jestem już prawie dorosła, Marylo, ale nie jest to taka radość, jakiej kiedyś oczekiwałam. Tyle chciałoby się nauczyć, zrobić, przemyśleć, że nie starcza już czasu na wielkie słowa. A poza tym panna Stacy zawsze powtarza, że przy użyciu zwykłych, prostych słów można bardzo wiele wyrazić. Dlatego wypracowania każe nam pisać możliwie niewyszukanym językiem. Na początku przychodziło mi to z wielkim trudem, bo do każdego zdania starałam się wpakować tyle wzniosłych słów, ile się dało, a zwykle miałam ich w głowie bez liku. Teraz jednak zmieniłam styl i muszę przyznać, że przypadł mi on do gustu.

— A co z waszym Klubem Literackim? Od dawna już o nim nie słyszałam.

— Klub przestał istnieć. Po pierwsze, nie mamy już tyle czasu co kiedyś, a po drugie znudziła nam się ta zabawa. Historyjki o miłości i śmierci, o ucieczkach i tajemnicach wydały nam się po prostu dziecinadą. Panna Stacy zadaje nam czasem wypracowanie, żebyśmy nie wyszli z wprawy, ale zawsze przestrzega, aby pisać tylko o rzeczach, które mogłyby się wydarzyć w realnym życiu, tu, w Avonlea. Nasze prace ocenia bardzo surowo, a do tego jeszcze wymaga, żebyśmy umieli spojrzeć na swoje wypracowania krytycznym okiem. Nigdy nie zdawałam sobie sprawy z tego, ile robię błędów. Uświadomiłam to sobie dopiero wtedy, gdy sama zaczęłam poprawiać własne prace. Było mi zwyczajnie wstyd i nawet chciałam zupełnie zarzucić pisanie, ale panna Stacy przekonała mnie, że mogę się sporo nauczyć, jeżeli stanę się swoim najsurowszym krytykiem. Więc teraz się staram.

— Do egzaminu wstępnego zostały już tylko dwa miesiące — zauważyła Maryla. — Myślisz, że uda ci się zdać?

Anię przeszedł dreszcz.

— Sama nie wiem. Czasami wydaje mi się, że wszystko będzie w porządku, to znowu zaczynam się okropnie bać. Dużo się uczymy, a panna Stacy jest wymagająca, ale przecież to może nie wystarczyć. Każde z nas ma jakiś słaby punkt. W moim przypadku to oczywiście geometria, a Jane ma problem z łaciną. Ruby i Karol nie radzą sobie z algebrą, a Josie z arytmetyką. Moody Spurgeon twierdzi, że ma niedobre przeczucia co do historii Anglii. Panna Stacy urządzi nam w czerwcu egzamin, tak samo trudny jak egzamin wstępny, a w dodatku oceni nas bardzo surowo, żebyśmy się zorientowali, na co nas stać. Chciałabym, Marylo, żeby już było po wszystkim. Ten egzamin śni mi się po nocach. Czasami budzę się nagle i zaczynam myśleć, co zrobię, jeżeli nie zdam.

— Najwyżej pochodzisz do szkoły jeszcze jeden rok i będziesz znowu zdawała — powiedziała Maryla, nie okazując zbytniego zatroskania.

— Chyba już drugi raz nie miałabym serca do tego wszystkiego. Tak bardzo byłoby mi wstyd, gdybym nie zdała, szczególnie jeżeli Gil... to znaczy jeśli innym dobrze by poszło. A podczas egzaminów tak się denerwuję, że przez to mogę coś zapomnieć. Szkoda, że nie jestem tak opanowana jak Jane Andrews. Jej to nic nie jest w stanie poruszyć.

Ania westchnęła i na powrót zatopiła się w lekturze, udając, że nie dostrzega uroków wiosny, czystego błękitnego nieba i zieleniącego się ogrodu, który owiewał wiosenny wiatr. Tyle jeszcze wiosen było przed nią, ale Ania była przekonana, że nie umiałaby się cieszyć żadną z nich, gdyby egzamin wstępny zakończył się niepowodzeniem.

OGŁOSZENIE WYNIKÓW

Gdy dobiegł końca czerwiec, zakończył się nie tylko semestr, ale i pobyt panny Stacy w Avonlea. Ania i Diana wracały tamtego wieczoru w smutnych nastrojach. Zaczerwienione oczy i mokre chusteczki najlepiej świadczyły o tym, że pożegnalna mowa panny Stacy wypadła nie mniej przejmująco niż tamta, którą trzy lata wcześniej wygłosił pan Phillips. Diana zatrzymała się u podnóża świerkowego pagórka i z głębokim westchnieniem spojrzała na budynek szkoły.

— Czuję się, jakby to był koniec świata, wiesz? — stwierdziła ponuro.

— To wyobraź sobie, jak mnie jest smutno — powiedziała Ania, bezskutecznie szukając suchego skrawka chusteczki. — Ty wrócisz tu po wakacjach, ale ja już chyba na dobre opuszczam naszą kochaną szkołę... to znaczy, jeżeli dopisze mi szczęście.

— Tak, ale to już nie będzie to samo. Bez panny Stacy i prawdopodobnie bez ciebie, Jane i Ruby. Będę musiała siedzieć sama, bo nie zniosłabym niczyjego towarzystwa po twoim odejściu. To dopiero były czasy, Aniu, co? Aż strach pomyśleć, że to wszystko już za nami.

Dwie duże łzy spłynęły po policzkach Diany.

— Gdybyś przestała płakać, to może i mnie by się udało — powiedziała błagalnie Ania. — Kiedy tylko odkładam chusteczkę i widzę twoje łzy, to znowu mi się zbiera na płacz. Jak to mówi pani Linde: „jeśli nie możesz się w pełni cieszyć, to ciesz się tyle, ile się da". Właśnie nabieram pewności, że wrócę tu po wakacjach. Jestem po prostu przekonana, że jednak nie zdam. I takie przeczucia nachodzą mnie coraz częściej.

— No coś ty, przecież egzaminy próbne u panny Stacy poszły ci znakomicie.

— Tak, ale wtedy zupełnie się nie denerwowałam, a na samą myśl o prawdziwym egzaminie serce zaczyna mi kołatać. I na dodatek mam numer trzynaście, a Josie Pye twierdzi, że to przynosi pecha. Co prawda wcale nie jestem przesądna i wiem, że ta trzynastka nic nie musi znaczyć, ale i tak wolałabym mieć inny numer.

— Szkoda, że nie mogę pojechać z tobą — powiedziała Diana. — Na pewno by nam było raźniej, ale ty chyba będziesz musiała wkuwać wieczorami, co?

— Nie, panna Stacy wymogła na nas obietnicę, że nie będziemy już więcej zaglądać do książek. Stwierdziła, że to by nas tylko zmęczyło i rozproszyło, więc mamy iść spokojnie do domu, nie myśleć nawet o egzaminach i wcześnie położyć się spać. To dobra rada, ale chyba trudno będzie się do niej zastosować. Prissy Andrews powiedziała mi, że każdej nocy poprzedzającej kolejne egzaminy wstępne siedziała do późna i wkuwała aż miło, więc ja sobie postanowiłam, że nie będę gorsza i powinnam siedzieć przynajmniej tak długo jak ona. Bardzo miło ze strony twojej ciotki Józefiny, że zaprosiła mnie, abym mieszkała u niej podczas egzaminów.

— Napisz do mnie, jak już tam będziesz, dobrze?

— Napiszę we wtorek wieczorem i opowiem, jak mi poszedł pierwszy dzień — obiecała Ania.

— W środę będę co chwila latać na pocztę, żeby sprawdzić, czy coś nie przyszło — przyrzekła Diana.

Ania wyjechała do miasta w następny poniedziałek, a w środę Diana dopytywała się wytrwale o list, aż w końcu go dostała.

Najdroższa Diano — pisała Ania. — *Jest właśnie wtorkowy wieczór i piszę do Ciebie, siedząc w bibliotece Twojej ciotki. Wczoraj w nocy czułam się tak okropnie samotna, tak bardzo mi Ciebie brakowało. Nie mogłam wkuwać, bo przecież obiecałam pannie Stacy tego nie robić, ale było mi bardzo trudno powstrzymać się od otworzenia książki do historii, zupełnie jak kiedyś od czytania powieści podczas odrabiania lekcji.*

Dziś rano przyszła po mnie panna Stacy i razem poszłyśmy do Queen's Academy, po drodze wstępując po Jane, Ruby i Josie. Ruby prosiła, żebym sprawdziła, jakie ma lodowate ręce. Josie stwierdziła, że wyglądam, jakbym w nocy nie zmrużyła oka, a skoro nie zdołałam powstrzymać się od kucia, to na pewno nie będę też miała dość sił, aby wytrwać w szkole, nawet jeśli uda mi się do niej dostać. Są takie chwile, kiedy czuję, że nie nauczyłam się jeszcze ani trochę lubić tej Josie!

Kiedy dotarłyśmy do seminarium, okazało się, że był tam już tłum kandydatów z całej Wyspy. Pierwszą osobą, na którą się natknęłyśmy, był Moody Spurgeon. Siedział na schodach i mamrotał coś pod nosem. Jane zapytała, co on właściwie robi, a Moody odparł, że powtarza sobie w kółko tabliczkę mnożenia, bo to go uspokaja. I strasznie się denerwował, że jak mu przerwiemy, to zapomni wszystko, czego się nauczył, bo tabliczka mnożenia pozwala mu uporządkować w głowie wiedzę z każdego przedmiotu!

Gdy już przydzielono nas do poszczególnych sal, musiałyśmy rozstać się z panną Stacy. Siedziałam razem z Jane, a ona była taka opanowana, że aż jej zazdrościłam. Nawet tabliczką mnożenia nie musiała się ratować, kochana solidna Jane! Zastanawiałam się, czy widać po mnie, jak się czuję, i czy inni słyszą, jak wali mi serce. Wtedy do sali wszedł jakiś pan i zaczął rozdawać arkusze egzaminacyjne z angielskiego. Poczułam, że ręce mam jak z lodu, a gdy uniosłam głowę, to aż mi się w niej zakręciło. Wiesz, Diano, to była tylko krótka chwila, ale tak okropna jak wówczas, gdy przed czterema laty stałam przed Marylą, oczekując decyzji, czy będę mogła zostać na Zielonym Wzgórzu, czy nie. Ale już za moment wszystko mi przeszło i serce zaczęło bić normalnie, bo pomyślałam sobie, że z tym egzaminem to jeszcze wszystko przede mną.

W południe była przerwa obiadowa, a potem egzamin z historii. Był trudny i strasznie mi się zaczęły mylić wszystkie daty. Jednak myślę, że poszło mi dzisiaj całkiem nieźle. Ale jutro ta nieszczęsna geometria i jak sobie o tym przypomnę, to po prostu nie mogę się powstrzymać od zaglądania do podręcznika. Jakbym tylko mogła sobie pomóc tabliczką mnożenia, to pewnie bym ją recytowała przez całą noc, aż do rana.

Poszłam dziś wieczorem odwiedzić pozostałe dziewczęta, a po drodze spotkałam Moody'ego, który bez celu włóczył się po mieście. Był przekonany, że oblał historię, a do tego uważał, że sprawił swoim rodzicom okropny zawód. Dlatego postanowił wracać do domu zaraz następnego dnia rano, bo uznał, że chyba lepiej będzie, jak zostanie stolarzem niż pastorem. Starałam się go pocieszyć i przekonać, żeby wytrwał do końca egzaminów, chociażby po to, aby nie martwić pan-

ny Stacy. Nieraz żałowałam, że nie urodziłam się chłopcem, ale jak patrzę na Moody'ego, to zaczynam się cieszyć, że jestem dziewczyną i w dodatku nie jego siostrą.

Kiedy odwiedziłam koleżanki w ich bursie, Ruby właśnie przeżywała atak histerii, bo chwilę wcześniej zorientowała się, że zrobiła straszny błąd w wypracowaniu z angielskiego. Kiedy jej przeszło, wybrałyśmy się do miasta na lody. Strasznie nam Ciebie brakowało.

Och, Diano, kiedy już będzie po tym egzaminie z geometrii! Ale z drugiej strony, jak powiedziałaby pani Linde, słońce będzie wschodziło i zachodziło bez względu na wynik mojego egzaminu. Pewnie to prawda, ale dla mnie to żadne pocieszenie. Bo jeśli miałabym nie zdać, to lepiej, żeby nastąpił koniec świata!

Twoja na zawsze
Ania

Egzamin z geometrii, podobnie jak wszystkie pozostałe, odbył się zgodnie z planem i w piątek wieczorem Ania, zmęczona, ale z umiarkowanym poczuciem sukcesu, zawitała do domu. Diana już jej oczekiwała na Zielonym Wzgórzu i przywitały się jak po długiej rozłące.

— Moja ty kochana, jak cudownie, że już wróciłaś. Czuję, jakbym cię nie widziała parę lat, ale mów zaraz, jak ci poszło!

— Myślę, że nieźle, tylko z geometrią może być kłopot. Nie wiem, czy ją zdałam, ale mam takie okropne przeczucie, że jednak nie. Ach, jak to wspaniale, że jestem w domu! Zielone Wzgórze to dla mnie najukochańsze miejsce na ziemi.

— A jak poszło innym?

— Dziewczęta mówią, że nie zdały, ale ja uważam, że poszło im całkiem dobrze. Według Josie geometria była tak łatwa, że nawet dziesięciolatek nie miałby problemu! Moody Spurgeon jest wciąż przekonany, że nie zdał historii, a Karol ma złe przeczucia co do algebry. Ale tak naprawdę niczego pewnego nie będziemy wiedzieć aż do ogłoszenia wyników. Musimy więc poczekać dwa tygodnie. Tylko jak tu się uzbroić w cierpliwość? Tak bym chciała zasnąć i zbudzić się po ogłoszeniu wyników!

Diana wiedziała, że na pytanie o Gilberta Blythe'a i tak nie uzyska żadnej odpowiedzi, dodała więc tylko:

— Zdasz, zdasz. Nie martw się.

— Szczerze mówiąc, wolałabym już w ogóle nie zdać, niż znaleźć się na liście gdzieś na szarym końcu — odparła Ania, co, jak się domyśliła Diana, miało znaczyć, że tylko zwycięstwo w rywalizacji z Gilbertem będzie sukcesem prawdziwym, nie zaprawionym goryczą.

Dążenie do tak rozumianego sukcesu zmuszało Anię do najwyższego wysiłku podczas egzaminów. Zresztą Gilbert myślał podobnie. Zawsze gdy spotykali się gdzieś na ulicy, mijali się bez słowa, Ania zaś unosiła tylko dumnie głowę, ale równocześnie coraz wyraźniej żałowała, że wtedy nad jeziorem nie przyjęła przeprosin. Równocześnie przysięgała sobie uroczyście, że pokona Gilberta w egzaminacyjnym współzawodnictwie. Zdawała sobie sprawę z tego, że wszyscy uczniowie w Avonlea zastanawiają się, które z nich dwojga wygra, słyszała nawet, jak Jimmy Glover i Ned Wright założyli się w tej sprawie, a Josie Pye rozpowiadała dookoła, że górą będzie bez wątpienia Gilbert. To wszystko umacniało w Ani poczucie, że ewentualna klęska byłaby nie do zniesienia.

Ale miała też bardziej szlachetną motywację w dążeniu do sukcesu. Chciała „dobrze wypaść" po to, żeby Mateusz i Maryla mogli być z niej dumni — zwłaszcza Mateusz. On to przecież wyraził kiedyś swoje przekonanie, że „Ania będzie najlepsza na całej Wyspie". Co prawda tak wysoko Ania nie mierzyła nawet w najskrytszych marzeniach, ale żarliwie wierzyła w możliwość zajęcia miejsca przynajmniej w pierwszej dziesiątce. Taki wynik z pewnością pozwoliłby jej oglądać w dobrotliwych piwnych oczach starego przyjaciela radość z jej osiągnięć, a wtedy ona czułaby się sowicie nagrodzona za wszystkie wysiłki w opanowaniu równań i twierdzeń.

Tuż przed spodziewanym ogłoszeniem wyników tym razem to Ania zaczęła „latać na pocztę", żeby sprawdzić, czy coś nie przyszło. Ponadto razem z Jane, Ruby i Josie przeglądały lokalne gazety, a ręce miały przy tym tak zimne i drżące jak podczas samego egzaminu. Karol i Gilbert robili podobnie, tylko Moody Spurgeon nie przyłączał się do nich.

— Nie mam odwagi chodzić z wami i tak na chłodno szukać tego ogłoszenia z wynikami — przyznał się Ani. — Zaczekam, aż ktoś przekaże mi wiadomość dobrą albo złą.

Kiedy mimo upływu trzech tygodni nie opublikowano listy przyjętych, Ania poczuła, że jest u kresu wytrzymałości. Straciła apetyt i zainteresowanie światem. Pani Linde przekonywała, że po wywodzącym się z konserwatystów przewodniczącym Rady do spraw Szkolnictwa nie należało się spodziewać bardziej energicznego działania, Mateusz zaś, widząc, jak Ania blednie i obojętnieje na wszystko, a wracając z poczty, coraz bardziej powłóczy nogami — zaczął się już zastanawiać, czy w nadchodzących wyborach nie zagłosować na liberałów.

Aż wreszcie pewnego wieczoru wiadomość nadeszła. Ania siedziała właśnie w otwartym oknie i zapomniawszy zupełnie o zmartwieniach egzaminacyjnych oraz wszystkich innych troskach tego świata, napawała się pięknem letniego zmierzchu, słodyczą kwiatowych woni dolatujących z ogrodu i szumem oraz szelestem topoli. Wschodnia część nieba nad wierzchołkami świerków nabrała różowej poświaty, będącej odbiciem zachodzącego słońca, i w tej scenerii rozmarzona Ania zastanawiała się, czy tak właśnie wygląda duch kolorów. Wtem jej oczom ukazała się Diana, która jak burza przebiegła wśród świerków, potem po mostku i wspięła się na wzgórze, powiewając gazetą.

Ania zerwała się na równe nogi, odgadując zaraz, jakie wieści przyniosła gazeta. To mogły być tylko wyniki egzaminu! W głowie jej się zakręciło, a serce zabiło tak żywo, że aż poczuła ból. Nie mogła zrobić kroku. Wydawało się jej, że Diana potrzebowała godziny, aby przebiec korytarz i wpaść do pokoiku, zapominając oczywiście o pukaniu, gdyż tak bardzo przejęta była sytuacją.

— Aniu, Aniu, zdałaś! — krzyczała. — I masz najlepszy wynik, a Gilbert ma dokładnie taki sam, ale twoje nazwisko jest pierwsze na liście. Ach, jaka jestem z ciebie dumna!

Diana rzuciła gazetę na stół, a sama padła na łóżko przyjaciółki, bo dosłownie zabrakło jej tchu i nie mogła już powiedzieć ani słowa. Ania zapaliła lampę, drżącymi rękami rozsypując przy tym zapałki i zużywając ich chyba z tuzin, zanim wreszcie błysnął płomyk. Następnie porwała ze stołu gazetę. Rzeczywiście, zdała, jej nazwisko znajdowało się na czele listy dwustu kandydatów! Warto było żyć, choćby dla tej jednej chwili.

— Aleś pokazała klasę, Aniu — sapała Diana, której udało się już odzyskać mowę, gdy z kolei rozradowana i zaskoczona Ania nie mogła wydobyć słowa. — Tata przywiózł gazetę z Bright River niecałe dziesięć minut temu, a pocztą dotrze ona do Avonlea dopiero jutro, więc kiedy zobaczyłam tę listę, to przyleciałam jak strzała. Wszyscy zdaliście, co do jednego, nawet Moody Spurgeon, tylko że on warunkowo zaliczył historię. Jane i Ruby mają niezłe wyniki, są mniej więcej w połowie listy i Karol też. Josie ledwie zdała, bo miała tylko trzy punkty powyżej minimum, ale i tak zobaczysz, że będzie się puszyła, jakby to ona była najlepsza. To się dopiero panna Stacy ucieszy! Och, Aniu, powiedz, co czujesz, kiedy widzisz swoje nazwisko w samej czołówce? Bo jak ja bym tak siebie zobaczyła, to oszalałabym ze szczęścia. I tak już prawie zwariowałam, a ty sobie siedzisz jakby nigdy nic.

— Czuję takie światło w sobie — odparła Ania. — Chciałabym powiedzieć wiele, ale nie mogę zebrać myśli w słowa. Nawet o tym nie marzyłam — no, może tylko raz! Raz tylko pozwoliłam sobie na myśl: „A co by było, jakbym tak wygrała?", ale bałam się nawet myśleć, że mogłabym być najlepsza z całej Wyspy, bo to zakrawałoby na bezczelność i próżność. Przepraszam cię, Diano, na chwilę, ale muszę pobiec z tą nowiną na łąkę, gdzie pracuje Mateusz. A potem pójdziemy ją ogłosić wszystkim.

Pobiegły na łąkę za stodołą, gdzie Mateusz grabił siano, a obok akurat pani Linde rozmawiała z Marylą przez płot.

— Mateuszu! — krzyczała Ania. — Zdałam i w dodatku jestem pierwsza, to znaczy, jedna z pierwszych! Staram się unikać próżnych myśli, ale tak się cieszę!

— No widzisz, wiedziałem, że tak będzie — powiedział Mateusz, wpatrując się z zachwytem w listę przyjętych. — Wiedziałem, że bez trudu wszystkich pokonasz.

— No, no, muszę przyznać, że się spisałaś, Aniu — powiedziała Maryla, próbując ukryć swą dumę przed krytycznym wzrokiem pani Małgorzaty. Ale owa zacna osoba przemówiła w te słowa:

— Oj, spisałaś się, i to jeszcze jak, a ja nie zamierzam robić z tego tajemnicy. Sprawiłaś wielką radość wszystkim swoim przyjaciołom, Aniu, i jesteśmy z ciebie po prostu dumni.

Tamtej nocy Ania, która zakończyła ów niezapomniany wieczór poważną rozmową z panią Allan na plebanii, siedziała w otwartym oknie i w świetle księżyca, z robótką w ręku, modliła się serdecznie, by wyrazić swą wdzięczność. Dziękowała za to, co już się wydarzyło, ale nie zapominała też o przyszłości. A kiedy zasnęła wreszcie z lekkim sercem, jej sny były tak piękne i jasne jak jej dziewczęca dusza.

KONCERT W BIAŁYCH PIASKACH

— Koniecznie powinnaś założyć tę sukienkę z białej organdyny, Aniu — bez wahania poradziła Diana.

Dziewczęta przebywały w pokoiku na poddaszu. Dopiero co zapadł zmierzch — piękny, zielonkawozłoty, przy czystym, bezchmurnym niebie. Nad Lasem Duchów ukazał się księżyc w pełni, zrazu połyskując matowo, a potem już świecąc mocno, jak wypolerowane srebro. Zewsząd dochodziły przyjemne dla ucha letnie odgłosy — świergot szykujących się do snu ptaków, łagodny szum wiatru, odległe rozmowy i radosny śmiech. Ale w pokoju Ani okno było zasłonięte, a przy świetle lampy odbywały się ważne przygotowania.

Od czasu gdy przed czterema laty pokoik na poddaszu wydał się Ani tak pusty, że czuła, jak niegościnny chłód przenika ją do szpiku kości, zaszły tu istotne zmiany. Maryla w milczeniu obserwowała, jak powoli powstawało przytulne i pełne uroku gniazdko na miarę dziewczęcych marzeń.

Dawne sny Ani o miękkim jak aksamit dywanie w bladoróżowe pąki róż i o pastelowych jedwabnych zasłonach oczywiście się nie ziściły, ale Ania niespecjalnie się tym przejmowała, bo jej marzenia zmieniały się i doroślały razem z nią. Podłogę przykrywała teraz ładna mata, a jasnozielone firanki z delikatnego muślinu zdobiły okienka poddasza, falując w podmuchach zbłąkanego wiatru. Na ścianach, pokrytych co prawda nie złocistym brokatem, lecz tapetą w drobne kwiatki jabłoni, zawisło kilka niezłych obrazków podarowanych przez panią Allan. Na honorowym miejscu znajdowała się fotografia panny Stacy, którą sentymentalna Ania ozdabiała zawsze świeżymi kwiatami. Dziś był to kwiat białej lilii, którego delikatny zapach, jeden z najpiękniejszych, wypełniał cały pokój. Zamiast „mahoniowych mebli" w pokoju stała pomalowana na biało biblioteczka pełna książek, obok wyściełany fotel bujany z wikliny i toaletka przykryta białym muślinem z falbankami. Na ścianie wisiało stylowe lustro w pozłacanej ramie, które niegdyś znajdowało się w pokoju dla gości. Szczyt lustra, w formie łuku, wieńczyły pucołowate różowe amorki i kiście fioletowych winogron. Oprócz tego w pokoju stało skromne, białe łóżko.

Ania szykowała się na koncert w hotelu w Białych Piaskach. Goście hotelowi zorganizowali występy na rzecz szpitala w Charlottetown i zaangażowali wszystkie miejscowe talenty. I tak Berta Simpson oraz Pearl Clay z chóru miejscowego kościoła baptystów miały zaśpiewać w duecie; Miltona Clarka z Nowych Mostów poproszono o popis gry solo na skrzypcach; Winnie Adela Blair z Carmody obiecała wykonać szkocką balladę, Laura Spencer ze Spencervale zaś i Ania Shirley z Avonlea miały deklamować wiersze.

Jak by to kiedyś określiła Ania, zanosiło się na „epokowe wydarzenie w jej życiu", które niosło ze sobą przyjemny dreszczyk emocji. Mateusz był wniebowzięty — po prostu pękał z dumy, że jego Ani przypadł w udziale taki zaszczyt, a Maryli niewiele do takiego stanu brakowało. Jednak za nic nie chciała się do tego przyznać i wolała raczej narzekać na niestosowność takich imprez, które dawały rzeszom młodych ludzi pretekst do szwendania się po hotelach bez odpowiedniej opieki.

Jane Andrews i jej brat Billy mieli zabrać Anię i Dianę swoim powozem. Na koncert wybierało się też kilkoro innych dziewcząt i chłopców z Avonlea. Oprócz nich na imprezie miała się pojawić grupa gości z miasteczka, a po występach planowano wydać kolację dla wszystkich wykonawców.

— Naprawdę myślisz, że ta z organdyny będzie najlepsza? — dopytywała się Ania niecierpliwie. — Wydaje mi się, że nie jest tak ładna jak ta muślinowa w niebieskie kwiatki, a na pewno nie tak modna.

— Ale zdecydowanie najbardziej ci w niej do twarzy — powiedziała Diana. — Jest mięciutka, dobrze skrojona i ładnie leży. W sztywnym muślinie wyglądasz zbyt dystyngowanie. Za to organdyna jest dla ciebie stworzona.

Ania uległa tym argumentom z westchnieniem. Diana zaczynała uchodzić za znawczynię strojów, a jej rady w dziedzinie mody ceniono sobie coraz wyżej. Sama wyglądała tego wieczoru prześlicznie w sukience koloru dzikiej róży, który dla Ani byłby niestosowny. Diana jednak nie brała udziału w występach, więc jej wygląd nie miał aż tak wielkiego znaczenia. Cały wysiłek skupiała zatem na Ani, która jako przedstawicielka Avonlea musiała wyglądać prawie jak królowa, mieć odpowiedni strój, fryzurę i dodatki.

— Wyciągnij tę falbanę trochę bardziej, o tak, zawiążę ci szarfę; a teraz pantofelki. Zaplotę ci dwa grube warkocze, a w połowie długości wepnę na każdym z nich dużą białą kokardę. Nie nasuwaj żadnych loków na czoło, zrób tylko lekki przedziałek. W takim gładkim uczesaniu jest ci najładniej, a pani Allan mówi, że z przedziałkiem wyglądasz jak sama Matka Boska. Przypnę ci nad uchem tę białą różyczkę. Została tylko jedna na krzaku przed naszym domem i przyniosłam ją specjalnie dla ciebie.

— Czy mam założyć naszyjnik z perełek? — zapytała Ania. — Mateusz przywiózł mi go niedawno z miasta i pewnie bardzo by chciał mnie w nim zobaczyć.

Diana wydęła usta i przechyliła głowę, przyglądając się krytycznie przyjaciółce. W końcu opowiedziała się za perełkami i zawiesiła je na smukłej, białej szyi Ani.

— Jest w tobie coś niezwykłego, Aniu — wyznała szczerze Diana. W jej zachwyconym głosie nie było śladu zazdrości. — Masz w sobie dystynkcję prawdziwej damy. To chyba zasługa twojej figury, ja przy tobie wyglądam jak kluska. Zawsze się tego bałam, a teraz cóż, stało się i muszę się z tym pogodzić.

— Ale masz takie śliczne dołeczki — powiedziała Ania, zaglądając z serdecznym uśmiechem w ładną i pełną życia twarz przyjaciółki. — Te dołeczki przywodzą mi na myśl śmietankowe ciasteczka, takie z dziurką w środku. Ja już porzuciłam wszelką nadzieję, że mój sen o dołeczkach kiedykolwiek się spełni. Jednak tyle innych marzeń mi się ziściło, że nie mam powodów do narzekań. Jestem już gotowa?

— Najzupełniej — zapewniła Diana, gdy w drzwiach pojawiła się chuda postać Maryli, której przybyło ostatnio i siwych włosów, i zmarszczek, ale za to na jej twarzy zagościła niespotykana wcześniej łagodność.

— Proszę przyjść tu do nas, Marylo, i rzucić okiem na specjalistkę od ładnej dykcji. Śliczna ta nasza Ania, prawda?

Maryla burknęła coś niewyraźnie pod nosem.

— Wygląda schludnie i przyzwoicie. Podoba mi się też to skromne, gładkie uczesanie. Ale obawiam się, że sukienka z organdyny nie wytrzyma podróży w kurzu i wilgoci, a poza tym jest za cienka na chłodną noc. Ten materiał jest taki niepraktyczny. Zaraz to mówiłam, jak tylko Mateusz go przywiózł ze sklepu, ale jemu to można mówić. Kiedyś jeszcze się liczył z moim zdaniem, ale dziś kupuje Ani tyle prezentów, że sprzedawcy w Carmody tylko czekają, żeby mu coś wcisnąć. Wystarczy, żeby powiedzieli, że coś jest ładne i modne, a Mateusz zaraz sięga do kieszeni. Mówię ci, Aniu, uważaj, żeby koło powozu nie zniszczyło ci sukni, a w ogóle to załóż na wierzch coś ciepłego.

Mówiąc to, Maryla wróciła na dół, po drodze myśląc z dumą, że Ania rzeczywiście pięknie wygląda, jakby w jej włosach zabłąkał się

Promień księżyca od czoła w tył głowy biegnący*

i żałowała nawet, że nie dane jej będzie posłuchać deklamacji Ani.

— Naprawdę jest zbyt wilgotno na taką sukienkę? — spytała Ania z niepokojem.

— Ależ skąd — odparła Diana, odsłaniając okno. — Jest przepiękna noc i wcale nie będzie rosy. Popatrz na księżyc.

— Tak się cieszę, że moje okno skierowane jest na wschód — powiedziała Ania, podchodząc do Diany. — Miło jest widzieć, jak słońce wędruje w górę ponad wzgórzami i prześwituje przez korony jodeł. Ten cud powtarza się każdego ranka i wydaje mi się, że to moja dusza kąpie się w promieniach słońca. Och, Diano, tak kocham ten pokoik. Będzie mi go strasznie brakowało, kiedy wyjadę do miasta w przyszłym miesiącu.

---

* Cytat z poematu Elizabeth Barrett Browning (1806–1861) *Aurora Leigh* (przyp. tłum.).

— Nie wspominaj dziś o wyjeździe — błagała Diana. — Nie chcę o tym nawet myśleć, tak mi się robi smutno, a tego wieczoru chciałabym się dobrze bawić. Co będziesz recytowała, Aniu? I powiedz, czy się denerwujesz.

— Ani trochę. Występowałam już tyle razy, że nie stanowi to dla mnie problemu. Zdecydowałam się na fragment z *Panieńskich ślubów**. To taki wzniosły wiersz. Laura Spencer postanowiła deklamować żartobliwy utwór, ale ja wolę, żeby ludzie płakali, niż się śmiali.

— A co przedstawisz na bis?

— Nikomu nawet przez myśl nie przejdzie domagać się dodatkowych utworów — ucięła Ania, choć po cichu marzyła, że będzie inaczej, i nawet wyobrażała już sobie, jak nazajutrz przy śniadaniu Mateusz wysłucha jej opowieści o bisach. — Przyjechali Billy i Jane. Słyszałam odgłos kół powozu. Chodźmy już.

Billy Andrews nalegał, żeby Ania jechała obok niego, na przednim siedzeniu, dlatego zgodziła się, choć bez entuzjazmu. O ileż bardziej wolałaby siedzieć z tyłu, w towarzystwie dziewcząt, rozmawiać z nimi i śmiać się serdecznie. Billy nie kwapił się bowiem ani do żartów, ani do konwersacji. Był to zwalisty, dość tęgi dwudziestolatek o okrągłej twarzy bez wyrazu, zupełnie niezdolny do prowadzenia jakiejkolwiek rozmowy. Darzył jednak Anię głębokim podziwem i aż rósł z dumy na samą myśl, że właśnie u jego boku ta smukła i zgrabna dziewczyna odbędzie podróż do Białych Piasków.

Mimo wszystko Ania umiała czerpać radość z tej przejażdżki. Co jakiś czas odwracała się do koleżanek, żeby wymienić jakieś uwagi, a grzeczność kazała jej zwracać się

---

* Stafford MacGregor, *Mars la Tour, or the Maiden's Vow* (przyp. tłum.).

również do Billy'ego, który ciągle tylko szczerzył zęby i chichotał, nigdy jednak nie mógł znaleźć stosownej odpowiedzi. Zapowiadał się wieczór pełen wrażeń. Po drodze spotkali mnóstwo powozów kierujących się w stronę hotelu, a ze wszystkich pojazdów dobiegał szczery, radosny śmiech, który odbijał się po okolicy zwielokrotnionym echem. Kiedy dotarli na miejsce, zobaczyli, że hotel wprost tonie w powodzi świateł. Na spotkanie wyszły im organizatorki koncertu. Jedna z nich zaprowadziła Anię do garderoby, w której siedziały panie należące do Klubu Miłośników Muzyki Symfonicznej mającego siedzibę w Charlottetown. W ich towarzystwie młoda dziewczyna poczuła się jak prowincjuszka i na jej twarzy pojawiły się strach i onieśmielenie. Sukienka Ani, która w pokoiku na poddaszu wydawała się olśniewająco piękna, nagle okazała się prosta i zwyczajna, zbyt zwyczajna na tle jedwabi oraz koronek, które szeleściły i połyskiwały wszędzie dookoła. Czymże były perełki Ani w porównaniu z brylantami siedzącej obok przystojnej postawnej damy? Czy skromna biała różyczka mogła konkurować ze wspaniałymi szklarniowymi kwiatami, którymi miejskie elegantki ozdobiły swoje fryzury? Ania zdjęła okrycie i kapelusik, a potem zaszyła się skromnie w kąciku. Marzyła tylko o tym, by jak najszybciej wrócić na Zielone Wzgórze, do swojego jasnego i przytulnego pokoju.

Jeszcze gorzej poczuła się, gdy wyszła na scenę dużej sali koncertowej hotelu w Białych Piaskach. Elektryczne światła oślepiały ją, wszechobecny zapach perfum oraz gwar — zupełnie oszołomiły. Bardzo żałowała, że nie może usiąść gdzieś z tyłu, na widowni, pośród koleżanek, które najwyraźniej bawiły się znakomicie. Stała wciśnięta między tęgą damę w różowych jedwabiach a wysoką dziewczynę w białej koronkowej sukni, obrzucającą wszystkich wyniosłym i pogardliwym spojrzeniem. Potężna dama co jakiś czas tak natarczywie i bezceremonialnie przyglądała się Ani zza szkieł swych okularów, że biedna dziewczyna pomyślała, iż jeszcze chwila, a zacznie krzyczeć. Natomiast sąsiadka w białych koronkach bez skrępowania wygłaszała głośne komentarze na temat „chłopków-roztropków" i „wiejskich piękności" panoszących się na widowni oraz przewidywała, że dzięki artystom z prowincji na pewno będzie miała „niezły ubaw". Ania poprzysięgła jej w myślach nienawiść do grobowej deski.

Tak się nieszczęśliwie dla Ani złożyło, że wśród gości hotelowych znalazła się pewna dama, która na co dzień uczyła wymowy. Poproszono ją, aby również wzięła udział w koncercie i zaprezentowała jakiś wiersz. Była to energiczna kobieta, o ciemnych oczach, ubrana we wspaniałą suknię z połyskliwej szarej tkaniny. Materiał ten sprawiał wrażenie, jakby utkano go z księżycowej poświaty. Szyję i włosy artystki zdobiły niezliczone klejnoty. Miała głos o imponującej skali i niespotykanej sile ekspresji, a publiczność wprost oszalała po jej występie. Również Ania słuchała jej z takim podziwem, że na moment zapomniała nawet o swoich kłopotach, jednak gdy tylko wybrzmiał głos wielkiej poprzedniczki, zakryła dłońmi twarz. Nie, po takiej mistrzyni nie mogłaby za nic w świecie wystąpić! Nieprawdopodobne wydało jej się nawet to, że w ogóle śmiała kiedyś marzyć o występie. Teraz chciała już tylko wrócić do domu.

I w tym właśnie niesprzyjającym momencie wywołano ją na scenę. Dziewczyna w koronkach posłała jej pełne zdziwienia spojrzenie, które Ania mogłaby chyba uznać za komplement i przyznanie się do winy, gdyby je w ogóle dostrzegła. Wstała i niepewnym krokiem przesunęła się do przodu. Była tak blada, że Diana i Jane, spoglądając na nią z widowni, odruchowo zacisnęły dłonie w geście współczucia.

Trema sparaliżowała Anię. Choć nieraz już występowała publicznie, to jednak przed takim audytorium jeszcze nigdy nie stanęła. Na sam widok słuchaczy poczuła, że siły opuściły ją zupełnie. Wszystko wokół było takie nowe, niesamowite i oszałamiające — rzędy dam w wieczorowych sukniach, krytyczne spojrzenia rzucane z widowni, wszechobecny przepych i atmosfera zamożności, popartej dobrym smakiem i obyciem z kulturą. Jakże to wszystko różniło się od zwyczajnych ławek w Klubie Dyskusyjnym, które wypełniali sami dobrzy znajomi i przyjaciele. Ci tutaj — pomyślała Ania — będą zapewne bezlitosnymi krytykami. Być może, wzorem dziewczyny w białych koronkach, wszyscy liczyli na dobrą zabawę, jakiej dostarczyć mogły jej „swojskie popisy". Czuła się beznadziejnie zagubiona, zawstydzona i bezradna. Kolana jej drżały, serce tłukło się jak oszalałe i poczuła wszechogarniającą słabość. Nie była zdolna wykrztusić z siebie ani słowa i prawie już podjęła postanowienie, że ucieknie, godząc się na poniżenie, jakie stałoby się jej udziałem, gdyby zdecydowała się na ten desperacki krok.

I oto nagle, gdy przerażonym wzrokiem wpatrywała się w widownię, gdzieś w ostatnim rzędzie zauważyła Gilberta Blythe'a. Chłopak siedział wychylony do przodu, a na jego twarzy, zdaniem Ani, malował się wyraz triumfu i szyderstwa. W rzeczywistości nie miała racji — Gilbert po prostu się uśmiechał, bo podobał mu się koncert, a w szczególności uduchowiona twarz Ani i jej biała szczupła sylwetka, dobrze widoczna na tle stojących z tyłu palm. Co prawda towarzysząca Gilbertowi Josie Pye niewątpliwie spoglądała w kierunku sceny z wyrazem tryumfu i szyderstwa, ale jej Ania w ogóle nie zauważyła. A gdyby nawet dostrzegła Josie, to i tak by ją zignorowała. Ania odetchnęła głęboko i dumnie uniosła głowę. W tym momencie poczuła się tak, jakby przebiegł po niej prąd, wróciła jej odwaga i zdecydowanie. Nie, przed Gilbertem nie mogła się przecież skompromitować, za nic w świecie nie dałaby mu powodu do kpin, o nie! Strach i zdenerwowanie znikły od razu. Rozpoczęła deklamację, a jej czysty, miły głos docierał do najdalszych zakątków sali, nie drżał i nie załamywał się. Ania całkowicie odzyskała panowanie nad sobą, a chcąc zatrzeć złe wspomnienia po chwili słabości, która ją ogarnęła, recytowała teraz lepiej niż kiedykolwiek przedtem. Kiedy skończyła, rozległy się szczere, gromkie brawa. Gdy Ania wracała na swoje miejsce, na jej zarumienionej twarzy malowało się onieśmielenie, ale i zachwyt, a na dodatek korpulentna dama w różowych jedwabiach wyraziła jej swoje uznanie mocnym i energicznym uściskiem dłoni.

— Moja droga, przepięknie recytowałaś — wysapała, z trudnością łapiąc oddech. — Jeśli chcesz wiedzieć, to popłakałam się jak dziecko. Popatrz, publiczność domaga się bisu, nie puszczą cię, musisz wracać na scenę!

— Nie jestem w stanie — powiedziała zmieszana Ania. — A jednak... chyba będę musiała znów się pokazać, bo inaczej Mateusz będzie zawiedziony. Mówił przecież, że będą domagać się bisów.

— No, to nie możesz mu sprawić zawodu — powiedziała ze śmiechem tęgawa dama.

Rozsyłając uśmiechy i radosne spojrzenia, Ania cała w pąsach powróciła na scenę i zaprezentowała lekki, zabawny utwór, który na dobre zjednał jej sympatię publiczności. Reszta wieczoru była dla niej nieprzerwanym pasmem sukcesów.

Po koncercie dama w jedwabiach, żona amerykańskiego milionera, wzięła Anię pod swe opiekuńcze skrzydła i przedstawiła zebranym. Wszyscy poznani goście okazywali młodej artystce życzliwość i sympatię. Pani Evans, nauczycielka wymowy, podziwiała jej czarujący głos i chwaliła interpretację utworów. Nawet dziewczyna w białej sukni z koronek zdobyła się na pochwałę.

Kolacja odbyła się w dużej, eleganckiej sali, a razem z Anią zaproszono towarzyszące jej koleżanki z Avonlea, tylko Billy zniknął gdzieś niepostrzeżenie, albowiem śmiertelnie obawiał się, że i jego poprosi ktoś do stołu. Gdy rozradowane dziewczęta wyszły po skończonym przyjęciu przed hotel, na niebie świecił jasno blady księżyc, a Billy czekał już na nie przy powozie. Ania odetchnęła głęboko i spojrzała w czyste niebo prześwitujące pomiędzy ciemnymi konarami jodeł.

Jak dobrze było znowu wyjść na powietrze, w spokojną, cichą noc! Jakże majestatyczny i znieruchomiały wydawał się otaczający krajobraz; jedynie z oddali dobiegał głuchy pomruk morza, a ginące w ciemności klify wyglądały jak posępni giganci stojący na straży zaczarowanego morskiego brzegu.

— Ależ wspaniały był ten wieczór! — westchnęła Jane w drodze powrotnej. — Tak bym chciała być bogatą Amerykanką, spędzać lato w hotelu, zajadać lody i sałatkę z kurczakiem, nosić biżuterię i sukienki z dekoltem. Znacznie to lepsze od pracy w szkole. Aniu, twoja recytacja wypadła doskonale, chociaż z początku trochę się bałam, że w ogóle nie zaczniesz mówić. Ale potem poradziłaś sobie lepiej od samej pani Evans.

— Nawet nie mów takich rzeczy — zaprotestowała szybko Ania — bo to brzmi niemądrze. Przecież uczennica z odrobiną talentu do deklamacji nie może być lepsza od profesjonalistki. Mnie wystarczy, że publiczność uznała mój występ za dosyć udany.

— A ja chcę ci powtórzyć coś, co na pewno cię ucieszy — odezwała się Diana. — Bo sądząc po tonie tego pana, prawił ci komplementy. Przynajmniej częściowo. Otóż z tyłu za mną i za Jane siedział pewien Amerykanin — z wyglądu typowy romantyk, o czarnych włosach i ciemnych oczach. Josie Pye mówi, że to uznany malarz, a kuzynka jej mamy, która mieszka w Bostonie, wyszła za mąż za człowieka, który kiedyś chodził z tym malarzem do szkoły. No i myśmy słyszały — prawda, Jane? — jak ten malarz zapytał: „A jakże się nazywa ta dziewczyna na scenie, ta o cudownych tycjanowskich włosach? To jest twarz, którą chciałbym namalować". — Naprawdę tak powiedział, Aniu. Tylko co to są te „tycjanowskie włosy"?

— W języku zwykłych ludzi to znaczy tyle co „zupełnie rude" — zaśmiała się Ania. — Tycjan był sławnym malarzem, który ze szczególnym upodobaniem malował rudowłose kobiety.

— A widziałyście te brylanty, które panie z widowni miały na sobie? — westchnęła Jane. — Były wprost oszałamiająco piękne. Szkoda, że nie jesteśmy takie bogate, co, dziewczyny?

— Ależ my jesteśmy bogate — stanowczym głosem oznajmiła Ania. — Naszym bogactwem jest to, że mamy po szesnaście lat, czujemy się szczęśliwe jak królowe, a do tego wszystkie bez wyjątku, choć może w różnym stopniu, obdarzone zostałyśmy wyobraźnią. Popatrzcie na morze, na falujące na nim srebrne cienie — ileż kryje się w nim tajemnic. Gdybyśmy miały miliony dolarów i naszyjniki z brylantów, nie potrafiłybyśmy dostrzec tego piękna. Powiedzcie szczerze, chyba nie chciałybyście zamienić się z żadną z tych pań. Czy któraś z was chciałaby być tą dziewczyną w białych koronkach i patrzeć na świat z kwaśną miną, tak jakby nie dało się żyć bez zadzierania nosa? Albo czy zamienilibyście się z tą niską i otyłą panią w różowej sukni? Możliwe, że jest ona miłą i uczynną osobą, ale ta jej figura!

Albo weźmy nawet panią Evans. Ma w oczach taki niesamowity smutek, że musiała być kiedyś bardzo nieszczęśliwa. Jane, na pewno z żadną z nich nie chciałabyś się zamienić!

— Sama już nie wiem — powiedziała Jane bez przekonania. — Wydaje mi się, że brylanty mogą człowieka nieźle pocieszyć.

— A ja chciałabym być tylko sobą, nawet gdybym przez całe życie nie miała najmniejszego brylancika na pociechę — oświadczyła Ania. — Jestem szczęśliwa jako Ania z Zielonego Wzgórza i wystarczy mi mój naszyjnik z perełek. Mateusz podarował mi razem z nim tyle serca, że więcej jest wart od wszystkich klejnotów różowej damy.

ANIA WSTĘPUJE DO SEMINARIUM

Kolejne trzy tygodnie upłynęły na Zielonym Wzgórzu bardzo pracowicie, gdyż Ania przygotowywała się do wyjazdu na Queen's Academy i trzeba było wykonać sporo prac krawieckich, a także omówić i załatwić wiele różnych spraw. Wyprawka Ani była bogata i gustowna, bo inicjatywę przejął Mateusz, a Maryla tym razem nie oponowała przeciw żadnym propozycjom ani zakupom. Mało tego, pewnego wieczoru przyszła do pokoiku Ani, niosąc zwoje delikatnego, jasnozielonego materiału.

— Aniu, to coś w sam raz na ładną, zwiewną sukienkę dla ciebie. Pewnie wcale nie jest ci aż tak bardzo potrzebna, bo masz ich przecież sporo. Pomyślałam sobie jednak, że przyda ci się coś naprawdę szykownego na wypadek, gdyby tam w mieście ktoś zaprosił cię na przyjęcie lub coś w tym rodzaju. Doszły mnie słuchy, że Jane, Ruby i Josie mają już swoje „suknie wieczorowe", jak się wyraziły, a ja nie chciałabym, żebyś była od nich gorsza. Pani Allan pomogła mi w zeszłym tygodniu wybrać w mieście tę tkaninę, a teraz Emilia Gillis uszyje ci coś odpowiedniego. Emilia ma dobry gust, a skroić sukienkę potrafi jak nikt inny.

— Och, Marylo, ten materiał jest przepiękny — powiedziała Ania. — Bardzo ci dziękuję. Chyba jednak jesteś dla mnie za dobra, bo czuję, że z każdym dniem coraz bardziej tracę ochotę na wyjazd z domu.

Gdy zielona sukienka była już gotowa, miała tyle zaszewek, falbanek i marszczeń, ile Emilia zdołała pogodzić ze swoim poczuciem dobrego smaku. Pewnego wieczoru Ania założyła sukienkę specjalnie po to, żeby Maryla i Mateusz mogli ją zobaczyć. Przyszła do kuchni i przedstawiła fragment z *Panieńskich ślubów*. Patrząc na ożywioną twarz swojej wychowanki oraz na jej pełne gracji ruchy, Maryla przypomniała sobie dokładnie ów wieczór, gdy mała, dziwacznie wyglądająca postać w brzydkiej, zbyt ciasnej sukienczynie z żółtawoszarej wełny po raz pierwszy zawitała na Zielonym Wzgórzu. Przypomniała sobie też rozpacz, jaka malowała się wówczas w zapłakanych oczach dziecka. Wspomnienie to tak ścisnęło ją za serce, że sama miała ochotę się rozpłakać.

— No, kto by pomyślał, że moje deklamacje tak cię rozczulą, Marylo — zażartowała Ania, pochylając się nad swoją opiekunką i składając na jej policzku delikatny pocałunek. — Odniosłam prawdziwy sukces artystyczny.

— Nie, to nie z powodu wiersza — zaprzeczyła Maryla, która nigdy w życiu nie przyznałaby się do tego, że „jakiś tam wierszyk" aż tak bardzo mógł ją poruszyć. — Po prostu naszły mnie wspomnienia z czasów, gdy byłaś jeszcze dzieckiem, i mimo że przysparzałaś nam tylu kłopotów, żal mi się zrobiło, że przestałaś być małą, niesforną dziewczynką, tak inną od wszystkich dzieci. Wyrosłaś i wkrótce nas opuścisz. Jesteś teraz taka wysoka i elegancka, i... i... w tej sukni wyglądasz tak, jakbyś w ogóle nie pasowała do Avonlea — to dlatego poczułam się taka samotna.

— Marylo! — Ania przysiadła na okrytych kraciastą spódnicą kolanach swojej opiekunki, ujęła w dłonie jej pomarszczoną twarz i z niezwykłą czułością i powagą zajrzała w oczy. — Tak naprawdę wcale się nie zmieniłam. To tak jak z drzewem — ktoś przyciął mi gałązki i okryły mnie nowe pędy. W środku pozostałam jednak taka sama. I nie ma najmniejszego znaczenia, dokąd wyjadę ani jak bardzo zmieni się mój wygląd; na dnie serca na zawsze pozostanę twoją małą Anią, ty i Mateusz będziecie najdroższymi mi osobami, a Zielone Wzgórze — moim domem.

Ania przytuliła swój gładki policzek do twarzy Maryli i jednocześnie wyciągnęła rękę, aby delikatnie poklepać po ramieniu jej brata. Maryla dałaby wówczas wiele, żeby móc tak jak Ania wyrażać uczucia słowami, ale ponieważ natura i siła przyzwyczajenia inaczej ją ukształtowały, objęła tylko swoją najdroższą dziewczynkę i przytuliła czule do serca, mając nieodpartą chęć zatrzymać ją przy sobie na zawsze.

Mateusz, czując w oczach jakąś podejrzaną wilgoć, wstał i wyszedł z domu. Letnie niebo było bezchmurne i gwiaździste. Mateusz energicznym krokiem przemierzył podwórze i podszedł do bramy, przy której rosły topole.

— No i co, wcale a wcale jej nie zepsułem — mruknął pod nosem, nie bez dumy. — To, że się od czasu do czasu wtrącałem, nie wyrządziło jej żadnej krzywdy. Jest mądra, ładna i kochająca, a to się najbardziej liczy. Ania to dla nas prawdziwe błogosławieństwo, a ta pomyłka pani Spencer w końcu okazała się całkiem szczęśliwa. Myślę sobie, że nie chodzi tu nawet o jakiś tam łut szczęścia. Nie wierzę w takie rzeczy. To musiało być zrządzenie Opatrzności, już tam Wszechmocny dobrze wiedział, że właśnie jej było nam potrzeba.

W końcu nadszedł dzień wyjazdu Ani do miasta. Po tkliwym i łzawym pożegnaniu z Dianą oraz drugim, przy którym obyło się bez łez — przynajmniej ze strony rozsądnej jak zwykle Maryli — pewnego pięknego wrześniowego poranka Ania i Mateusz wyruszyli w drogę. Diana szybko ukoiła swój smutek, udając się w towarzystwie kuzynów z Carmody na piknik do Białych Piasków i nieźle się tam bawiąc. Maryla natomiast szukała zapomnienia w pracy i przez cały dzień, czasem trochę na siłę, wynajdywała sobie rozmaite zajęcia, byle tylko zagłuszyć ten palący w sercu żal, którego nie były w stanie ugasić żadne łzy. Ale w nocy, kiedy uświadomiła sobie w całej pełni, że mały pokoik na poddaszu stoi pusty i nie krząta się już po nim młoda, energiczna osóbka, ukryła twarz w poduszce i zapłakała z tęsknoty za swoją Anią tak gorzko, że gdy potem trochę ochłonęła, czyniła sobie wyrzuty za nadmierne przywiązanie do grzesznej, bądź co bądź, istoty.

Ania i pozostali uczniowie z Avonlea dotarli do miasta akurat na czas, by rzucić się w wir nowych obowiązków. Pierwszy dzień na Akademii był nawet dość przyjemny, a to z powodu wielu nowych wrażeń — spotkań z innymi studentami, poznawania profesorów i przydzielania do grup. Za radą panny Stacy, Ania zamierzała rozpocząć zajęcia z drugim rokiem, podobnie zresztą jak Gilbert Blythe. Gdyby ten plan się powiódł, uzyskaliby licencjat nauczycielski wyższej rangi już po roku zamiast po dwóch, ale taki sukces należało najpierw okupić zdwojonym wysiłkiem. Jane, Ruby, Karol i Moody Spurgeon nie mieli aż takich ambicji i zadowolili się zwykłym tokiem studiów, prowadzącym do licencjatu niższego stopnia. Anię ogarnęło poczucie dojmującej samotności, gdy znalazła się w jednej sali z pięćdziesięcioma obcymi osobami, spośród których znała tylko wysokiego chłopca z ciemną czupryną, siedzącego w drugim rzędzie. Ponieważ znajomość ta miała bardzo specyficzny charakter, Ania pomyślała ze smutkiem, że nie ma co liczyć na wsparcie z tej strony. Mimo wszystko jednak była zadowolona, ponieważ wyglądało na to, że znowu dojdzie między nimi do rywalizacji, a bez niej Ania czułaby się odrobinę zagubiona.

„Właściwie dobrze, że on tu jest — pomyślała. — Gilbert wygląda na bardzo zdeterminowanego. Pewnie właśnie rozmyśla, co by tu zrobić, żeby zdobyć medal Akademii. Ależ on ma zgrabny podbródek! Nigdy wcześniej tego nie zauważyłam. Szkoda, że Jane i Ruby nie chciały razem ze mną ubiegać się od razu o licencjat wyższego stopnia. Ale mam nadzieję, że przestanę się tu czuć tak obco, gdy bliżej zapoznam się z grupą. Ciekawe, z którymi dziewczętami się zaprzyjaźnię. Przyjemnie jest snuć takie myśli. Oczywiście, obiecałam Dianie, że żadna koleżanka z seminarium, choćby nie wiem jak miła, nie zostanie nigdy moją najlepszą przyjaciółką; nie przeszkodzi mi to jednak szukać sobie nowych koleżanek. Może by tak zagadać do tej dziewczyny o piwnych oczach i rumianych policzkach, ubranej w ciemnoczerwoną bluzeczkę? Wygląda na wesołą i dziarską; a może do tamtej bladolicej blondynki, która wypatruje czegoś za oknem? Ma śliczne włosy, a poza tym wygląda na marzycielkę. Prawdę mówiąc, to obie chciałabym poznać, i to na tyle dobrze, aby móc z nimi chodzić pod rękę i zwracać się do nich serdecznie po imieniu. Ale na razie jeszcze się nie znamy i pewnie nawet im przez myśl nie przejdzie, żeby się ze mną próbować zaprzyjaźnić. Och, czuję się taka samotna!"

Samotność jeszcze bardziej doskwierała Ani wieczorem, gdy znalazła się już w swoim pokoju. Koleżanki szkolne z Avonlea miały zapewnione lokum u swoich krewnych w mieście. Co prawda panna Józefina Barry z chęcią widziałaby Anię u siebie, ale jej dom był na tyle oddalony od Akademii, że zamieszkanie z ciotką Diany nie wchodziło w grę, więc Mateusz i Maryla zgodzili się na poleconą przez nią bursę.

— Właścicielka jest szlachetnie urodzoną damą, zubożałą nieco po śmierci męża, brytyjskiego oficera — wyjaśniła panna Barry. — Pani ta bardzo starannie dobiera swoje lokatorki. Pod jej dachem Ania na pewno nie wpadnie w złe towarzystwo. Posiłki są smaczne, okolica spokojna, a budynek bursy znajduje się w bezpośrednim sąsiedztwie Akademii.

Wszystkie wymienione przez pannę Barry zalety mieszkania potwierdziły się, ale i tak stanowiło to niewielką pociechę, szczególnie na samym początku, gdy Ania bardzo mocno tęskniła za domem. Smutnym wzrokiem spoglądała na wąski, mały pokój, którego ściany pokrywały brzydkie tapety, nie ożywione żadnym obrazkiem, a całe umeblowanie stanowiło skromne żelazne łóżko i pusta biblioteczka. Żal zaczął dławić Anię za gardło, gdy przypomniała sobie jasny pokoik na Zielonym Wzgórzu, gdzie za oknem zieleniły się drzewa, w ogródku słodko pachniał groszek, sad srebrzył się w blasku księżyca, w dole, u stóp wzgórza, szemrał strumień, a gałęziami świerków rosnących po drugiej stronie targał nocny wiatr; tam, w Avonlea nad głową rozpościerało się wielkie gwiaździste niebo, a wśród gałęzi drzew pobłyskiwało światełko w pokoju Diany. Tu, gdzie znajdowała się teraz, nie było żadnej z tych rzeczy. Ania wiedziała, że za oknem jest szara brukowana ulica z wiszącą nad nią plątaniną drutów telefonicznych, które zasłaniają niebo, ciągle słychać odgłos obcych kroków, a twarze przechodniów, oświetlone tysiącami świateł — wszystkie są jednakowo obce. Zbierało jej się na płacz, ale postanowiła powstrzymać łzy.

— Nie będę płakała. To by było głupie i stanowiłoby dowód słabości — o, to już trzecia łza. I jeszcze jedna, i jeszcze... Muszę pomyśleć o czymś wesołym. Tylko że wszystkie wesołe wspomnienia prowadzą mnie do Avonlea, a wtedy jeszcze bardziej płaczę — o, szósta, siódma — co prawda w piątek jadę do domu, ale to jeszcze tak daleko. Och, myślę, że Mateusz właśnie dojeżdża do Zielonego Wzgórza, a Maryla wyszła przed dom i wypatruje go w oddali — i ósma łza, i jeszcze jedna — nie ma sensu liczyć! To już prawdziwy potok. Nie mogę się niczym pocieszyć i nawet wcale nie chcę. Już lepiej będzie, jak sobie popłaczę!

I rzeczywiście, Ania zatonęłaby we łzach, gdyby nie Josie Pye, która właśnie przyszła z wizytą. Radość oglądania znajomej twarzy zupełnie zagłuszyła w Ani wspomnienia nie najlepszych do tej pory stosunków z Josie. Przecież ona pochodziła z ukochanego Avonlea.

— Tak się cieszę, że przyszłaś — powiedziała szczerze uradowana Ania.

— Ojej, płakałaś — zauważyła Josie z natrętnym współczuciem. — Pewnie tęsknisz za domem — są ludzie, którzy nie potrafią nad tym zapanować. A ja nie zamierzam tęsknić, mówię ci. Miasto jest takie ciekawe w porównaniu z tym naszym zabitym deskami Avonlea. Nawet się dziwię, jak mogłam wytrzymać tam aż tak długo. Nie płacz, Aniu, bo nie do twarzy ci z tym czerwonym nosem i czerwonymi oczami — uważaj, bo jeszcze trochę i cała zrobisz się czerwona niczym indor. Zajęcia były dziś naprawdę ciekawe. Nasz profesor od francuskiego jest po prostu boski. Już sam widok jego wąsów przyprawiłby cię o przyspieszone bicie serca. Masz tu coś do jedzenia? Umieram z głodu. Byłam pewna, że Maryla spakowała ci jakieś ciacha, i dlatego wpadłam. Bo inaczej to już bym dawno była w parku z Frankiem Stockleyem i słuchałabym sobie orkiestry. Wiesz, on mieszka tam gdzie ja, to naprawdę równy gość. Zauważył cię dzisiaj na zajęciach i dopytywał się, „co to za rudowłosa". Wyjaśniłam mu, że jesteś sierotą przygarniętą przez Cuthbertów i tak naprawdę niewiele o tobie wiadomo.

Ania zaczęła się już zastanawiać, czy łzy i samotność nie są mimo wszystko lepsze od towarzystwa Josie Pye, gdy pojawiły się Jane i Ruby. Obie z dumą nosiły fioletowo-czerwone wstążki przypięte do płaszczy — był to znak przynależności do Queen's Academy. Ponieważ Josie od jakiegoś czasu znowu nie odzywała się do Jane, usiadła sobie z boku i nie brała udziału w rozmowie.

— No taaak — westchnęła Jane. — Czuję się tak zmęczona, jakby od dzisiejszego ranka upłynęło co najmniej kilka dni. Powinnam właściwie iść wkuwać Wergiliusza, bo ten okropny stary profesor zadał nam na jutro ze dwadzieścia linijek na dobry początek. W żaden sposób nie mogłam się jednak przymusić dzisiaj do nauki. Aniu, czyżbym widziała na twej twarzy ślady łez? Płakałaś? Przyznaj się. To by mi przywróciło poczucie godności, bo ja sama również tonęłam we łzach, jak jakaś nieopierzona gęś, zanim przyszła do mnie Ruby. Mniej wstydziłabym się słabości, gdybym wiedziała, że ktoś inny przeżywa to samo. Ciasto? Chyba mogę się poczęstować, co? Pachnie jak wspomnienie Avonlea.

Ruby dostrzegła na stole rozkład zajęć i zaczęła się dopytywać, czy Ania zamierza ubiegać się o złoty medal, który wręczano najlepszym studentom. Ania z rumieńcem na twarzy przyznała, że o tym myśli.

— Aha, przypomniało mi się — powiedziała Josie. — Queen's Academy otrzymała prawo przyznawania stypendium Avery'ego. Dzisiaj się to potwierdziło, a wiadomość przyniósł Frank Stockley, którego wujek zasiada we władzach Akademii. Jutro zostanie to oficjalnie podane do wiadomości wszystkim studentom.

Stypendium Avery'ego! Ania poczuła, że serce zaczyna jej bić w przyspieszonym tempie, ambicje zaś rosną jak za dotknięciem czarodziejskiej różdżki. Do chwili, gdy Josie powiedziała o stypendium, aspiracje Ani sięgały uzyskania po roku nauki nauczycielskiego licencjatu wyższego stopnia i być może medalu dla najlepszego studenta! Ale teraz, jeszcze zanim wybrzmiały słowa Josie, Ania w okamgnieniu wyobraziła sobie, jak to będzie, gdy zostanie stypendystką Avery'ego i pojedzie kontynuować studia w Redmond College, a także jak na ceremonii zakończenia roku wystąpi w todze i birecie. Stypendium Avery'ego przyznawano przecież studentom wyróżniającym się w języku angielskim, Ania zaś czuła się mocna w tej dziedzinie.

Bogaty przedsiębiorca z Nowego Brunszwiku zapisał kiedyś część swojej fortuny fundacji przyznającej stypendia dla wybijających się szkół i akademii z nadmorskich prowincji Kanady. Długo wątpiono w to, czy i Queen's Academy dostąpi tego zaszczytu, ale w końcu zapadła decyzja dająca Akademii prawo przyznawania stypendium absolwentowi, który uzyska najlepszy rezultat w dziedzinie języka i literatury angielskiej. Stypendium, w wysokości dwustu pięćdziesięciu dolarów rocznie, umożliwiało podjęcie czteroletnich studiów w Redmond College. Nic więc dziwnego, że tamtego wieczoru Ania kładła się do łóżka z wypiekami na twarzy!

— Jeżeli wystarczy do tego tylko ciężka praca, zdobędę to stypendium — postanowiła. — Ależ Mateusz byłby dumny, gdybym uzyskała stopień bakałarza* w dziedzinie nauk humanistycznych. Och, cudownie jest mieć ambicje i bardzo się cieszę, że mam ich tak wiele. I chyba nie zanosi się na to, żeby kiedykolwiek mi ich zabrakło. Bo gdy tylko zaspokoi się jedną, natychmiast pojawia się następna, a poprzeczka wisi wyżej niż przedtem. I to właśnie sprawia, że życie jest takie ciekawe.

---

* BA = Bachelor of Arts — angielski odpowiednik polskiego licencjatu (przyp. tłum.).

ZIMA NA QUEEN'S ACADEMY

Z biegiem czasu Ania przestała tak bardzo cierpieć z powodu rozłąki z najbliższymi, głównie dzięki częstym, bo cotygodniowym wizytom w domu. Dopóki pogoda na to pozwalała, studenci z Avonlea wyjeżdżali do domu w każdy piątek po zajęciach, korzystając z nowo zbudowanej linii kolejowej do Carmody. Diana i parę innych młodych osób zazwyczaj wychodziło im na spotkanie, po czym wesołą gromadą szli pieszo do Avonlea. Rześkie powietrze i wędrówka po jesiennie przebarwionych wzgórzach oraz widoczne z daleka oświetlone okna domów czyniły te powroty najprzyjemniejszą częścią tygodnia.

Gilbert Blythe prawie zawsze wędrował z Ruby Gillis, pomagając jej nieść torbę. Ruby stała się atrakcyjną młodą kobietą, świadomą przywilejów swego wieku, dlatego nosiła długie spódnice, dbając jednak o to, aby ich długością nie denerwować zbytnio mamy, a włosy upinała wysoko i tylko wracając do domu, robiła sobie na powrót dziewczęcą fryzurę. Miała duże niebieskie oczy, ładną cerę i efektowną, choć dosyć pełną figurę. Często się śmiała, była wesoła, zgodna i umiała cieszyć się życiem.

— Chyba jednak nie jest w guście Gilberta — szepnęła Jane do Ani, która choć się z tą opinią zgadzała, za nic w świecie by jej nie wygłosiła publicznie, nawet gdyby miała za to dostać stypendium Avery'ego. Poza tym nie opuszczała jej myśl, że dobrze byłoby mieć takiego przyjaciela jak Gilbert i żartować sobie z nim, rozmawiać na temat książek, studiów i ambicji życiowych. Tego zaś, że Gilbert miał wysokie aspiracje, była pewna, a Ruby niewątpliwie nie była odpowiednią partnerką do rozmów na takie tematy.

Ania nie myślała o Gilbercie z naiwną czułostkowością. Jeżeli w ogóle myślała o chłopcach, to tylko jako o dobrych kompanach, i gdyby z Gilbertem połączyła ją przyjaźń, nie byłaby zazdrosna o to, z kim jeszcze pozostaje w zażyłych stosunkach. Miała niewątpliwie dar zawierania przyjaźni i dlatego przyjaciółek jej nie brakowało, ale podświadomie czuła, że i męskie towarzystwo mogłoby stać się wartościowym dopełnieniem jej własnego świata, a ponadto przyczyniłoby się do poszerzenia horyzontów myślowych i pozwoliło lepiej zrozumieć otaczającą rzeczywistość. Co prawda Ania nie miała jasnego rozeznania co do stanu swoich uczuć, przede wszystkim liczyła jednak na ciekawe rozmowy o świecie, o swoich nadziejach i ambitnych planach, a wspólne powroty ze stacji w przepięknej jesiennej scenerii, po ściętych przymrozkiem polach i dróżkach biegnących wśród paproci, mogły stać się okazją do takich właśnie konwersacji. Gilbert był inteligentnym młodym człowiekiem, zdecydowanym brać z życia to, co najlepsze, ale i dawać coś z siebie. Ruby Gillis wyznała kiedyś Jane, że nie była w stanie pojąć połowy rzeczy, o których rozprawiał Gilbert. Według niej przemawiał czasem zupełnie tak jak Ania, która zapamiętywała się nieraz w swoich rozważaniach, a ona wcale nie miała ochoty zaprzątać sobie głowy książkami, gdy nie było to konieczne. Frank Stockley był co prawda znacznie bardziej ujmujący, ale za to dużo mniej przystojny, i biedna Ruby nie mogła się zdecydować, którego z nich woli!

Z biegiem czasu wokół Ani powstał krąg przyjaciół — podobnie jak ona inteligentnych, ambitnych i pełnych wyobraźni studentów Queen's Academy. Zaprzyjaźniła się z „wesołą i dziarską" Stellą Maynard oraz „marzycielką", czyli Priscillą Grant, z tym że swoje pierwotne wyobrażenia na ich temat musiała nieco zmienić. Otóż to bladolica Priscilla okazała się dziewczyną żywiołową i skorą do żartów, natomiast ciemnooka Stella była w rzeczywistości marzycielką, w niczym nie ustępującą samej Ani.

Po Bożym Narodzeniu studenci z Avonlea zaniechali piątkowych wypraw do domu i skupili się na ciężkiej pracy. Do tego czasu każde z nich znalazło sobie w nowym środowisku własne miejsce, odpowiadające upodobaniom i cechom osobowości. Wszyscy przyjęli też do wiadomości pewne fakty, na przykład to, że wyścig o medal Akademii rozegra się zapewne w gronie trojga kandydatów, do którego zaliczają się Gilbert Blythe, Ania Shirley i Lewis Wilson; co do losów stypendium Avery'ego nie panowała już taka jednomyślność, a w grę wchodziło aż sześć osób. Natomiast do brązowego medalu, który przyznawano najlepszym matematykom, powszechnie typowano pewnego pucołowatego chłopaka z prowincji, noszącego wyświechtane paletko.

Ruby Gillis uchodziła za najładniejszą dziewczynę na całej Akademii, wśród seminarzystów ubiegających się o licencjat pierwszego stopnia palmę pierwszeństwa pod względem urody dzierżyła Stella Maynard, z tym że małe, aczkolwiek pewne swoich racji stronnictwo skłonne było głosować na Anię Shirley. Większość znających się na modzie obserwatorów uznała, że Ethel Marr nosi najefektowniejsze stroje i fryzury, a Jane Andrews — tak, nasza nieciekawa i nie grzesząca polotem, ale skrupulatna Jane — brylowała w dziedzinie umiejętności z zakresu gospodarstwa domowego. Nawet Josie Pye była bezkonkurencyjna w pewnej kategorii, to znaczy pod względem ciętości języka. Można więc bez cienia przesady stwierdzić, że uczniowie panny Stacy znakomicie sobie radzili na drugim etapie swojej edukacji.

Ania pracowała sumiennie i systematycznie, a jej współzawodnictwo z Gilbertem ani odrobinę nie straciło na zaciętości od czasów szkolnych, jednakże — choć ten fakt wielu obserwatorom trudno było zauważyć — pozbawione było teraz złośliwych podtekstów. Po prostu Ani nie zależało już na zwycięstwie dla pognębienia Gilberta, lecz raczej dla osiągnięcia satysfakcji z pokonania godnego siebie przeciwnika. Oczywiście, że bardzo chciała wygrać, ale ewentualna porażka nie oznaczałaby już dla niej końca świata.

Studenci znajdowali czas również na rozrywki. Ania spędzała wiele wolnych chwil w towarzystwie panny Barry, chodziła z nią na nabożeństwa i jadała niedzielne obiady. Panna Józefina posunęła się już w latach, czego zresztą sama była świadoma, ale jej czarne oczy nie utraciły jeszcze blasku, a język giętkości. Starsza pani nigdy jednak nie była złośliwa w stosunku do Ani, wręcz przeciwnie, nieprzerwanie darzyła ją wielką sympatią.

— Ta Ania ciągle się rozwija — mawiała. — Inne dziewczęta po prostu mnie męczą, są tak do siebie podobne i tak samo nudne. Tylko ona mieni się wszystkimi kolorami tęczy, a każda z tych barw, dopóki trwa, jest nieskończenie piękna. Co prawda Ania nie jest już taka zabawna jak wtedy, gdy była małą dziewczynką, ale jej po prostu nie można nie lubić, a ja wprost uwielbiam ludzi, którzy dają się lubić. Łatwo mi wtedy przychodzi wzbudzić w sobie sympatię do nich.

I nagle, niepostrzeżenie, nadeszła wiosna. W Avonlea zawilce zaczęły wychylać swoje białe i różowe główki spomiędzy utrzymujących się jeszcze tu i ówdzie śnieżnych łach, a lasy i doliny okryła delikatna, świeża zieleń. Studenci w Charlottetown jednak myśleli i rozmawiali wyłącznie o końcowych egzaminach.

— Wydaje mi się to nieprawdopodobne, ale semestr niemal dobiegł już końca — powiedziała Ania. — A przecież jesienią, gdy mieliśmy przed sobą całą zimę, zapowiadającą się niezwykle pracowicie, zakończenie roku wydawało się takie odległe. I oto lada dzień egzaminy. Wiecie co, nieraz myślę sobie, że poza nauką świata nie widzę, potem znowu, gdy zobaczę, jak na kasztanowcach nabrzmiewają pąki, a w powietrzu unosi się delikatna błękitna mgiełka, mam wrażenie, jakby sesja nie miała aż tak wielkiego znaczenia.

Jane, Ruby i Josie wyrażały nieco inny pogląd na temat końcowych egzaminów. Dla nich były one niezwykle ważne, po prostu od nich zależała przyszłość dziewcząt, dlatego nie zwracały większej uwagi na uroki otaczającego świata — strzelające pąki kasztanowców czy zwiewne majowe mgiełki. Ania mogła być w zasadzie pewna, że zda, i dlatego nabrała nieco dystansu w podejściu do sesji egzaminacyjnej. Ale pozostałe koleżanki paraliżowała świadomość, że w czasie egzaminów zdecydują się być może losy ich życia, i nie stać ich było na filozoficzny spokój.

— Przez ostatnie dwa tygodnie schudłam siedem funtów — wzdychała Jane. — Łatwo jest mówić „nie martw się". Ja się po prostu muszę martwić, bo to mi trochę pomaga. Jak się zamartwiam, mam przynajmniej wrażenie, że coś robię. A gdybym nie zdała, to cała zima spędzona w seminarium byłaby tylko jedną wielką stratą czasu i pieniędzy.

— Mnie tam nie zależy — oznajmiła Josie Pye. — Jak nie zdam teraz, to najwyżej powtórzę rok. Mojego ojca stać na to. Wiesz co, Aniu, Frank Stockley mówił mi, że profesor Tremaine uważa Gilberta Blythe'a za murowanego kandydata do medalu, a Emilia Clay z pewnością zdobędzie stypendium Avery'ego.

— E tam, może jutro zacznę się tym przejmować, Josie — odparła ze śmiechem Ania — ale dziś, jak sobie pomyślę, że lada chwila Dolina Fiołków usiana będzie fioletowymi kwiatuszkami, a wzdłuż Alei Zakochanych wystrzelą z ziemi paprocie, to stypendium Avery'ego nie wydaje mi się tak bardzo ważne. Przygotowałam się najlepiej, jak potrafiłam, i zaczynam rozumieć, co to znaczy „czerpać radość z pracy". Umieć wygrać to sztuka nie lada, ale przegrać też trzeba umieć. Dziewczyny, nie rozmawiajmy już o egzaminach! Popatrzcie na to zielonkawe niebo nad dachami i pomyślcie, jak musi być piękne nad ciemnoczerwonym bukowym lasem w okolicach naszego Avonlea.

— A w co się ubierzecie na ceremonię wręczenia dyplomów? — zadała praktyczne pytanie Ruby.

Jane i Josie natychmiast podchwyciły temat i rozmowa zeszła na modę. Ania tymczasem wsparła brodę na rękach i spoglądając przez okno, błądziła nieobecnym wzrokiem ponad dachami i wieżami miasta, po niebie rozświetlonym promieniami zachodzącego słońca, i z młodzieńczym optymizmem patrzyła w przyszłość. Wszystko było jeszcze przed nią, kolejne lata kryły w sobie rozmaite możliwości — wszystkie coś obiecywały, były jak róże, z których należało upleść wieniec nieśmiertelności.

W GLORII ZWYCIĘSTWA I W KRAINIE MARZEŃ

Rano tego dnia, kiedy na tablicy informacyjnej Queen's Academy miały zostać wywieszone wyniki egzaminów, Ania i Jane szły razem ulicą. Jane uśmiechała się i była bardzo szczęśliwa. Egzaminy dobiegły końca i była przekonana, że je zdała, zupełnie natomiast nie martwiła się tym, jaką otrzyma ocenę. Nie miała wygórowanych ambicji i dlatego nie dręczył jej żaden niepokój. Za wszystko, co otrzymujemy lub zdobywamy na tym świecie, musimy zapłacić pewną cenę. Chociaż niewątpliwie dobrze jest mieć jakieś ambicje, niełatwo jest z nimi żyć. Ich spełnienie wymaga bowiem sporego nakładu pracy, samozaparcia, przysparza trosk i często prowadzi wręcz do zniechęcenia. Ania była blada i bardzo spokojna. Za dziesięć minut dowie się, kto zdobył medal, a kto stypendium Avery'ego. W ciągu tych pełnych napięcia chwil Ani wydawało się, że czas przestał płynąć.

— Na pewno zdobędziesz albo jedno wyróżnienie, albo drugie — powiedziała Jane, która nie wyobrażała sobie, aby komisja egzaminacyjna mogła być na tyle niesprawiedliwa, żeby zadecydować inaczej.

— Nie mam nadziei na to stypendium — powiedziała Ania. — Wszyscy mówią, że uzyska je Emilia Clay. A poza tym nie mam zamiaru maszerować prosto do tej tablicy i szukać swego nazwiska na oczach wszystkich. Nie starczy mi odwagi. Lepiej od razu udam się do szatni dziewcząt, a ty pójdziesz sprawdzić listę wyników i potem mi o wszystkim opowiesz, dobrze, Jane? Tylko błagam cię, w imię naszej starej przyjaźni, zrób to najszybciej, jak potrafisz. Jeżeli nie zdałam, po prostu powiedz mi to bez owijania w bawełnę. I bardzo proszę, w żadnym wypadku nie okazuj mi współczucia. Przyrzeknij mi to, Jane.

Jane złożyła uroczystą obietnicę, ale jak się wkrótce okazało, zupełnie niepotrzebnie. Gdy tylko dziewczęta minęły drzwi i dostały się na schody, zobaczyły, że hol jest pełen chłopców, którzy podrzucali w górę Gilberta Blythe'a i krzyczeli, ile mieli sił w płucach: „Hurra, niech żyje nasz medalista, Blythe!"

Przez chwilę Ania poczuła, że robi jej się słabo z powodu doznanej klęski i rozczarowania. A więc przegrała, a zwycięzcą został Gilbert! No cóż, Mateusz na pewno będzie niepocieszony — a taki był pewien, że Ania wygra.

Aż nagle... ktoś krzyknął: „Na cześć Ani Shirley, która zdobyła stypendium — trzykrotne hip-hip, hurrra!"

— Och, Aniu — mówiła zadyszana Jane, gdy w pośpiechu biegły do szatni dla dziewcząt pośród serii wiwatów. — Och, Aniu, taka jestem z ciebie dumna! Cudownie, że ci się udało!

Chwilę potem otoczyły je pozostałe dziewczyny i Ania znalazła się pośród śmiejących się i składających gratulacje koleżanek. Wszyscy poklepywali ją po plecach i ściskali rękę, wyrażając w ten sposób swoje uznanie. Co chwila ktoś Anię zaczepiał, przyciągał do siebie, obejmował, i nie wiadomo jakim cudem zdołała jeszcze szepnąć Jane na ucho: „Aleź Mateusz i Maryla będą się cieszyć! Muszę zaraz do nich napisać".

Dzień, w którym rozdawano dyplomy, był następnym ważnym wydarzeniem. Uroczystość odbywała się w wielkiej auli akademickiej. Wygłoszono stosowne do okoliczności przemówienia, odczytano najlepsze wypracowania, odśpiewano to, co było do odśpiewania, po czym wręczono dyplomy, nagrody oraz medale.

Mateusz i Maryla przyjechali na uroczystość rozdania dyplomów. W wielkim skupieniu wpatrywali się w wysoką studentkę stojącą na podium — dziewczynę w jasnozielonej sukience, o delikatnie zarumienionych policzkach i wielkich, promiennych oczach — która czytała swoje wypracowanie, uznane przez komisję za najlepsze. Wszyscy pokazywali ją sobie i szeptem mówili, że to właśnie ta dziewczyna zdobyła stypendium Avery'ego.

— Chyba jesteś teraz zadowolona, Marylo, że zamieszkała razem z nami na Zielonym Wzgórzu? — szepnął Mateusz, gdy Ania skończyła czytać swoją pracę. Odezwał się po raz pierwszy od czasu, gdy weszli do auli.

— Wiesz, że nie pierwszy raz jestem z niej zadowolona — odparła z przekąsem Maryla. — Stale musisz mi coś wytykać, Mateuszu.

Panna Barry, która siedziała za nimi, pochyliła się do przodu i dźgnęła lekko Marylę swoją parasolką.

— Chyba jest pani dumna ze swej Ani, bo ja mam dla niej wielkie uznanie — oświadczyła.

Ania wróciła razem ze swoimi opiekunami do Avonlea jeszcze tego samego wieczoru. Nie była w domu od kwietnia i czuła, że nie zniosłaby dłuższego rozstania. Znowu rozkwitły jabłonie i świat po raz kolejny się odrodził. Diana czekała już na Anię na Zielonym Wzgórzu. W swoim jasnym, przytulnym pokoju, gdzie Maryla ustawiła na parapecie kwitnącą różę, Ania rozejrzała się i westchnęła głęboko — była taka szczęśliwa.

— Och, Diano, jak dobrze jest wrócić do domu, spoglądać na czubki jodeł rysujące się na tle różowego nieba, znowu widzieć biały sad i Królową Śniegu. Jak cudownie pachnie mięta! A ta herbaciana róża — przecież ona wygląda jak pieśń, jak nadzieja i modlitwa razem wzięte. No i tak dobrze znowu ujrzeć ciebie, Diano!

— Myślałam, że bardziej zaczęło ci zależeć na Stelli Maynard — oświadczyła Diana z wyrzutem w głosie. — Josie Pye mi o niej powiedziała. Mówiła, że za tą Stellą świata nie widzisz.

Ania roześmiała się i uderzyła lekko Dianę przywiędłymi narcyzami ze swojego bukietu.

— Stella Maynard to rzeczywiście wspaniała dziewczyna, prawie najlepsza ze wszystkich, jakie znam, poza tobą, Diano — powiedziała. — Kocham cię teraz jeszcze bardziej niż kiedykolwiek przedtem, tyle rzeczy mam ci do opowiedzenia. Najpierw jednak chciałabym usiąść na chwilę i popatrzeć na ciebie. Czuję się znużona, zmęczona wytężoną pracą i zaspokajaniem własnych ambicji. Jutro planuję spędzić przynajmniej dwie godziny w sadzie, leżąc na trawie i rozmyślając o niebieskich migdałach.

— Odniosłaś prawdziwy sukces, Aniu. Myślę, że teraz, kiedy uzyskałaś to stypendium, nie będziesz chciała od razu zabierać się do nauczania?

— Nie. We wrześniu pojadę na dalsze studia do Redmond. Czy to nie kusząca perspektywa? Po trzech wspaniałych, cudownych miesiącach wakacji z nowymi ambicjami i nadziejami przystąpię do pracy. Jane i Ruby zamierzają zająć się nauczaniem. Tak się cieszę, że wszystkim z Avonlea udało się ukończyć Queen's Academy. Nawet Moody Spurgeon i Josie Pye przebrnęli przez egzaminy.

— Zarząd szkoły w Nowych Mostach już obiecał posadę Jane — powiedziała Diana. — Gilbert Blythe też będzie uczył. Nie ma innego wyjścia. Jak się okazało, jego ojciec nie może mu jednak opłacić kolejnego roku studiów, więc Gilbert sam będzie musiał na nie zarobić. Myślę, że zostanie tu na miejscu i przejmie naszą szkołę, jeżeli panna Ames zdecyduje się odejść.

Ania była zaskoczona tą wiadomością i ogarnął ją dziwny niepokój. Nie przypuszczała, że sprawy przyjmą taki obrót. Sądziła, że Gilbert również uda się do Redmond. I co ona teraz zrobi bez rywala, który do tej pory tak skutecznie zagrzewał ją do walki? Czy nauka w koedukacyjnym college'u, z perspektywą uzyskania prawdziwego stopnia naukowego, mimo wszystko nie będzie beznadziejnie nudna bez tego dobrze już rozpoznanego przeciwnika?

Następnego ranka, przy śniadaniu, Ania zauważyła, że Mateusz wygląda nie najlepiej. Z pewnością przybyło mu także sporo siwych włosów od zeszłego roku.

— Marylo — zapytała Ania z wahaniem, gdy Mateusz odszedł już od stołu — czy on dobrze się czuje?

— Niestety, nie bardzo — odpowiedziała zasmuconym głosem Maryla. — Na wiosnę kilkakrotnie miał problemy z sercem, a w ogóle nie chce się oszczędzać. Bardzo martwi mnie stan jego zdrowia. Obecnie czuje się już trochę lepiej i zdołaliśmy wynająć bardzo dobrego parobka do pomocy, może więc Mateusz trochę wypocznie i podreperuje zdrowie. Zwłaszcza teraz, gdy jesteś już w domu. Ty zawsze potrafiłaś go rozweselić.

Ania pochyliła się nad stołem i ujęła w dłonie twarz Maryli.

— Ty też nie wyglądasz zbyt dobrze, Marylo, nie taką chciałabym cię widzieć. Jesteś bardzo zmęczona. Chyba zbyt ciężko pracujesz. Musisz trochę odpocząć, szczególnie że teraz będę z wami w domu. Wezmę sobie tylko jeden dzień wolnego od domowych obowiązków, bo chciałabym odwiedzić wszystkie tak miłe sercu miejsca, gdzie lubiłam zatapiać się w marzeniach, a potem przyjdzie kolej na ciebie — koniecznie musisz odpocząć, ja wszystkim się zajmę.

Maryla uśmiechnęła się serdecznie do swojej drogiej Ani.

— To nie z powodu przepracowania — powiedziała. — To głowa. Bardzo często mnie teraz boli, gdzieś jakby za oczami. Doktor Spencer ciągle zmienia mi okulary, ale nowe szkła niewiele pomagają. Pod koniec czerwca na Wyspę przyjedzie sławny okulista i mój lekarz mówi, że powinnam się wybrać do tego specjalisty. Chyba rzeczywiście nie ma innej rady. Nie mogę już ani czytać, ani szyć. Wiesz, Aniu, muszę ci powiedzieć, że naprawdę spisałaś się na medal, ucząc się w Queen's Academy. Nie dosyć, że w ciągu zaledwie roku nauki uzyskałaś licencjat nauczycielski wyższego stopnia, to jeszcze zdobyłaś stypendium Avery'ego. To naprawdę nie byle co. Pani Linde mówi, że duma niechybnie prowadzi do upadku, a już całkiem nie pochwala tego, że kobiety garną się do nauki. Twierdzi, że rola kobiety polega na czym innym. Zupełnie się z nią nie zgadzam. *À propos* Małgorzaty, coś mi się przypomniało — czy słyszałaś może o kłopotach, jakie przeżywa Abbey Bank?

— Tak, słyszałam, że jest zagrożony — odpowiedziała Ania. — Dlaczego pytasz?

— To samo mówiła mi Małgorzata. Przyszła do nas któregoś dnia w ubiegłym tygodniu i powiedziała, że chodzą takie słuchy. Mateusz poważnie się tym zmartwił. Wszystkie nasze oszczędności trzymamy w tym właśnie banku — co do centa. Kiedyś zastanawiałam się, czy Savings Bank nie będzie bardziej odpowiedni, ale ponieważ stary pan Abbey był wielkim przyjacielem naszego ojca, który zawsze trzymał oszczędności tylko w tym banku, Mateusz oświadczył, że każdy bank będzie wystarczająco dobry pod warunkiem, że na jego czele stanie pan Abbey.

— Myślę, że już od wielu lat pan Abbey pełnił funkcję prezesa banku tylko honorowo — powiedziała Ania. — Jest przecież bardzo starym człowiekiem. Tak naprawdę tą instytucją kierują teraz jego bratankowie.

— No cóż, kiedy Małgorzata nam o tym powiedziała, chciałam, żeby Mateusz od razu wybrał pieniądze z banku, a on obiecał, że się zastanowi. Jednakże wczoraj pan Russel zapewnił go, że wszystko jest w porządku i nie ma powodu do obaw.

Ania spędziła cały dzień na dworze, na łonie przyrody. Nigdy tych chwil nie zapomniała. Dzień był bardzo pogodny, jasny i złotawy, na niebie nie było ani jednej chmurki i wszystko tonęło w kwiatach. Dość długo przebywała w sadzie. Pobiegła odwiedzić Źródło Nimf, Jezioro Starych Wierzb i Dolinę Fiołków. Złożyła też wizytę na plebanii i serdecznie porozmawiała sobie z panią Allan. Wieczorem Ania i Mateusz poszli Aleją Zakochanych, żeby przypędzić krowy z odległego pastwiska. Lasy były pięknie prześwietlone zachodzącym słońcem, którego ciepłe promienie spływały strumieniem po zachodniej stronie wzgórz. Mateusz szedł dosyć wolno, z pochyloną głową. Ania, wysoka i wyprostowana, dostosowywała do niego swój sprężysty krok.

— Za ciężko dzisiaj pracowałeś, Mateuszu — odezwała się, lekko go napominając. — Dlaczego nie odejmiesz sobie choć trochę tych obowiązków?

— No cóż, chyba inaczej już nie potrafię — powiedział Mateusz, otwierając bramę na podwórze, żeby przepuścić krowy. — Po prostu starzeję się, Aniu, a wciąż o tym zapominam. Całe życie ciężko pracowałem, i chyba nawet wolałbym, żeby przyszło mi odejść w czasie pracy.

— Gdybym była chłopakiem, którego chcieliście tu sprowadzić — odezwała się Ania smutnym głosem — to mogłabym cię wyręczyć przy wielu ciężkich pracach i byłabym ci podporą. Naprawdę, z tego powodu wolałabym urodzić się chłopcem.

— A ja tam wolę ciebie od całego tuzina chłopaków — powiedział Mateusz, poklepując Anię łagodnie po ręce. — Naprawdę — od tuzina chłopaków. No a poza tym, czy to chłopak zdobył stypendium Avery'ego? Dostała je dziewczyna, i to moja Ania, moja dziewczynka, z której jestem taki dumny.

Mateusz uśmiechnął się łagodnie do swojej podopiecznej, tak jak to miał w zwyczaju, i wszedł na podwórze. Ania zapamiętała ten uśmiech i udała się do swojego pokoju na poddaszu. Długo siedziała przy otwartym oknie, rozmyślając o przeszłości i snując plany na przyszłość. Na zewnątrz, obsypana kwiatami, Królowa Śniegu wyglądała jak zasnuta mgłą w bladym świetle księżyca. Żaby jak zwykle grały swój koncert na bagnach nieopodal Jabłoniowego Wzgórza. Ania do końca życia zapamiętała spokojne srebrzyste piękno i wonną ciszę tego wieczoru. Była to ostatnia noc przed tym, jak smutek na zawsze naznaczył jej serce. Życie bowiem już nigdy nie jest takie samo, gdy zimne, uświęcające dotknięcie śmierci raz położy się na nim cieniem.

KOSIARZ, KTÓREMU NA IMIĘ ŚMIERĆ

— Mateuszu, Mateuszu... co z tobą? Powiedz coś, źle się poczułeś?

W słowach Maryli, które wypowiadała rwącym się ze zdenerwowania głosem, brzmiał ogromny niepokój. Ania, która szła właśnie przez korytarz, niosąc naręcze pachnących białych narcyzów — upłynęło potem sporo czasu, zanim znowu mogła na nie spoglądać tkliwie i z miłością — zdążyła tylko usłyszeć słowa Maryli i spostrzegła, że Mateusz stoi w drzwiach prowadzących na ganek, a w ręku ściska zwiniętą gazetę. Jego twarz była dziwnie ściągnięta i poszarzała. Ania wypuściła kwiaty z rąk i wpadła do kuchni dokładnie w tej samej chwili co Maryla. Obie nadbiegły zbyt późno. Zanim zdążyły go podtrzymać, Mateusz upadł na progu.

— Zemdlał! — krzyknęła przerażona Maryla. — Aniu, natychmiast leć po Marcina — tylko prędko! Jest w stodole.

Marcin, wynajęty parobek, który dopiero co wrócił z poczty, od razu wyruszył po doktora. Po drodze wstąpił do państwa Barry i poprosił, żeby jak najszybciej udali się do Maryli. Pani Linde, która akurat była u nich z jakąś sprawą, również pospieszyła na Zielone Wzgórze. Gdy przybyli na miejsce, zobaczyli, jak Ania i Maryla bezskutecznie próbują przywrócić leżącemu przytomność.

Pani Linde odsunęła je delikatnie na bok, sprawdziła puls i posłuchała bicia serca. Ze smutkiem popatrzyła na przerażone twarze obu kobiet i łzy napłynęły jej do oczu.

— Marylo — odezwała się bardzo poważnym tonem. — Nie sądzę, by można mu było jeszcze pomóc.

— Ależ pani Linde, chyba nie chce pani powiedzieć, że on... że Mateusz... — Ania nie mogła wydusić z siebie tego przerażającego słowa. Zrobiło jej się niedobrze i bardzo zbladła.

— Niestety, moje dziecko. Przyjrzyj się uważnie wyrazowi jego twarzy. Gdy napatrzysz się na podobne rzeczy tak często jak ja, zawsze już będziesz wiedziała, co to oznacza.

Ania spojrzała na znieruchomiałe oblicze swego drogiego przyjaciela i wtedy dopiero zrozumiała, że naznaczył je Anioł Śmierci.

Kiedy przyjechał doktor, stwierdził nagły zgon i dodał, że Mateusz najprawdopodobniej nie odczuwał wtedy bólu. Wszystko wskazywało na to, że brat Maryli doznał jakiegoś wstrząsu. Jak się wkrótce okazało, gazeta, którą trzymał w ręku, przywieziona rankiem z poczty przez Marcina, zawierała informację, że Abbey Bank zbankrutował.

Smutna wieść szybko obiegła Avonlea i przez cały dzień przyjaciele oraz sąsiedzi przybywali tłumnie na Zielone Wzgórze, aby złożyć wyrazy współczucia rodzinie i oddać hołd zmarłemu. Po raz pierwszy nieśmiały i małomówny Mateusz stał się ośrodkiem zainteresowania. Śmierć okryła go swoim całunem i wyróżniła niczym królewskiego pomazańca.

Gdy nad Zielonym Wzgórzem zapadła bezwietrzna, spokojna noc, stary dom pogrążył się w ciszy. Mateusz spoczywał w trumnie, którą ustawiono w salonie. Jego długie, posiwiałe włosy okalały łagodną twarz, na której podobnie jak za życia błąkał się delikatny, nieśmiały uśmiech. Wyglądało to tak, jakby Mateusz nie umarł, tylko spał i śnił o czymś przyjemnym. Wokół niego stały bukiety kwiatów, których nie widywało się już w innych ogrodach. Sadziła je niegdyś matka Cuthbertów w swoim przydomowym ogródku, gdy była młodą mężatką. Mateusz darzył te piękne, niemodne już kwiaty wielkim, choć skrywanym sentymentem. Ania ścięła je i przyniosła do salonu specjalnie dla niego. Twarz miała pobladłą, a oczy straszliwie ją piekły, mimo to nie pokazała się w nich ani jedna łza. Te kwiaty to była ostatnia przysługa, jaką mogła mu wyświadczyć.

Państwo Barry i pani Linde zostali tamtej nocy na Zielonym Wzgórzu. Gdy Diana weszła do pokoju na poddaszu, zobaczyła, że Ania stoi przy oknie. Delikatnie zapytała:

— Czy chciałabyś, abym dzisiejszej nocy spała u ciebie?

— Dziękuję ci, Diano. — Ania popatrzyła poważnym wzrokiem na przyjaciółkę. — Mam nadzieję, że nie weźmiesz mi tego za złe, ale wolałabym zostać sama. Nie czuję lęku. Od chwili kiedy to się stało, nie byłam sama ani przez minutę, dlatego pragnę pobyć trochę w samotności. Potrzebuję ciszy, żeby wszystko przemyśleć i zrozumieć, co się stało. Zupełnie to do mnie nie dociera. Czasem zdaje mi się niemożliwe, by Mateusz nie żył. Innym znowu razem mam wrażenie, że zmarł całe wieki temu, a ten tępy ból towarzyszy mi przez cały czas od tamtej chwili.

Diana nie do końca pojmowała odczucia Ani. Łatwiej przyszło jej zrozumieć Marylę, która dała się ponieść rwącemu potokowi żalu i rozpaczy, wbrew swojej pełnej rezerwy i zdrowego rozsądku naturze. Nie mogła pojąć ogromu bólu Ani, który obywał się bez łez. Pozostawiła przyjaciółkę sam na sam z jej smutkiem, starając się uszanować jej wolę.

Ania miała nadzieję, że łzy łatwiej popłyną, gdy zostanie sama. Wydawało jej się czymś okropnym, że po śmierci starego opiekuna i przyjaciela nie jest w stanie uronić ani jednej łzy, choć tak bardzo go kochała. Mateusz był dla niej zawsze taki miły, jeszcze poprzedniego wieczoru szedł z nią razem o zachodzie słońca, a teraz leży w tym ponurym pokoju i na jego czole maluje się przerażający spokój. Łzy nadal nie chciały napłynąć jej do oczu, mimo że uklękła przy oknie w ciemności i modliła się, patrząc na gwiazdy ponad wzgórzami. Ani jednej łzy, wciąż tylko ten sam okropny ból przygniatający serce. Czuła go przez cały czas, dopóki nie zasnęła, bez reszty wyczerpana przeżyciami minionego dnia.

W środku nocy przebudziła się, dookoła panowały ciemności i głucha cisza. Na wspomnienie minionego dnia ogarnęła ją fala smutku. Przypomniała sobie łagodny uśmiech, którym obdarzył ją Mateusz, gdy poprzedniego wieczoru żegnali się przy bramie. Wciąż wracały do niej jego słowa: „Moja Ania, moja dziewczynka, z której jestem taki dumny". Wtedy coś w niej pękło i Ania rozpłakała się rzewnymi łzami. Maryla posłyszała ten płacz i pospieszyła pocieszyć wychowankę.

— Dobrze, już dobrze, kochanie, przestań tak strasznie płakać. To i tak nie przywróci go do życia. Nie należy... po prostu nie wolno ci tak płakać. Sama też o tym pamiętałam, tylko że dzisiaj nie mogłam się powstrzymać. On zawsze był dla mnie takim oddanym, kochającym bratem — Bóg jednak wie najlepiej, co jest dla nas dobre.

— Och, pozwól mi się wypłakać, Marylo — łkała dalej Ania. — Łzy nie ranią mnie aż tak bardzo jak ten okropny palący ból, który przeszywa moje serce. Posiedź tu trochę ze mną i obejmij mnie — o, właśnie tak. Nie chciałam, żeby została ze mną Diana, bo chociaż jest dobra i miła, to nie może czuć tego, co ja, ten smutek jej nie dotyczy, jak więc mogłaby mi pomóc? Ta boleść jest tylko w nas obu. Och, Marylo, cóż bez niego poczniemy?

— Mamy przecież siebie, Aniu. Nie wiem, co bym zrobiła, gdyby ciebie przy mnie nie było, gdybyś nigdy z nami nie zamieszkała. Och, Aniu, wiem, że może czasami traktowałam cię zbyt surowo i byłam zbyt wymagająca. Zależy mi jednak, żebyś wiedziała, iż zawsze kochałam cię tak samo mocno jak Mateusz. Chcę ci o tym powiedzieć, bo właśnie teraz stać mnie na takie wyznanie. Wyrażanie własnych uczuć nigdy nie przychodziło mi łatwo, jedynie w takich chwilach jak ta mogę się na to zdobyć. Kocham cię zupełnie tak, jakbyś była moją rodzoną córką, a odkąd przybyłaś na Zielone Wzgórze, jesteś dla mnie zawsze radością i pociechą.

Dwa dni później przeniesiono ciało Mateusza Cuthberta przez próg jego domu i pochowano daleko od pól, które uprawiał, sadów, które tak bardzo kochał, i drzew, które sadził. Gdy było już po wszystkim, życie w Avonlea powróciło do normy i nawet na Zielonym Wzgórzu sprawy zaczęły biec zwykłym torem. Tak samo regularnie i skrupulatnie wypełniano wszelkie obowiązki, choć zawsze, przy każdej czynności, towarzyszyło temu „bolesne poczucie straty"*. Ania po raz pierwszy odczuwała tak głęboki żal i nie mogła przeboleć, że wszystkie sprawy toczą się tym samym, niezmiennym trybem, pomimo że Mateusz odszedł. Czyniła sobie wyrzuty i napełniało ją wstydem to, że wschody słońca nad wierzchołkami jodeł i bladoróżowe kwiatowe pączki rozwijające się w ogrodzie nadal budzą jej zachwyt. Miała poczucie winy, że tak samo jak dawniej wizyty Diany

---

* Cytat z poematu Henry'ego Wadswortha Longfellowa (1807–1882) *Hiawatha* (przyp. tłum.).

sprawiają jej radość, a wesołe opowieści skłaniają do śmiechu; nie mogła się pogodzić z tym, iż świat, w którym kwitły kwiaty, miłość i przyjaźń, nie stracił nic ze swojego uroku oraz że życie znowu przyzywało ją tysiącem głosów.

— To chyba nie jest w porządku, iż nadal znajduję przyjemność w tak wielu rzeczach, chociaż wiem, że Mateusz nie żyje — powiedziała zasmuconym głosem Ania, gdy któregoś wieczoru siedziały razem z panią Allan w ogródku przy plebanii. — Tak bardzo za nim tęsknię przez cały czas, a mimo to, pani Allan, życie i świat nadal wydają mi się takie piękne i ciekawe. Dzisiaj Diana opowiedziała mi coś zabawnego i zaczęłam się śmiać. Gdy Mateusz odszedł, myślałam, że nigdy nie będę w stanie się roześmiać. I wciąż mi się wydaje, że nie powinnam.

— Przecież gdy był jeszcze z nami, chętnie słuchał twojego śmiechu, lubił też widzieć cię radosną i cieszącą się wszystkim dookoła — łagodnie tłumaczyła pani Allan. — Teraz odszedł od nas, na pewno jednak chciałby wiedzieć, że nic się nie zmieniło. Uważam, że człowiek nie powinien odwracać się od świata i przyrody, która ma na nas uzdrawiający wpływ. Ale doskonale rozumiem twoje uczucia, wszystkich nas prędzej czy później spotyka to samo. Zawsze wzdragamy się na myśl, że potrafimy się nadal cieszyć, mimo iż droga nam osoba nie może już dzielić z nami tej radości. Wydaje nam się, że dopuszczamy się zdrady, jeśli nie umiemy trwać dłużej w smutku i wracamy do życia.

— Byłam dzisiaj po południu na cmentarzu i zasadziłam na jego grobie krzak róży — powiedziała marzycielsko usposobiona Ania. — Wzięłam niedużą sadzonkę tej białej róży, którą jego matka przywiozła dawno temu ze Szkocji. Mateusz zawsze bardzo lubił te różyczki, ich drobne kwiatuszki i kolczaste pędy. Byłam zadowolona, że posadziłam krzaczek na jego grobie. Wydawało mi się, iż sprawiam mu przyjemność, bo coś bardzo drogiego jego sercu będzie miał teraz blisko siebie. Mam nadzieję, że dusze tych róż, które tak bardzo ukochał, też poszły do nieba i czekały tam na niego. Muszę już wracać do domu, bo Maryla siedzi zupełnie sama, a o zmierzchu czuje się szczególnie samotna.

— Samotność będzie jej doskwierać jeszcze bardziej, gdy wyjedziesz do Redmond — powiedziała pani Allan.

Ania nic na to nie odpowiedziała. Życzyła dobrej nocy i wolnym krokiem oddaliła się w stronę Zielonego Wzgórza. Maryla siedziała na progu i Ania przysiadła obok niej. Drzwi za nimi były uchylone i podparte wielką różową muszlą, której gładkie, lśniące wnętrze mieniło się barwami zachodzącego słońca.

Ania urwała kilka gałązek wiciokrzewu i wpięła sobie we włosy jego bladożółte kwiaty. Lubiła, gdy ich delikatny zapach unosił się nad jej głową przy każdym poruszeniu, jakby na znak błogosławieństwa.

— Odwiedził mnie doktor Spencer, gdy byłaś u pani Allan — powiedziała Maryla. — Przypomniał mi, że jutro przyjeżdża ten specjalista, i nalegał, żebym wybrała się zbadać wzrok. Chyba rzeczywiście pojadę i w końcu będę to miała za sobą. Poczuję niesamowitą ulgę, jeżeli zapisze mi okulary, które nareszcie coś pomogą. Dasz sobie radę sama, Aniu, gdy pojadę do tego lekarza? Marcin będzie mnie musiał odwieźć, a trzeba by zająć się prasowaniem i pieczeniem.

— Poradzę sobie. Diana będzie mi towarzyszyć. Zrobię wszystko jak należy, nie musisz się martwić, że znowu wykrochmalę chusteczki lub przyprawię tort lekarstwem.

Maryla się roześmiała.

— Ależ z ciebie był łobuziak, Aniu. A te twoje ciągłe pomyłki... Bez przerwy wpadałaś w jakieś tarapaty. Już zaczynałam myśleć, że zły duch cię opętał. Pamiętasz, jak ufarbowałaś sobie włosy?

— No, to dopiero był wyczyn. Nigdy tego nie zapomnę — uśmiechnęła się Ania, dotykając ciężkich warkoczy, które nosiła owinięte dookoła kształtnej głowy. — Teraz chce mi się trochę śmiać na wspomnienie tych katuszy, które przeżywałam z powodu włosów. Kiedyś jednak wcale nie było mi do śmiechu, gdy pomyślałam o swoich włosach i piegach. Piegi praktycznie zniknęły, a włosy wiele sympatycznych osób określa jako kasztanowe, z wyjątkiem Josie Pye. Nie dalej jak wczoraj powiedziała mi, że są bardziej rude niż kiedykolwiek, przynajmniej wtedy, gdy mam na sobie czarną sukienkę, i zapytała, czy do rudych włosów można się z czasem przyzwyczaić. Wiesz, Marylo, prawie już dałam sobie spokój z tą Josie Pye i nie staram się na siłę jej polubić. Podejmowałam niejeden raz to, co niegdyś określiłabym mianem heroicznego wysiłku, ale Josie Pye zwyczajnie nie daje się lubić.

— Josie po prostu wdała się w swoją rodzinę, więc musi być nieprzyjemna. Myślę, że i tacy ludzie są potrzebni społeczeństwu, tyle że nie umiem wyjaśnić ich roli, tak samo jak trudno jest wytłumaczyć, po co rosną osty. Czy Josie też ma zamiar uczyć?

— Nie, wraca na Queen's Academy. Podobnie zresztą jak Moody Spurgeon i Karol Sloane. Jane i Ruby będą uczyć, i to obie w dobrych szkołach. Jane w Nowych Mostach, a Ruby gdzieś trochę dalej na zachód.

— Gilbert Blythe również zajmie się nauczaniem, prawda?

— Tak — padła krótka odpowiedź.

— Jaki przystojny chłopak się z niego zrobił — powiedziała w zamyśleniu Maryla. — W ubiegłą niedzielę widziałam go w kościele i wydał mi się taki wysoki, bardzo też zmężniał. Jest niezwykle podobny do swojego ojca, gdy tamten był w jego wieku. Jan Blythe był miłym chłopakiem. Stanowiliśmy parę dobrych przyjaciół. Ludzie mówili, że to mój narzeczony.

Ania popatrzyła na Marylę z zainteresowaniem.

— Och, Marylo, co się stało? Dlaczego...

— Pokłóciliśmy się. Nie wybaczyłam mu, kiedy mnie o to poprosił. Potem żałowałam, ale najpierw strasznie się dąsałam, byłam zła i chciałam go ukarać. Nigdy już do mnie nie wrócił — oni wszyscy byli tacy dumni. Potem było mi... przykro. Całe życie żałowałam, że nie wybaczyłam mu wtedy, gdy był jeszcze czas po temu.

— A więc ty także przeżyłaś romantyczne uniesienia — łagodnym głosem stwierdziła Ania.

— Tak, myślę, że można tak to nazwać. Pewnie nigdy byś mnie o to nie podejrzewała, patrząc na mnie? Jednak nie należy osądzać ludzi tylko po wyglądzie. Wszyscy już dawno zapomnieli o mnie i o Janie, nawet ja. To wspomnienie wróciło, gdy zobaczyłam w kościele Gilberta.

NA ZAKRĘCIE

Następnego dnia Maryla udała się do miasta, a pod wieczór była już w domu. W tym czasie Ania sprzątała i gotowała, a resztę czasu spędziła u Diany na Jabłoniowym Wzgórzu. Gdy stamtąd wróciła, Maryla siedziała w kuchni przy stole, z głową opartą na ręku. Wyglądała na bardzo przybitą i Ania poczuła w sercu zimne ukłucie. Nigdy jeszcze nie widziała, żeby jej opiekunka była taka markotna i zobojętniała na wszystko.

— Bardzo się zmęczyłaś? — zapytała.

— Tak... nie... sama nie wiem — odparła znużonym głosem Maryla, unosząc głowę i spoglądając na Anię. — Może i jestem zmęczona, tylko w ogóle się nad tym nie zastanawiałam. Mam inne zmartwienie.

— Byłaś u tego okulisty? Co ci powiedział? — pytała z niepokojem Ania.

— Tak. Przyjął mnie. Zbadał mi oczy. Powiedział, że jeśli zupełnie zaniecham szycia, przestanę czytać i nie będę wykonywać żadnych prac, które przeciążają wzrok, oraz nie będę płakać i założę odpowiednie okulary — to może nie dojdzie do pogorszenia i ustaną te okropne bóle głowy. Jeżeli natomiast nie zastosuję się do jego zaleceń, to najdalej w przeciągu roku stracę wzrok. Będę zupełnie ślepa, Aniu, wyobrażasz sobie?

Ania aż krzyknęła, tak bardzo poraziła ją ta wiadomość, a potem przez minutę trwała w zupełnym milczeniu. Wydawało się jej, że w ogóle nie będzie w stanie nic powiedzieć. Po chwili doszła jakoś do siebie i spokojnym, choć nieco łamiącym się głosem próbowała pocieszać opiekunkę:

— Staraj się o tym nie myśleć, Marylo. Przecież doktor pozostawił ci nadzieję. Jeżeli będziesz na siebie uważać, nie stracisz wzroku. A jeśli te okulary pomogą ci zwalczyć bóle głowy, to naprawdę będzie się z czego cieszyć.

— Cóż to za nadzieja, Aniu — z goryczą w głosie odparła Maryla. — Jakież to życie mnie czeka, skoro nie wolno mi szyć, czytać ani w ogóle zajmować się czymkolwiek pożytecznym. Równie dobrze mogłabym całkiem oślepnąć albo... umrzeć. A jeżeli chodzi o płacz, to zupełnie nie potrafię nad nim zapanować, gdy jestem sama. Ale nie ma co się tak nad tym rozwodzić. Byłabym wdzięczna, gdybyś zrobiła mi filiżankę herbaty. Jestem zupełnie wykończona. Proszę cię jednak, Aniu, nie opowiadaj nikomu o moich problemach, przynajmniej przez jakiś czas. Nie zniosłabym, gdyby ludzie zaczęli do mnie przychodzić, aby wypytywać o stan zdrowia i okazywać współczucie.

Gdy Maryla skończyła posiłek, Ania przekonała ją, żeby położyła się spać. Następnie poszła do swojego pokoiku na poddaszu i usiadła po ciemku przy oknie. Sama musiała uporać się teraz ze łzami i smutkiem, który przygniatał jej serce. Ileż bolesnych rzeczy wydarzyło się od tamtego dnia, gdy podobnie odpoczywała przy oknie po powrocie z Queen's Academy! Wtedy jednak przyszłość jawiła jej się w różowych barwach. Ania miała wrażenie, że od tego czasu upłynęły całe lata, zanim jednak położyła się do łóżka, na jej twarzy pojawił się uśmiech, a w sercu zagościł spokój. Wyszła swemu losowi odważnie naprzeciw, znajdując w nim sojusznika, jak to się zwykle dzieje, gdy z pokorą przystępujemy do wypełniania obowiązków, jakie nakłada na nas życie.

Któregoś popołudnia, kilka dni później, Maryla wolnym krokiem wracała przez podwórze. Przed chwilą odbyła rozmowę z pewnym człowiekiem, znanym Ani z widzenia. Był to pan Sadler z Carmody. Dziewczyna zastanawiała się, co też naopowiadał on Maryli, bo na jej twarzy pojawił się smutek i przygnębienie.

— Co chciał od ciebie ten pan Sadler, Marylo?

Maryla usiadła przy oknie i popatrzyła na Anię. W jej oczach, pomimo surowych zakazów okulisty, pojawiły się łzy. Gdy mówiła, jej głos rwał się i załamywał:

— Dowiedział się, że zamierzam sprzedać Zielone Wzgórze, i chce kupić naszą farmę.

— Kupić Zielone Wzgórze? Jak to kupić? — Ania przez chwilę nie mogła uwierzyć własnym uszom. — Ależ Marylo, chyba nie chcesz sprzedawać Zielonego Wzgórza!

— Nie wiem, Aniu, czy istnieje jakieś inne wyjście. Długo się nad tym zastanawiałam. Gdybym miała zdrowe oczy, mogłabym tutaj nadal mieszkać i jakoś bym sobie poradziła, zwłaszcza z pomocą robotnego parobka. W tej sytuacji jednak nie mogę. Przecież wiesz, że grozi mi zupełna utrata wzroku, a z powodu kłopotów ze zdrowiem nie jestem w stanie zajmować się wszystkim. Nigdy nie sądziłam, że dożyję dnia, kiedy będę musiała sprzedać swój własny dom. Niestety, wszystko idzie w takim kierunku, że farma zacznie coraz bardziej podupadać i w końcu nikt nie zechce jej kupić. Oszczędności, jakie mieliśmy zgromadzone w banku, przepadły, a od ubiegłej jesieni pozostało jeszcze do zapłacenia kilka rachunków, których Mateusz nie zdążył uregulować. Pani Linde radzi mi, abym sprzedała farmę i wynajęła pokój, może nawet u niej. Na sprzedaży nie zarobię zbyt wiele, bo posiadłość nie jest duża, a budynki są dość stare. Myślę jednak, że na życie mi wystarczy. Jak dobrze, że przynajmniej ty jesteś zabezpieczona, bo masz stypendium. Przykro mi, że nie będziesz miała dokąd wracać na wakacje, ale sądzę, że dasz sobie jakoś radę.

Maryla załamała się i zaczęła gorzko płakać.

— Nie wolno ci sprzedawać Zielonego Wzgórza, Marylo — zdecydowanym głosem oświadczyła Ania.

— Och, Aniu, dużo bym dała, żeby nie musieć tego robić. No ale pomyśl tylko. Nie mogę zostać tutaj zupełnie sama. Chybabym oszalała od tych wszystkich kłopotów i ciągłej samotności. Na pewno też utraciłabym wzrok, jestem o tym przekonana.

— Wcale nie musisz mieszkać tu sama. Zostanę z tobą i nie pojadę do Redmond.

— Nie pojedziesz do Redmond? — Maryla nagłym ruchem podniosła głowę i popatrzyła na Anię. — Jak to, dlaczego?

— Po prostu. Nie przyjmę tego stypendium. Podjęłam taką decyzję wtedy, gdy wróciłaś z miasta od okulisty. Chyba nie sądzisz, że mogłabym cię zostawić samą z tymi wszystkimi kłopotami — po tym, co dla mnie zrobiłaś. Przemyślałam całą sprawę i powiem ci, jaki mam plan. Pan Barry chce dzierżawić naszą farmę przez następny rok. Tak więc wcale nie będziesz musiała się o nią martwić. Ja zaś postanowiłam zająć się nauczaniem. Nawet złożyłam papiery do szkoły w Avonlea, choć nie sądzę, abym dostała tę posadę, bo jak się dowiedziałam, ma ją otrzymać Gilbert Blythe, zarząd już mu to obiecał. Myślę jednak, że mam szanse uczyć w Carmody. Wspomniał mi o tym wczoraj wieczorem pan Blair, gdy byłam u niego w sklepie. Oczywiście, będzie mi trochę trudniej niż wtedy, gdybym pracowała w Avonlea, ale mogłabym mieszkać tutaj i dojeżdżać do Carmody, przynajmniej tak długo, dopóki będzie ciepło. A zimą przyjeżdżałabym do domu w każdy piątek. Dlatego chciałabym, żebyśmy zatrzymały w tym celu konia. Wszystko sobie dobrze zaplanowałam, Marylo. Będę ci czytać i dbać, abyś była wesoła. Nie możesz ciągle chodzić taka smutna i przygnębiona. Razem będzie nam tutaj przyjemnie i będziemy szczęśliwe — ty i ja.

To, co mówiła Ania, wydawało się Maryli pięknym snem.

— Och, Aniu, gdybyś została tutaj ze mną, na pewno dałabym sobie radę, czuję to. Ale nie mogę wymagać od ciebie takiego poświęcenia. To byłoby okropne.

— Ależ skąd — roześmiała się wesoło Ania. — Nie ma mowy o żadnym poświęceniu. Nic nie mogłoby być gorsze niż sprzedaż Zielonego Wzgórza, nic bardziej by mnie nie zraniło. Koniecznie musimy uratować ten kochany stary dom. Jestem już całkowicie zdecydowana, Marylo. Nie pojadę do Redmond. Zostanę tutaj i zacznę pracować jako nauczycielka. Nie musisz wcale martwić się o mnie.

— No tak, ale co z twoimi ambicjami... i...

— Ambitna jestem nadal. Tylko że coś innego stało się teraz moim celem. Mam zamiar zostać bardzo dobrą nauczycielką. Zależy mi także, żeby twój wzrok się nie pogorszył. Oprócz tego chcę uczyć się sama, w domu, i tym sposobem skończyć jeden z kursów oferowanych przez Redmond College. Mam mnóstwo planów, Marylo. Myślałam o wszystkich tych sprawach przez cały tydzień. Postaram się dać z siebie bardzo wiele i mam nadzieję, że życie odpłaci mi w dwójnasób. Gdy ukończyłam seminarium, widziałam przed sobą prostą drogę. Wydawało mi się, że potrafię wszystko dostrzec na odległość wielu mil. Aż tu nagle zupełnie nieoczekiwanie pojawił się zakręt. Nie wiem, co znajduje się za tym zakrętem, mam jednak nadzieję, że tylko to, co najlepsze. Takie zakręty też mogą być fascynujące. Nie wiadomo, co się za nimi kryje — jaka wspaniała zieleń, na przemian łagodne światła i cienie... nowe krajobrazy... nieznane piękne rzeczy... urocze wzgórza i doliny.

— Myślę, że nie mogę pozwolić na to, żebyś z niego zrezygnowała — powiedziała Maryla, mając na myśli stypendium.

— Nie możesz mi tego zabronić. Mam już szesnaście i pół roku, a w dodatku jestem „uparta niczym muł", jak kiedyś powiedziała o mnie pani Linde — Ania roześmiała się filuternie. — Nie martw się, Marylo, naprawdę nie musisz mnie żałować. Nie lubię, gdy ktoś się nade mną użala, a zresztą nie ma potrzeby. Bardzo się cieszę na samą myśl, że ukochane Zielone Wzgórze nadal będzie moim domem. Nikt inny nie pokochałby go całym sercem, tak jak ty i ja — dlatego musimy je zatrzymać.

— Niech cię Bóg błogosławi, Aniu — powiedziała Maryla, ulegając namowom swojej podopiecznej. — Czuję się tak, jakbyś tchnęła we mnie nowe życie. Właściwie powinnam mimo wszystko nakłonić cię, żebyś pojechała do Redmond — wiem jednak, że i tak nie będę w stanie cię przekonać, dlatego zaniecham dalszych prób. Postąpisz, jak uznasz za stosowne.

Gdy po Avonlea rozniosła się wiadomość, że Ania Shirley nie pojedzie jednak na dalsze studia do Redmond, lecz pozostanie w domu i zacznie uczyć w szkole, wszyscy mieszkańcy żywo zainteresowali się całą sprawą. Różni dobrzy ludzie, którzy nic nie wiedzieli na temat choroby Maryli, uważali, że Ania postąpiła głupio. Pani Allan była jednak innego zdania. Pochwaliła wybór Ani i rozmawiała z nią tak serdecznie, że w oczach biednej dziewczyny ukazały się łzy wzruszenia. Również pani Linde nie miała nic przeciwko tej decyzji. Pewnego dnia przyszła o zmierzchu na Zielone Wzgórze z wizytą i zastała Anię oraz Marylę siedzące na progu przed drzwiami frontowymi i rozkoszujące się ciepłym, pełnym letnich zapachów wieczorem. Lubiły tak sobie siadywać przed domem, gdy zaczynał zapadać zmierzch, nad ogrodem krążyły cicho białe ćmy, a wilgotne powietrze wypełniała orzeźwiająca woń mięty.

Pani Małgorzata, mimo swej dosyć pokaźnej postury, zdołała się jakoś usadowić na kamiennej ławeczce obok wejścia, za którą rosły rzędem strzeliste żółte i różowe malwy. Westchnęła sobie przy tym trochę ze zmęczenia, ale i z ulgą.

— No, nareszcie mogę usiąść i chociaż chwilkę odpocząć. Przez cały dzień byłam na nogach, a dwieście funtów żywej wagi to niemały ciężar do dźwigania. Jakie to szczęście nie być otyłym, Marylo. Mam nadzieję, że umiesz to należycie docenić. No i co, Aniu, słyszałam, że zarzuciłaś ten pomysł ze studiami. I bardzo dobrze. Zdobyłaś już takie wykształcenie, że z pewnością jako kobieta możesz być z siebie dumna. Nie widzę najmniejszego sensu w posyłaniu dziewczyn na studia razem z mężczyznami, żeby napychały sobie głowy łaciną, greką i równie bezużytecznymi rzeczami.

— Ale ja wcale nie zamierzam rezygnować ani z łaciny, ani z greki, pani Linde — odpowiedziała ze śmiechem Ania. — Postanowiłam kontynuować studia humanistyczne jako ekstern i mam zamiar uczyć się wszystkiego sama, w domu.

Pani Linde wyrzuciła w górę ręce, demonstrując w ten sposób swoje święte oburzenie.

— Ależ, Aniu, zamęczysz się na śmierć.

— Skądże, to właśnie stanie się źródłem mojej siły. Naturalnie, nie będę z niczym przesadzać. Jak powiada „żona

Josiaha Allena"*, trzeba się starać „godzić jedno z drugim"**. W długie zimowe wieczory będę przecież miała sporo czasu, a nie ciągnie mnie zbytnio do ręcznych robótek. Zamierzam też uczyć w szkole w Carmody, chyba pani słyszała.

— Nic o tym nie wiem. Z tego, co się dowiedziałam, przyznano ci posadę nauczycielki tu na miejscu, w Avonlea. Zarząd zdecydował, że przejmiesz naszą szkołę.

— Jak to! Pani Linde! Przecież nauczycielem w Avonlea miał zostać Gilbert Blythe!

— Tak, to prawda. Jednak gdy dowiedział się, że starasz się o tę pracę, poszedł do nich — akurat wczoraj wieczorem odbywało się posiedzenie zarządu — i oświadczył, że wycofuje swoje podanie, oraz zaproponował, żeby przyjęli ciebie. Powiedział im, że obejmuje posadę w Białych Piaskach. To oczywiste, że zrezygnował z tej oferty wyłącznie ze względu na ciebie, ponieważ słyszał, jak bardzo ci zależy, żeby być blisko Maryli. Uważam, że postąpił bardzo ładnie, okazując aż tyle życzliwości, bez dwóch zdań, ot co. Z jego strony to prawdziwe poświęcenie, bo pracując w Białych Piaskach, będzie musiał płacić również za mieszkanie, a wszyscy wiedzą, że zbiera pieniądze na dalsze studia. W tej sytuacji zarząd zaakceptował twoją kandydaturę. Nawet nie wiesz, jak się ucieszyłam, gdy Tomasz przyniósł mi tę wiadomość.

---

* Samantha Smith Allen — postać z cyklu powieści Marietty Holley (1836–1926), która słynęła ze swoich postępowych poglądów na temat roli kobiet w społeczeństwie. Najbardziej znane tytuły powieści M. Holley to między innymi: *Samantha Among the Brethren* oraz *Around the World with Josiah Allen's Wife* (przyp. tłum.).

** W oryginale występuje określenie: *mejum*, które jest pochodzenia celtyckiego i w przybliżeniu oznacza: złoty środek. Por. ang. *medium* (przyp. tłum.).

— Nie jestem pewna, czy powinnam się podjąć tej pracy — wymamrotała niepewnym głosem Ania. — To znaczy, chodzi mi o to, czy mogę przyjąć takie poświęcenie ze strony Gilberta. Przecież on to chce zrobić... dla mnie.

— Zdaje mi się, że klamka zapadła i nic nie da się zmienić. Gilbert podpisał już umowę ze szkołą w Białych Piaskach. Nawet jeżeli teraz odmówisz, nic mu tym nie pomożesz. Myślę, że nie masz nad czym się zastanawiać i powinnaś przyjąć tę posadę. Świetnie dasz sobie radę, zwłaszcza teraz, gdy wszystkie Pye'ówny ukończyły już szkołę. Josie była ostatnia, no i Bogu niech będą dzięki, ot co. Przez ostatnie dwadzieścia lat ciągle któraś z nich uczęszczała do szkoły i zdaje mi się, że wyłącznie po to, żeby nauczyciele nie uwierzyli, że szkoła to raj na ziemi. Mój Boże, a cóż znaczą te błyski przesyłane z domu Barrych?

— To Diana prosi mnie, żebym do niej wstąpiła — roześmiała się Ania. — Nadal tą drogą przesyłamy sobie wiadomości. Proszę mi wybaczyć, ale pobiegnę do niej na chwilę, dowiedzieć się, o co chodzi.

Ania zbiegła ze wzgórza niczym łania, przecinając pole koniczyny, i zniknęła w cieniu rzucanym przez jodły w Lesie Duchów. Pani Linde popatrzyła za nią z pobłażaniem.

— Ania czasami zachowuje się jak dziecko.

— Owszem, lecz na ogół podejmuje bardzo dojrzałe decyzje, zupełnie jak dorosła kobieta — rzuciła rzeczową, choć nieco oschłą uwagę Maryla, tak jak to dawniej miała w zwyczaju.

Ale rzeczowość i szorstki sposób bycia przestały ostatnimi czasy cechować Marylę.

Wieczorem pani Linde powiedziała do męża:

— Wiesz, Tomaszu, Maryla Cuthbert to już nie jest ta sama osoba co niegdyś, bardzo złagodniała, bez dwóch zdań, ot co.

Następnego wieczoru Ania pobiegła na cmentarz, żeby położyć na grobie przyjaciela świeże kwiaty i podlać krzaczek białej szkockiej róży. Została tam aż do zmroku, bo lubiła ciszę i spokój, jakie panowały na cmentarzu. W pobliżu szeleściły topole, tak jak zwykle prowadząc ze sobą przyjacielskie rozmowy, a trawy rosnące pomiędzy grobami, gdzie tylko przyszła im na to ochota, szeptały do siebie swoje tajemnice. Kiedy Ania w końcu opuściła cmentarz i zaczęła schodzić po zboczu w kierunku Jeziora Lśniących Wód, słońce już zaszło i całe Avonlea leżało pogrążone w błogiej ciszy — wyglądało niczym „oaza wiecznego spokoju"*. Powietrze tchnęło świeżością, bo wiatr przynosił z pól miodny zapach kwitnącej koniczyny. W oknach domów, pomiędzy drzewami, migotały światełka. W oddali niezmiennie i zniewalająco szumiało morze, które przybrało fiołkową barwę i zasnute było lekką mgłą. Niebo po zachodniej stronie stanowiło istną symfonię jasnych, pastelowych barw, które odbijając się w wodach jeziora, przybierały jeszcze delikatniejsze i bardziej subtelne odcienie. Piękno otoczenia poruszyło Anię, która tak jak dawniej poczuła, że przeszywa ją dreszcz zachwytu. Poddała się całą duszą urokowi chwili i szepnęła:

— Kochany stary świecie, jesteś tak niewypowiedzianie piękny, że moje serce wypełnia radość. Jak dobrze jest żyć!

W połowie drogi prowadzącej ze wzgórza, z furtki przed domem Blythe'ów wyszedł wysoki młodzieniec, który coś sobie pogwizdywał. Był to Gilbert. Gdy tylko spostrzegł Anię, natychmiast przestał gwizdać, tak był zdumiony. Uchylił kurtuazyjnie czapki i odszedłby bez słowa, gdyby dziewczyna nie zatrzymała się i nie wyciągnęła do niego ręki.

---

* Cytat z poematu Alfreda Lorda Tennysona (1809–1892) *The Palace of Art* (przyp. tłum.).

— Gilbercie — powiedziała. Policzki zapłonęły jej rumieńcem. — Chciałam ci podziękować za twoją dobroć i za to, że dla mnie zrezygnowałeś z posady w Avonlea. Zależy mi, żebyś wiedział, jak bardzo to doceniam.

Gilbert skwapliwie ujął dłoń Ani.

— Nie zrobiłem niczego nadzwyczajnego. Z przyjemnością wyświadczyłem ci tę drobną przysługę. Czy teraz możemy już zostać przyjaciółmi? Wybaczyłaś mi wreszcie dawne winy?

Ania roześmiała się i bezskutecznie próbowała wyswobodzić rękę.

— Wybaczyłam ci już dawno, tego dnia nad jeziorem, gdy pomogłeś mi dostać się na pomost. Wtedy jednak nie bardzo jeszcze zdawałam sobie z tego sprawę. Gdy pomyślę, jaka ze mnie była uparta gąska... Chyba teraz mogę ci to już powiedzieć, przez cały czas żałowałam tamtej decyzji.

— Na pewno zostaniemy najlepszymi przyjaciółmi — powiedział uradowany Gilbert. — Jesteśmy stworzeni na parę dobrych przyjaciół, Aniu. Wystarczająco długo próbowałaś uciec przeznaczeniu. Wiem, że możemy sobie naprawdę sporo pomóc. Przecież ty też chcesz kontynuować studia, podobnie jak ja. Chodź, odprowadzę cię do domu.

Gdy Ania weszła do kuchni, Maryla popatrzyła na nią ze zdziwieniem.

— Kto z tobą przyszedł aż tu, na samą górę?

— Gilbert Blythe — odpowiedziała Ania, trochę zakłopotana tym, że się rumieni. — Spotkałam go na wzgórzu Barrych.

— Nie wiedziałam, że ty i Gilbert jesteście na tyle dobrymi przyjaciółmi, żeby przez całe pół godziny stać przy furtce i rozmawiać w najlepsze — odrobinę ironicznie uśmiechnęła się Maryla.

— Rzeczywiście, do tej pory nie mogliśmy nazywać siebie przyjaciółmi — raczej wrogami. Doszliśmy jednak do wniosku, że lepiej będzie dla nas obojga, jeżeli to się zmieni. Naprawdę staliśmy tam aż pół godziny? Mnie się zdawało, że tylko kilka minut. To pewnie dlatego, Marylo, że staraliśmy się nadrobić tych pięć straconych lat, kiedy nie odzywaliśmy się do siebie.

Tej nocy Ania długo siedziała przy oknie i odczuwała głębokie zadowolenie. Wiatr poruszał łagodnie gałęziami czereśni, w powietrzu pachniało miętą. Gwiazdy migotały ponad wierzchołkami jodeł w pobliskiej kotlince, a w oddali widać było światełko palące się w pokoju Diany.

Możliwości, które otwierały się przed Anią, nie były już tak liczne jak wtedy, gdy wróciła z Queen's Academy. Mimo iż ścieżka, którą jej przyszło podążać, zrobiła się dosyć wąska, Ania i tak miała pewność, że kiedyś rozkwitną przy niej kwiaty szczęścia. Radość, jaką daje uczciwa i rzetelnie wykonana praca, a także właściwie ukierunkowane ambicje i prawdziwa przyjaźń na pewno nie mogły jej zostać odebrane. Nikt nie może nikomu zabronić marzeń o idealnym świecie. A poza tym podążając własną drogą, prędzej czy później i tak każdy znajdzie się na zakręcie!

— „Gdy Bóg jest na niebie, bezpieczny jest świat!"* — powiedziała cichutko Ania.

---

* Cytat z poematu Roberta Browninga *Pippa Passes* (przyp. tłum.).

SPIS ROZDZIAŁÓW

KSIĄŻKI
LUCY MAUD MONTGOMERY
W WYDAWNICTWIE LITERACKIM

SERIA O ANI Z ZIELONEGO WZGÓRZA

Ania z Zielonego Wzgórza
Ania z Avonlea
Ania na uniwersytecie
Ania z Szumiących Topoli
Wymarzony dom Ani
Ania ze Złotego Brzegu
Dolina Tęczy
Rilla ze Złotego Brzegu

OPOWIADANIA Z AVONLEA

Opowieści z Avonlea
Pożegnanie z Avonlea

SERIA O EMILCE

Emilka z Księżycowego Nowiu
Emilka szuka swojej gwiazdy
Dorosłe życie Emilki

SERIA O PAT

Pat ze Srebrnego Gaju
Miłość Pat